COLLECTION "WEEK-END"

DESMOND SKIRROW

LE GRAND
BLACK-OUT

roman

traduit de l'anglais par France-Marie Watkins

ROBERT LAFFONT
6, place Saint-Sulpice, 6
PARIS-VIᵉ

Titre original :

IT WON'T GET YOU ANYWHERE

1

LES rues sont toujours pleines de vendeurs de dro-
gue, les murs couverts de graffiti salaces et de
numéros de téléphone, mais le Kilomètre Carré du Vice,
Londres Wl, est maintenant trop carré pour jouer les
cercles vicieux. Les loufiats en chômage, appelés extra
par leurs collègues au travail, continuent de stationner
au coin d'Old Compton Street sous la pancarte : Défense
de stationner. Au pub français on se jette toujours du
pernod derrière la cravate en écoutant les réminiscences
du temps de Dylan Thomas, et tous les clodos sont là
pour vous taper d'un whisky ou d'une Guinness. Les
téléphones ne marchent pas, les sous-sols sont bourrés
et les flics sont tous plus jeunes. Les rues transversales,
Frith, Dean et Greek, se jettent toujours dans Shaftesbury Avenue ou s'en écoulent, à votre gré, et les ruelles
intermédiaires sont pleines de petites boîtes. Le kilomètre carré est toujours là. Mais le vice est passé à l'ouest.

A Soho, cependant, il y a encore de la bonne cuisine.
Du bœuf salé accompagné d'un grand sourire juif, du
poulet cacciatora avec un clin d'œil napolitain, du cari

chinois et du canard laqué indien. Et de l'excellente cuisine française à dix fois sa valeur, comme les nouveaux francs.

En haut de la rue, après la boutique qui vend des tabliers de bouchers pour les filles qui font tout, après le coin où Albert Dimes a été poignardé, se trouve Le Masquoyard. Il faut être non seulement riche mais puissant pour franchir sa porte miteuse et monter son escalier grinçant. Le Masquoyard sert de la viande, des fruits, du fromage et des bombes glacées phalliques, et rien d'autre. C'est petit, pénombreux et spacieux, et l'homme qui dîne là le sait.

Dehors, dans la ruelle, se tenait Musgrave. La soirée était chaude et sombre, et il s'ennuyait à dormir debout. La lumière des réverbères de Dean Street était trop faible pour lui permettre de lire son *Evening Standard* et il ne faisait pas assez noir pour le cacher aux yeux de la petite Irlandaise blême plantée devant la porte suivante. C'était Patricia, hôtesse n° 7 du Club Gelbana, et elle devait le prendre pour un demi-micheton timide prêt à claquer ses quinze ou vingt livres durement gagnées pour deux ou trois verres de Quosh et deux ou trois heures de rêve.

— Bon Dieu, grommela Musgrave à une vitrine obscure, qu'est-ce qu'il fait là-haut, le schnock?

Et là-haut, dans le restaurant cramoisi, lord Llewellyn finissait le meilleur steak au poivre de Londres. Il contempla la jeune personne assise en face de lui et versa encore un peu du superbe vin rouge. Elle fit la moue, car elle avait espéré du champagne. Lord Llewellyn lui prit une main et la serra.

— Partons, dit-il.

— D'accord, dit-elle.

— Bonne petite, dit-il.

Et simplement parce qu'il la souhaitait, lord Llewellyn obtint son addition. Il griffonna dessus et conduisit sa jeune personne blanche et rose le long du chemin de moquette et dans la nuit. Il ne regarda ni à droite ni à gauche bien que tous les riches et puissants mangeurs de viande de la salle cherchassent à accrocher son regard. Car lord Llewellyn, massif et bel homme, empereur d'Allelec et de trois cent mille fidèles travailleurs, était ce qu'il y avait de plus énorme dans la City, et se comportait en conséquence.

En bas, dans la nuit chaude et ennuyeuse, Musgrave se sentit un peu ragaillardi. Il les regarda monter dans la Bentley qui avait attendu toute la soirée sur la ligne jaune, et il traversa paisiblement la ruelle pour reprendre sa Heinkel. Filer valait mieux que planquer, même dans un boulot de routine comme celui-ci.

« Foutue routine », grommela Musgrave. Comme les autres, celle-là coupe carrément en deux ses vingt-quatre heures. Entre le boulot et la dorme, il n'a pas le temps de rigoler. « Et pourquoi, diable, Greene, le plus morveux des foutus salauds d'Addison Road, gaspille allégrement les deniers publics à surveiller la moitié des foutus gros bonnets de l'industrie britannique qui tournent et virent et montent et descendent et entrent et sortent, pensait Musgrave, Dieu seul le sait. »

Il poussa sa voiture-bulle dans Dean Street et vira dans Shaftesbury Avenue. En chemin, il convoita un pardessus de cuir dans la vitrine de Cecil Gee et se déclara : « Bayswater. Un brandy contre un citron vert que c'est réglé comme d'habitude, dodo chez elle. » Et le voilà, lui, jusqu'à demain midi. Foutue routine.

La Heinkel brimbalait derrière la Bentley comme une casserole attachée au pare-chocs d'une voiture de jeunes mariés. « Dieu soit loué pour les petites Heinkel, musait Musgrave, le seul moyen de filer au train, les conducteurs étant ce qu'ils sont, et le diable sait ce que nous deviendrons quand ils auront fini de construire ces foutus passages souterrains rapides. » Il se faufila sous un autobus 12 et arriva à hauteur de la Bentley au feu rouge de Haymarket. Il jeta un coup d'œil à sa gauche. « Le noble bouc pique déjà au truc, murmura-t-il. Prions le silence qu'il laisse tomber la main quand il faut, et on est peinard jusqu'à Queensway. »

Et il godilla allégrement du levier de changement de vitesse, remontant Pall Mall, passant devant le Palais et sous les arbres à Hyde Park Corner, et puis filant dans le parc par le long chemin, vers Bayswater.

Mais Musgrave n'était pas aussi bon limier qu'il se plaisait à le penser. Comme c'était un travail de routine, il ne se servait de son rétroviseur que pour conduire et non, comme il aurait dû, pour observer le comportement de la grosse Ford noire, deux voitures derrière lui, qui prenait elle aussi la longue route de Queensway.

Au moment où Musgrave faisait grincer ses vitesses au bas de Dean Street, un homme était sorti du Club Gelbana, il avait mis la paluche au baba de Pat l'hôtesse, et il s'était glissé au volant d'une Ford noire garée entre les poubelles. Il était petit, costaud et dandy, et sentait les eaux de toilette pour hommes. Sa veste de cuir était ornée de dessins compliqués en clouage de cuivre et ses cheveux luisaient comme le derrière d'un canard de Moscovie. Il n'était pas particulièrement pressé, puisqu'il savait où allait la Bentley et, partant, où se rendait la Heinkel. Mais il fonça en travers d'Old Compton Street et dans Shaftesbury Avenue, parce que c'était comme ça qu'il aimait conduire.

Il s'insinua cependant discrètement derrière Musgrave et conduisit doucement, parce que c'était comme ça qu'il gagnait son bœuf. Et les trois voitures roulèrent dans le parc, passèrent devant les arbres et les casernes et le plus charmant lac de Londres. A la grille nord, la Ford fut retardée par un feu rouge mais un peu de slalom habile la ramena en place avant que la voiture de tête tourne à droite dans Queensway.

10

A mi-chemin de Whiteley, la Bentley disparut à gauche. Musgrave laissa s'élargir la distance qui les séparait, si bien que lorsqu'il passa devant l'immeuble de luxe, à Cockburn Square, il put voir lord Llewellyn et sa jeune personne attendre l'ascenseur. Il continua par le sens unique pour se garer près du pub, comme d'habitude. C'était presque l'heure de fermeture, mais la chaleur avait fait sortir quelques tables sur le large trottoir, d'où il pouvait distinguer l'appartement de la fille entre les arbres.

« Si c'est pas rien qu'un petit moment, pensa Musgrave, c'est toute la nuit. C'est la logique même. Alors je lui accorde un bon scotch, peut-être deux, et s'il n'est pas sorti, je téléphone au rapport et je laisse tomber. » Il commença à rêver à ce qu'il allait boire. Il laissa la clef au tableau de bord, puisqu'il serait assis tout près, et il poussa la porte devant lui. Dans la Heinkel, le volant se déplace avec la porte. Musgrave se hissa pour s'extirper de sa bulle.

Il vit arriver la grosse Ford noire au coin de la place, débouchant en sens interdit. « Jésus, pensa-t-il, un ivrogne. Sens interdit, pas de lumières. Et un vieux veau de bagnole qui va le rétamer, c'est sûr. »

Comme il regardait, à demi extirpé de la Heinkel, la Ford zigzagua sur la chaussée déserte devant lui, monta sur le trottoir et redescendit.

« Bon Dieu, pensa Musgrave, c'est con de mourir comme ça. »

Et le lourd pare-chocs de la Ford, aussi habilement manié qu'une queue de billard, claqua fort proprement la porte de la Heinkel sur le corps de Musgrave. La voiture noire sortit de Cockburn Square et fila vers le centre de Bayswater. A Hereford Road, ses feux s'allumèrent et elle repartit par Bayswater Road pour se perdre dans la circulation.

Lord Llewellyn, réchauffant un peu de cognac dans sa

paume, regarda par la grande fenêtre du premier étage
la petite foule agglutinée sur le trottoir.

— Une bagarre quelconque, ma chère, dit-il. J'aimerais que cet estaminet soit ailleurs. Enfin, je vais tirer
les rideaux, voulez-vous? Nous ne voulons pas vous partager avec d'autres, savez-vous.

— D'accord, dit la fille et elle continua de se déshabiller.

2

JE ne savais rien de Musgrave à ce moment, bien sûr, ni de lord Llewellyn, à part que sa tête me sautait aux yeux dans tous les journaux que je lisais. Tout ce que je savais alors, c'était ce que je sais maintenant. Ils se figurent qu'ils peuvent vous attraper par les cheveux chaque fois qu'ils ont besoin de vous, et se servir de vous comme d'un yoyo. En fait, j'étais assoupi à mon bureau quand le téléphone a sonné. Alors j'ai décroché et j'ai répondu.

— Brock? dit l'appareil.
— Quoi? j'ai dit.
— Déjeuner? dit le truc.
— Qui est-ce?
— Ça va.
— Une heure moins le quart au Tratt.

Un foutu yoyo. Une fois par an, par-là, ils me soulèvent par les cheveux et m'envoient dinguer contre les murs, mais entre-temps je travaille dans la publicité. J'aime bien travailler pour des agences de publicité. Ce sont d'immenses palais feutrés pleins de petits problèmes et de grosses solutions, peuplés d'esprits larges dans des robes étroites. Là aussi, on vous envoie un peu dinguer contre les murs, naturellement, mais c'est fait avec douceur et on vous allonge un bon cachet pour faire le clown.

Alors j'ai coupé les éliminatoires à la télévision de mon bureau, j'ai fait une caresse à ma secrétaire et j'ai remonté Jermyn Street jusqu'à Piccadilly. Ils m'attendaient sur les dalles fraîches du bar du Tratt devant deux doubles whiskies.

— Campari tonic, dis-je.

— Bon Dieu, dit Muir.

— Je suis un homme de publicité, dis-je, et je bois comme tel.

— Jésus, dit Greene.

— Vous avez mauvaise mine, dit Muir.

— Mal aux dents, grinçai-je.

Le Campari arriva et je le payai moi-même.

— Ecoutez, dit Muir, vous savez bien qu'Il a jamais discuté les notes de frais !

Greene approuva et Alvaro apporta le menu. Et en bas, après le repas, Greene fit part du message.

— Il veut vous voir. Dieu sait ce qu'Il mijote que mes hommes ne peuvent pas faire. Mais vous me rendriez service en venant prendre un verre ce soir à Addison Road.

— Il a été assez catégorique, ajouta Muir. Nous savions que vous ne vouliez pas être embêté, mais Il a insisté.

— Allez vous faire foutre, dis-je.

Nous avons bu le reste du vin blanc sec en silence. Je l'aurais aimé plus doux. Greene commanda trois cognacs.

— Dites-lui d'aller se faire foutre lui aussi, dis-je.

— D'acc, dit Greene.

— Oui, dit Muir. Mais l'honnêteté m'oblige à vous dire qu'avant qu'on parte Il a demandé votre dossier.

14

— Nous ne pourrons pas Le raisonner, dit Greene.

— A ce soir, Brock, mon vieux, dit Muir.

— 7 heures pile, Il a dit, ajouta Greene.

Alors je suis retourné à l'agence à temps pour la télévision scolaire. J'ai appris à écouter les disques. Et puis j'ai médité sur la moralité supposée du genre de femme qui se laisse persuader de donner à son chien du foie au bacon en boîte, et à 5 heures et demie j'ai invité une collègue d'en face à prendre un verre. Je lui paye un verre chaque fois que je peux car elle est LA publicité en un seul gros paquet. Une grosse solution à un petit problème, un esprit large dans une robe étroite. Elle a un nom musical et elle écluse le gin rose comme un commodore.

Plus de deux heures plus tard, j'ai réglé mon taxi à Holland Park et j'ai fait le reste du chemin à pied comme on me l'avait appris. J'ai poussé la porte d'entrée d'Addison Road et je suis passé devant le sergent inspecteur Pratt.

Seulement Pratt avait été remplacé, et un flic plus neuf, plus costaud et plus zélé avança le gros bras de la loi en travers de ma gorge. Muir ou Greene auraient dû le prévenir. Le judo, à moins qu'on ne s'y amuse avec une femme, est presque aussi métaphysique que la crapette, n'en déplaise à Joe Robinson. Et comme ce nouveau flic était un homme, il n'y avait aucune ambiguïté dans les tiraillements et les poussées. J'ai poussé. Il était confiant autant que zélé, et il se retourna comme une crêpe bien huilée. Il avait déjà composé dans sa tête tout ce qu'il me dirait et il était sur le point de parler quand il frappa le mur. Je l'ai empoigné à la gorge et je l'ai secoué contre la boiserie, les jambes ballantes. Il avait la bouche grande ouverte et souriante, je crois, mais rien ne sortait, pas même un ricanement. Alors je lui ai décoché un coup bas et je l'ai lâché; il a glissé à terre et son souper l'a quitté.

15

— Je suis Brock, dis-je. Je ne voulais pas venir ici, et je ne voudrais pas venir la prochaine fois, non plus.

Une porte s'ouvrit au premier.

— Montez, dit la porte. Vous n'êtes pas plus en retard qu'on ne pensait. Et dites au sergent de se faire servir un brandy. Greene signera la fiche.

Je suis monté. Je ne l'avais pas vu depuis près d'un an. Mais il n'avait ni vieilli ni faibli. Il n'avait pas changé du tout, c'était toujours le même gros goret rouge et rose, aussi vieux que le Bon Dieu.

J'avais fait sa connaissance dans un pub de Brighton tout de suite après la guerre. J'étais là pour me débarrasser de ma prime de démobilisation et lui pour mettre la dernière main à une opération qui nous aurait permis de gagner la guerre sans les Américains. Je me suis quelque peu bagarré un soir, j'ai perdu mon sang-froid et j'ai causé pas mal de suif. Après ça, on a bu de compagnie, ou plutôt j'ai bu en sa compagnie. Nous bavardions aussi beaucoup, dans les drôles de petits bars de pédales sous les arcades de la plage et là il s'est mis à jouer à moi comme à un jeu. J'avais ma petite théorie de la défense, à l'époque, simplement baisser la tête et charger, instantanément et dans l'endroit le plus inattendu. Il fut intéressé. Il y avait encore pas mal de rasoirs en liberté, en ce temps-là, et un tas de gros margoulins se reposaient après leur effort de guerre à Londres ou Liverpool, aussi Brighton regorgeait-il d'argent et d'alcool. Le breuvage à la mode à Brighton était alors brandy et bénédictine, et il y avait un stock illimité de pépins attendant preneur. Il avait le chic pour être preneur, pour m'en faire cadeau ensuite afin de pouvoir observer ma théorie de défense mise en pratique, puis il disparaissait.

Au bout de huit jours de ce petit jeu, j'étais scié de tous les pubs et de tous les clubs de Brighton et de Hove. Il a payé la note de tous mes dégâts, et puis il m'a dit qu'il allait me donner ma chance et me prendre sous contrat. J'avais beaucoup à apprendre, disait-il, et c'était dommage que j'aie gaspillé ma guerre à faire le zigoto dans la marine au lieu de former ma jeunesse d'une manière vraiment intéressante. Mais il avait une intuition, à mon sujet, disait-il. Et moi, je lui avais dit d'aller se faire voir.

Mais il était sincère. Je crois qu'il est toujours sincère, qu'il pense tout ce qu'il dit, bien qu'il n'en ait jamais l'air. Trois jours après que je suis revenu à Londres pour y chercher un bon emploi peinard dans la publicité, il m'envoyait Greene et Muir équipés d'assez de baratin et de fric pour m'attirer dans Kensington Gardens, à la grande maison avec le fanion blanc et les soldats à la grille. Et avant d'en ressortir trois mois plus tard, j'avais compris à quel point il avait raison. J'avais beaucoup à apprendre, quand j'ai fait sa connaissance. Les doigts raidis et les semelles d'acier, comment incendier et raser l'Albert Hall avec une seule allumette de sûreté humide, comment prendre des photos dans une chambre obscure avec un briquet Ronson pour tout éclairage, comment boire de la vodka sans poivre noir et comment coller au cul d'une Jaguar avec une Hillman Minx. J'ai tout appris sur le pays rouge et le pays jaune, les anomalies, les perversions et la benzerrine, le baiser de la vie, le baiser de la mort et le baiser d'une jeune auxiliaire de l'armée appelée Jo.

Et alors que j'étais jeune et enthousiaste, beau et con à la fois, le Gros m'a donné ma première mission. Elle était tout à fait inutile, hautement illégale et minutieusement enregistrée par le son et par l'image. Et maintenant, s'il presse le bouton marqué Brock, je serai instantanément expédié en Allemagne en port dû pour y être électrocuté, puis ramené chez nous pour y être pendu. Ensuite, ils me feront passer la Manche pour aller me faire guillotiner et après ça on m'enverra probablement finir mes jours dans un cul-de-basse-fosse à Madrid.

Lors de cette première mission aberrante, j'avais transgressé pour son compte des lois dont j'ignorais jusqu'à l'existence, et tout ce qu'il a trouvé à me dire, c'est « que ça vous serve de leçon ».

Alors j'ai fait tomber du fauteuil son odieux caniche et je me suis assis.

3

UN de ses travers persistants les plus désagréables, c'est qu'il ne boit que du calvados et ne vous offre jamais rien d'autre. Il buvait à petits coups, et de sa main grasse il m'a désigné la bouteille devant lui. J'ai traversé la pièce pour aller me servir un honnête whisky, de la bouteille cachée dans le placard. Il a soupiré, parce qu'il la conserve pour le ministre. Je suis resté debout dans le coin à contempler une gravure de la Charge de la Brigade Légère. Greene l'a trouvée dans un vieil *Illustrated London News*, et Muir l'a fait encadrer pour le Gros.

— J'ai besoin de vous pour une huitaine de jours, me dit-il.

— Vous pouvez pas. Vous m'avez confisqué mon passeport l'année dernière.

— C'est une affaire intérieure.

— Ah oui? C'est non. Je suis maintenant un publicitaire confirmé. J'ai le chic pour exprimer fortement les idées faibles. Et avec moi, vous en avez eu plus que pour votre argent.

— Vous avez dit ça la dernière fois. Idées faibles et la suite. Un esprit faible qui se répète.

— Comme la bonne publicité.

Il se versa encore un coup de calva et posa la bouteille trapue et nauséabonde à un autre endroit, sur un gros dossier rayé. Ça ressemblait au dossier de n'importe qui, mais c'était le mien, naturellement.

— Je vais continuer à en avoir pour mon argent, Brock, dit-il, tant que j'aurai besoin de vous. Et cette fois, j'ai besoin de vous pendant dix à quinze jours.

Il devait être allé au cinéma, parce que je crois bien qu'il était sur le point de me dire ce qui, au juste, était plus élevé que nous deux. Mais Greene est arrivé avec un message. Le Gros l'a pris, l'a lu, a grogné.

— Repassez-moi ça à Ballycuddy, et qu'on ne me dérange plus.

Je me souvenais que Ballycuddy était son code personnel pour Paris. Et je me rappelais pourquoi. Son agent à Paris pendant la guerre était Fiddler O'Dwyer, de la verte Erin, un mec cinglé qui refusait d'apprendre le français. Il avait passé la moitié de la guerre à baragouiner du gaélique aux soldats allemands, et l'autre moitié à apprendre l'allemand à Auschwitz, au cas où il sortirait de là avant de mourir.

Le Gros sirotait son calva et me considérait.

— Bon, très bien, dis-je. Je dois bien pouvoir prendre une semaine.

Il m'a tendu sa main grasse et je l'ai serrée. Puis il m'a offert un calva et je suis allé me servir un whisky. Nous sommes restés assis, en silence, tandis que le caniche ronflait. Pour être tout à fait franc, toutes choses égales d'ailleurs, j'ai toujours aimé cette pièce. A part moi, le dossier rayé et peut-être le caniche, il n'y a rien qui date d'après 1910, rien qui puisse laisser supposer que George V a été couronné et enterré. Dans cette pièce optimiste, 1914-1918 est encore dans les brumes de l'avenir, le Kaiser joue à Coves avec ce sacré vieil Edouard et Malba est encore en train d'inventer du toast et des desserts à Covent Garden.

La pièce regorge de boiseries luisantes et de petites chaises victoriennes affreuses en velours capitonné bien dodu, il y a des tables et des guéridons partout, croulant sous les pelotes à épingles brodées, les coquillages, les boîtes à biscuits peintes, les œufs de verre et les chiens de faïence. Les murs sont tapissés de fleurs de lis en relief et les étagères sont pleines de Dickens.

Dans cet univers glacé aux valeurs fluctuantes c'est le havre le plus sûr que je connaisse, et s'y asseoir est aussi dangereux que de plonger le regard dans les petits yeux bleus du Gros. Car alors je me retrouve petit garçon, assis dans le salon de grand-papa ou sur les genoux pelucheux de maman, dans la vie paisible où un refus risque d'offenser. Je me suis donc ressaisi.

— Ce n'est pas grand-chose, dit-il.

— Ce n'est jamais grand-chose.

— Quelques accidents, simplement. Tous mortels. Deux des gars de Muir. Et hier soir, un des nouveaux de Greene. Rien d'important, tous de simples agents de filature. Tous fidèles au manuel. Mais, je ne sais pas.

— Tous fidèles au même manuel?

— Oh oui, je crois. Ça en a tout l'air. Tous sur la route, attention, mais tous différents. Le premier, le classique accident de vacances du conducteur à gauche sur le continent. En Allemagne. Le deuxième, un éclatement de pneu ou quelque chose comme ça près de Milan. Et maintenant, un chauffard qui prend la fuite à Bayswater.

— Et ça, c'était hier soir, dis-je. Qui était-ce, et que faisait-il?

— Vous ne le connaissez pas. Un dénommé Musgrave, ex-flic, bon sergent. Greene fait une petite enquête sur des huiles. Les magnats, comme ça, Musgrave surveillait Llewellyn. Vous savez, Allelec.

21

— Il y a quelque chose, là?

— Je ne pense pas, non. Llewellyn est très important, maintenant, naturellement, et nous devons tenir ses fiches à jour pour les petits gars du cerveau électronique. Tourne plus ou moins au satyre sur ses vieux jours, en bordée plus souvent qu'à son tour. Mais rien, a dit Musgrave, en dehors du travail et des femmes.

— Et celui d'Allemagne?

Le Gros a regardé le plafond et a carré plus confortablement ses larges fesses sur son siège.

— Surveillance de touristes pour Muir, dit-il. Une cure de repos pour lui, à vrai dire, après une mission à Berlin. Rien qu'une paire d'yeux dans la région de Francfort. Rien qu'un carambolage classique. Un foutu touriste a oublié qu'il n'était pas dans la grand-rue de Bromley et il est sorti d'un virage en plein sur sa gauche et dans un camion. Cinq voitures, sept morts. L'homme de Muir était en plein milieu. Ils ne savent pas ce qu'il faisait, ni même s'il faisait quelque chose. Rien qu'un foutu pépin tombé d'un ciel bleu. Triste, mais c'est comme ça. Je déteste l'auto.

Il veut dire, naturellement, quand elles sont conduites par d'autres et tuent ses petits gars. Il possède une Pontiac parisienne, celle au moteur américain 6,7, qu'il conduit comme une auto-tamponneuse un 15 Août.

— L'ennui, dit-il, c'est que le type de Milan est mort tout aussi naturellement. Un soleil écrasant, une grande vitesse. Un pneu a éclaté, pensent-ils, et il a décollé de la route comme un pilote d'essai.

— Alors quel est le rapport?

— Oh, aucun rapport. On ne peut même pas parler de coïncidence, je suppose. Ils effectuaient tous des tâches de routine, rien de plus. Aucun n'était en mission dangereuse. Mais ils travaillaient tous pour moi, cependant, et ils étaient tous connus, j'imagine. C'est tout. Je veux que vous enquêtiez sur ce dernier, pour me mettre l'esprit en repos. Servez-vous donc à boire.

— Pourquoi moi?

— Eh bien, si un fou quelconque descend mes petits gars uniquement parce qu'ils travaillent pour moi, j'ai besoin de le savoir, n'est-ce pas? Si les gars deviennent seulement négligents, j'ai besoin de le savoir aussi. Ils peuvent trouver de meilleures façons de mourir, vous savez.

— Oui. Je sais.

— Et si c'est un cinglé quelconque, il connaît tous mes hommes, sans doute.

— Alors vous faites appel à moi.

— Oui. Il se peut qu'il ne vous connaisse pas.

— Vous m'avez entraîné, dis-je, mais pas pour un rôle de simple policier. Pourquoi ne vous adressez-vous pas aux flics?

— Non, dit-il. J'ai cette impression.

C'est pour ça qu'il est là, bien sûr. Et quand il a des impressions, moi aussi. J'ai eu a subir cinq de ces impressions, qui me font encore mal par temps de pluie.

— Bon, très bien, dis-je. Je vais voir du côté de Llewellyn.

— Ça ne vous mènera à rien, déclara-t-il.

— Par où voulez-vous que je commence, bon Dieu? C'est là que Musgrave était quand il est mort.

— A votre aise. Si vous voulez quoi que ce soit, adressez-vous à Greene.

— Et la couverture?

— Quelle couverture? Vous vous êtes encore abruti devant la télévision. Pourquoi auriez-vous besoin d'une couverture? Vous êtes un agent de publicité en vacances.

Il se hissa hors de son fauteuil et fit basculer une photo dédicacée de Lily Langtry. Dans le coffre derrière elle, il prit une enveloppe qu'il me tendit.

— Du fric, dit-il. Bien, voilà une bonne chose de faite. On a encore le temps pour une partie de scrabble, hein?

— Non. Faut que j'aille voir Greene.

Il eut l'air déçu. Une larme se forma presque dans son œil bleu vif. Je suis obligé de travailler pour lui mais je n'ai pas à jouer avec lui. Il gagne toujours.

Greene était en haut dans son bureau, et arrosait tendrement un caoutchouc. Je lui ai demandé la feuille de route de Musgrave.

— Pour quoi faire? demanda-t-il.

— Je vais prendre la relève là où il s'est arrêté. Surveiller Llewellyn.

— Ça ne vous mènera à rien, dit-il.

Il pense comme le patron, mais il n'a pas son intuition.

— Par où voulez-vous que je commence, bon Dieu? répliquai-je, bien dans les règles, en duplicata.

— A votre aise, me dit-il et il me remit un mince dossier.

Comme toutes les archives immaculées de Greene, ça ne m'apprenait que le détail de ce que je savais déjà. On avait confié cette mission à Musgrave simplement parce que Llewellyn était important, et l'enquête ne révélait que du travail et des femmes, La femme en cours s'appelait Lily Beck, encore que la liste des menus plaisirs de Llewellyn ressemblât à l'annuaire du music-hall. Il avait voyagé quelques fois à l'étranger, et Musgrave l'avait alors confié au réseau de Muir, mais à part ça ses seuls écarts de ses affaires et de Lily avaient été des tournées promotionnelles au pays de Galles et dans les Midlands avec un dénommé Al Schneider. Je connaissais un peu Schneider. C'était un de ces gros poissons de la publicité américaine qui viennent nager dans notre petite mare britannique. Il travaillait dur, cependant. Llewellyn commençait à devenir la providence de l'exportation, de la campagne de productivité et de la grosse ménagère anglaise.

Mais j'avais le sentiment, tout comme le Gros et

Greene, qu'il n'y avait là rien qui me mènerait quelque part. Il fallait quand même que je commence par un bout, et je me rappelais l'impression du Gros. Il y avait un ou deux points de départ pour suivre sur les brisées de Musgrave. Lily Beck, d'abord. Et puis Al Schneider, puisque nous étions dans la même profession. Je fermai le dossier et le rendis à Greene, qui taillait à présent un cactus avec beaucoup de délicatesse.

— Merci, vieux, dit-il. Saviez-vous que la *Ceremantic rubincula* était sujette à une assez vilaine forme de pneumonie?

— Non.

— Ça ne vous a mené à rien, pas vrai? La feuille de route?

— Si. Jusqu'à Cockburn Square, pour commencer.

— Ha, dit-il. Vous aurez besoin d'autre chose que d'un joli minois et d'une ceinture noire, là-bas.

Je suis donc rentré chez moi, j'ai fait dégeler un steak congelé et je me suis fait un pot de Nescafé. Et puis je me suis couché et j'ai tout laissé se décanter pour la nuit. Juste avant de m'endormir j'ai entendu, au loin dans King's Road, un hurlement de pneus, un grincement de freins et un fracas métallique. Encore une bonne collision au point noir. J'ai espéré que c'était seulement un membre du grand public des poivrots, et pas encore un des petits gars du Gros.

4

LE lendemain matin, je suis passé devant Buckingham pour aller à mon travail. La reine était à
la maison, le soleil brillait et je suis arrivé au bureau
plus tôt que d'habitude, juste avant ma secrétaire. Alors
je me suis tiré trois gobelets de café au distributeur
pour m'aider à me rappeler les conclusions auxquelles
j'étais arrivé concernant les pâtées pour chien, le foie et
bacon en boîte. Je crois que je me les suis toutes rap-
pelées et je les ai notées sur mon papier personnel, couleur vert espérance.

Quand j'ai eu fini, il était 10 heures et demie et les
cadres supérieurs du commerce et de l'industrie britanniques commençaient à se remuer. Alors j'ai feuilleté mon
carnet d'adresses et j'ai découvert une huile moyenne,
à l'Allelec de Llewellyn, qui devait connaître Schneider.
L'huile en question était à son bureau quand j'ai téléphoné et j'ai débité mon baratin. Je piétinais un peu, je
lui ai dit. Rien de spécifique, et pas de hâte du tout. Mais
je commençais à me sentir prisonnier d'une ornière, j'ai
dit, et ça ne me fâcherait pas d'étendre mon horizon. Est-

ce qu'il connaissait bien Schneider, j'ai dit. Voilà un homme. Je connaissais un peu ce qu'il faisait, et ce serait une bouffée d'air frais, j'ai dit, de travailler avec le vent en poupe, pour changer, avec un gros ponte comme Schneider, un innovateur comme Schneider. Je pensais que je pourrais vraiment donner ma mesure avec un type comme Schneider, j'ai dit.

Mon copain a dû avoir l'impression que j'avais été viré, ou que j'avais démissionné sur un coup de tête. Il voyait un peu Schneider, me dit-il, et il ne manquerait pas de lui parler de moi. Je lui ai demandé de le faire tout de suite, rien ne pressait, bien sûr, et il m'a dit oui, et qu'il faudrait qu'on se voie, qu'on déjeune ensemble très bientôt. Je lui ai dit qu'il le faudrait bien, et j'ai raccroché.

Puis j'ai téléphoné à Lily Beck à Cockburn Square. Je lui ai dit la vérité. Je travaillais, lui ai-je dit, pour *West One,* le luxueux mensuel de l'homme de luxe, et nous aimerions l'avoir pour notre numéro de novembre.

— Nous avons vu des photos de vous qui nous ont emballés, lui ai-je dit. Et nous espérons que vous accepterez de collaborer avec nous.

— Ça devait être des anciennes, dit-elle. Je regrette, mais je ne suis pas libre.

— Jésus Dieu! C'est un gros pépin pour moi, miss Beck.

— Je suis navrée, dit-elle.

Elle avait une voix charmante.

— Est-ce que je pourrais pas passer vous voir quand même? Essayer de vous convaincre?

Je me faisais l'effet d'un courtier d'assurances et c'était bien l'impression que je devais donner.

— Bon, je veux bien, dit-elle, si ça peut vous rendre service. Mais ça ne vous mènera à rien, vous savez. Chez moi à midi. Ne soyez pas en retard, je serais partie.

J'ai consulté mon agenda et j'ai découvert que j'étais en retard à une réunion. Je me suis glissé dans la salle de conférences et j'ai pris un air pénétré en cherchant de quoi il était question. C'était Minou-Mets, Succulente Pâtée en Boîte à base de Poulet et Poisson pour Minets de tous Ages, la marque numéro un du marché anglais. Walter Pitt-Murray, le grand patron, envisageait avec confiance le jour où tous les foyers achèteraient du Minou-Mets. Son œil brillait.

— Et c'est là qu'il faudra nous remuer, déclara un de ses zombies immaculés. Ce sera là qu'il nous faudra vraiment vendre.

Ils continuèrent de tourner et de retourner le problème dans tous les sens pendant une heure, jusqu'à ce que je me dise qu'il était temps de me rendre à Cockburn Square. Alors je me suis préparé à quitter la réunion.

— Tout cela me paraît relativement simple, dis-je.

— Ha, fit Pitt-Murray qui savait que rien n'est jamais simple.

— Oui, repris-je. Il me semble qu'une fois que vous aurez réussi à faire adopter votre produit par tout le monde, il n'y aura que deux moyens de vendre davantage.

— Mmmm, fit Pitt-Murray.

— Vous pouvez persuader les gens d'en utiliser davantage. Et, dans ce cas particulier, tuer ainsi tous les consommateurs.

— Oui, dit un des zombies. Je vous suis. Sans une restructuration majeure du produit, l'accroissement de la consommation par tête aboutirait, à la longue, à l'extinction totale du marché.

— Bonne tactique, observa Pitt-Murray. Mais mauvaise stratégie.

— Plutôt! dis-je. Mais il y a une alternative. Augmentez le nombre des consommateurs.

— Magnifique, s'exclama Pitt-Murray et la lueur se ralluma dans son œil, puis il fronça le sourcil. Mais où diable trouverons-nous des consommateurs de pâtée pour chats, en dehors des chats?

— Facile, assurai-je. Il faut plus de chats. Avons-nous des statistiques sur le nombre de chatons noyés à la naissance?

— Non, je ne crois pas, dit Pitt-Murray. Mais je commence à comprendre.

— Parfait. Je me souviens quand j'étais gosse. Le chiffonnier nous guettait à la sortie de l'école pour nous vendre des poissons rouges en échange de vieux chandails. Ça devait faire marcher le commerce des œufs de fourmi. Et le Refuge pour Chiens de Battersea? Il faut bien qu'ils mangent?

— Oui, oui, oui, susurra Pitt-Murray. Je vous suis tout à fait. Un Refuge pour Chats.

— Dans chaque agglomération urbaine et suburbaine, dit un zombie.

— Très bien, s'écria un autre zombie. Et pourquoi pas une campagne nationale : « Ne noyez pas votre petit chat »?

— Merveilleux, entonna un troisième zombie. Ne noyez pas le p'tit chaton. Si vous ne voulez pas du bâton, choyez-le, gavez-le, de Minou-Mets, poulet, poisson!

— Admirable, déclara Pitt-Murray. Il faudra naturellement estimer le coût de l'opération mais, vous savez, je crois que la S. P. A. marcherait dans ce coup-là.

— Attendez, attendez, s'écria un zombie. La distribution.

— Pour l'amour de Dieu! lui dis-je. Entendez-vous avec les biscuits Croki-croka : les gosses adorent les petits chats.

— Naturellement, dit Pitt-Murray. Pas de problème. Un système de bons-primes. Ou un concours national, avec un prix pour tous les concurrents.

Au point où en étaient les choses, je me dis que je pouvais maintenant m'échapper.

— Bien, dis-je. Le système idéal. Tant que vous pouvez produire des consommateurs à meilleur compte et plus vite qu'ils ne peuvent consommer ce qu'ils consomment, vos problèmes sont résolus définitivement.

— Oh, nous pouvons faire ça facilement, déclara Pitt-Murray. Je dois dire, Brock, que tout cela est très astucieux. Et passionnant, aussi.

— Bien, dis-je. Excusez-moi, il faut que je me sauve.

— Allez, allez, mon vieux. Je ne vous retiens pas. Faites un bon déjeuner.

Tous les zombies se levèrent quand je suis sorti. Je suis descendu à mon bureau. Ma secrétaire regardait les éliminatoires, mais elle s'est détournée du petit écran le temps de me montrer du doigt un message sur un de mes blocs roses. C'était d'Allelec. Al Schneider me recevrait à 4 heures, si j'étais libre.

— Vous ne seriez pas repris de la bougeotte? me dit-elle.

Chaque fois que je m'ennuie et que je passe à une autre agence de publicité, elle me suit. Mais elle a horreur du dérangement.

— Je vous en prie, dit-elle. Pas de nouveaux visages qu'il me faudra apprendre à aimer.

— Ils sont tous les mêmes, au fond. Mais non, mon chou. Je n'ai pas la bougeotte. Cet emploi me va comme un vieux soulier. Et vous aussi.

— Charmant, grommela-t-elle en se retournant vers le cricket.

5

J'AI pris un taxi par surprise à Jermyn Street et je sonnais à la porte de Lily Beck quatre minutes seulement après midi. Elle mit quatre minutes de plus à venir m'ouvrir, mais ça en valait la peine. Lily était si belle et pulpeuse et rembourrée que je regrettais de ne pas faire vraiment ce reportage photographique.

— Je suis John Brock, lui dis-je. Je vous ai téléphoné.

— Oui, et vous êtes en retard, dit-elle. Mais entrez donc.

Elle me conduisit dans son salon. C'était très luxueux et extrêmement confortable, blanc et or, bois peint, cuir profond et beaucoup de cristaux scintillants.

— C'est une pièce admirable, dis-je.

— Elle vous plaît? Là-dedans, je me fais l'effet de Ginger Rogers. Vous boirez quelque chose.

Et, posée comme Roberta devant une table solide chargée de tout ce qui se boit au monde, elle versa du whisky pour moi et un grand verre de vodka pour elle. Elle était blanche et or comme son salon, et scintillante comme ses cristaux. Mais elle avait l'air maussade et un peu ivre. Je commençais à me faire l'effet de Fred Astaire.

— Dansons joue contre joue, lui dis-je.

— Faites pas le con, répliqua-t-elle.

Nous avons donc parlé de mon projet. J'écris vraiment dans des magazines, parfois, et après l'avoir vue, un reportage se dessinait rapidement dans mon esprit. Elle nous versa encore à boire, mais l'alcool n'éveilla pas son intérêt pour ma petite affaire.

— Naturellement, nous ne pouvons pas vous payer très cher, dis-je. Ce serait loin de ce que vous valez.

— C'est pas ça. C'est pas l'argent. Je ne suis simplement pas libre en ce moment.

— Nous pouvons attendre.

— Nom de Dieu! Je vous le répète! Je ne suis pas libre. Un point c'est tout.

— Oh, fis-je.

Elle retourna aux bouteilles. Encore une vodka, pensais-je, et elle serait prête à faire la danse russe au plafond. Elle cessa d'avoir l'air maussade pour avoir l'air triste. Je pris un air compatissant. On ne sait jamais.

— Dans le temps, j'étais libre, soupira-t-elle en regardant autour d'elle son éblouissant salon. Je travaillais tant que je pouvais. Mais, vous savez, je suppose que j'ai de la chance.

— Je suis désolé. Je veux dire, j'en suis heureux. Quand j'ai vu cette pièce, j'ai pensé que ce serait la question d'argent.

— Non, soupira-t-elle tristement. C'est pas le fric.

— Pourquoi ne vous payeriez-vous pas ce plaisir? dis-je. Comme au bon vieux temps. Une seule séance facile. Je vous vois dans l'établissement le plus luxueux de Londres. Un restaurant. Disons Le Masquoyard. Vous savez, la beauté la plus pulpeuse, dans les fourrures les plus fourrées avec le steak le plus saignant du monde. Et l'homme le plus riche à sa botte.

— Rien que des fourrures? Et des bottes?

Elle pouffa. A la voir, on aurait cru qu'elle écoutait la lointaine musique des moujiks et le pas crissant des balalaïkas sur la neige froide de Sibérie.

— Ma foi, dis-je, c'est comme ça que je vous vois.

Elle pouffa derechef.

— C'est là que je vous ai vue, dis-je.

— Où ça?

— Le Masquoyard. Je vous ai vue là l'autre soir. Avec le vieux machin, là, lord Llewellyn.

— Je peux avoir confiance en vous? demanda-t-elle.

— Mais certainement, miss Beck, assurai-je avec mon plus charmant sourire.

— Dans ce cas, dit-elle, appelez-moi Lily et allez nous servir à boire.

Je servis deux doubles.

— Est-ce qu'il jouerait le jeu?

— Oh oui, il adore jouer.

— Non, je veux dire. Est-ce qu'il accepterait de colla-borer dans ce reportage?

— Doux Jésus, non! Il dit qu'il est timide. Moi je dis qu'il est radin.

— Sûrement pas. Il a plus de millions que je n'ai de cigarettes.

— Prenez une de celles-là, dit-elle. Tabac turc à gauche.

Elle s'en jeta délicatement une, et regarda autour d'elle.

— Non, vous avez raison. Je suis injuste.

Avec une moue adorable, elle serra sur son sein son verre et soupira :

— Quand même... J'aimerais qu'il me sorte plus sou-vent. Regardez-moi!

Elle se leva et tourbillonna au-dessus de moi comme Nijinsky. Puis elle se laissa tomber de tout son poids dans les profondeurs du canapé où j'étais assis, assez près pour que ça soit plaisant.

— Vous croyez qu'il a honte d'être vu avec moi?

— Pas, à moins qu'il soit pédé comme un régiment de phoques!

— Vous êtes chou. Non, il n'est pas pédé. Ça doit être moi.

— Vous n'êtes pas invertie! J'espère!

— Non, idiot. Mais j'en ai marre d'être enfermée ici.

— Enfermée?

Elle commençait à se mettre un peu en colère.

— Oui, oui, enfermée dans cette foutue crèche, ou dans la foutue villa de Milan, ou dans la foutue Allemagne. Mon papa pouvait pas les voir, les Allemands.

Elle regardait au fond de son verre, l'air furieux.

— Ou le long de la foutue Rhondda, grommela-t-elle.

— Vous n'avez pas aimé Milan, Lily?

— Comment vous voulez que je sache comment c'est fait, Milan? J'étais là dans cette foutue villa, enfermée pendant huit jours. Et puis j'ai été expédiée en Allemagne pour passer encore une semaine à me vernir les ongles.

Elle était si près de moi et si furieuse, elle respirait si fort que je commençais à me sentir tout drôle.

— Avec Llewellyn? demandai-je.

— Qu'est-ce que ça peut vous faire? Attention à vos manières, sans ça, moi, je vous fous une baffe!

Elle laissa tomber son verre, prit mon bras et le posa sur ses épaules.

— Vous parlez de vacances, fit-elle, les larmes dans la voix.

— C'était quand, mon chou? murmurai-je.

— En septembre dernier. Je voulais aller à Majorque.

Alors nous avons parlé des Baléares et de la Costa Brava et de Jersey, tous endroits idéaux pour des vacances idéales. Et puis nous avons bu encore un verre et elle s'est calmée. J'ai dû compatir avec beaucoup de sincérité, car elle fut prise d'enthousiasme pour les photos que je ne pouvais m'empêcher d'imaginer tout haut, et elle alla chercher ses fourrures. Nous avons répété des poses de toutes sortes, choisi la meilleure et gâché un vison magnifique. Et quand je suis parti, la tête me tournait.

J'étais lâché, sur le sable d'un bel après-midi ensoleillé après un déjeuner uniquement liquide, ayant quitté Lily toute blanche et dorée et parfaitement noire. J'ai fait ce que n'importe quel autre homme aurait fait. Je suis allé sans me presser à Westbourne Grove et j'ai attendu dans un cinéma d'actualités l'heure d'aller voir Schneider.

6

ALLIED Electrical Industries, appelées Allelec, étaient logées près du fleuve. Le taxi longea le Parlement et descendit vers la Tate Gallery. Puis il tourna à droite sur un vaste espace découvert au milieu duquel se trouvait soit une inestimable sculpture moderne, soit un procédé contraceptif grossi mille fois. Quoi qu'il en soit, c'était tout acier inoxydable et trous incroyables, et derrière l'objet, Allelec se dressait, comme la tour de Babel, à l'assaut des cieux.

A l'intérieur, c'était un peu sinistre comme tous les nouveaux grands noyaux de tous les nouveaux grands réseaux. Il y avait des ascenseurs dorés, des lumières clignotantes et presque personne. Le système aspirateur de poussière vrombissait comme un réacteur, si bien qu'on était surpris en regardant par les fenêtres de voir qu'on n'avait pas quitté le sol. La fille la plus menue du monde m'attendait derrière un bureau grand comme un cuirassé suisse.

Quand j'ai demandé Schneider, elle m'a ouvert son cœur, mais je savais déjà que Schneider était important. Elle a parlé dans une petite boîte et puis elle m'a conduit à l'ascenseur express. A regret, elle m'a laissé aux bons soins d'un très solide, très grand capitaine de garçons d'ascenseurs.

— J'ai horreur des ascenseurs express, dis-je.

— Il n'y a pas trop de danger, me répondit-il avec un accent du pays de Galles, lent, épais.

— Peut-être, mais ils sont trop foutrement américains.

Le capitaine a gardé un épais silence gallois et je me suis envolé, sans conducteur, vers le quatorzième étage. Là-haut, j'ai trouvé la secrétaire de Schneider. Elle était habillée comme il convenait à une secrétaire de direction, lainage noir moelleux, cheveux noirs brillants, peau lisse et parfumée et longues jambes. Elle m'a fait entrer dans des bureaux silencieux et je me suis assis un moment pendant qu'elle appuyait sur des boutons. Puis elle m'a mis en présence de Schneider comme un carré d'as.

Il s'est approché vivement de moi, en traversant toute la largeur de sa grande pièce nue.

— Salut, dit-il. Vous êtes John. Juste? John Brock.

Tandis qu'il foulait son petit arpent de moquette, j'ai eu le temps de l'examiner. Il avait à peu près mon âge. J'étais plus grand mais il était plus riche et ça se voyait. Costume sombre et discret à épaules tombantes. Je me suis parié que dans la petite poche spéciale à sa ceinture il y avait un Zippo plaqué or. J'ai pris une cigarette tordue à même ma poche.

— Tenez, dit-il, et de la poche spéciale à sa ceinture il tira un Zippo plaqué or.

— Salut, répéta-t-il. Je suis Al. Al Schneider.

Je le savais. C'était un aigle descendu des aires de Madison Avenue, U. S. A. En son temps, m'étais-je laissé dire, il avait émasculé la bière en boîte en arrondissant

les coins de l'étiquette pour séduire la clientèle féminine. Puis, pour faire contrepoids, il avait lancé les
premiers parfums pour hommes d'Amérique, Marcas-
sin, Première Ligne et Rugby de Luxe. Du haut de sa
forteresse dominant Central Park, il lançait toutes les
grandes offensives publicitaires. Blague à part, c'était
un génie de la publicité, et je voulais voir le mécanisme
en action.

— Bonjour, dis-je.

— C'est chouette, vraiment chouette de faire enfin
votre connaissance, John, déclara-t-il, et il essaya de
briser tous les os de ma main élégamment molle. Votre
copain a parlé et je me suis renseigné. Ce que j'ai appris
est bon, très bon, et on aurait dû se retrouver plus tôt.
Ce serait formidable si on pouvait goupiller un truc
pour vous avoir à bord.

— Formidable, dis-je.

— Oui, sûr. Un seul truc, quand même, avant qu'on
s'installe en rond pour la palabre. Qu'est-ce que c'est,
John? Qu'est-ce qui vous donne envie comme ça de monter à bord? Ça, je veux le savoir.

— C'est très simple. C'est vous. Ou plutôt, votre répu-
tation.

— Ouais. C'est ce que votre copain a dit, et c'est ce
qui m'a plu, bien sûr. C'est pas souvent, bon Dieu,
qu'un foutu Angliche a envie de travailler pour un sale
Yankee. Pas dans notre métier, en tout cas.

Nous nous sommes donc mis à parler très sincère-
ment de publicité. Et j'ai découvert, à ma propre surprise, beaucoup de bonnes raisons qui m'auraient donné
envie de travailler avec lui, si j'avais cherché un emploi.
Je me suis aussi aperçu que je suis beaucoup plus passionné par ce métier que je ne le pense. Toute morale
mise à part, et que ça soit comme ça ou non en Russie,
la persuasion en tant que profession est aussi compli-
quée et absorbante que Cisneros. Tout au moins pour

38

un homme comme moi qui a connu beaucoup de gens et qui a décidé qu'il peut se passer d'eux.

Mais Schneider était différent, c'était un fanatique, un manipulateur-né. J'aimais bien toucher les gens et leur apprendre peut-être ce qu'ils devaient manger entre les repas. Il avait passé toute sa vie d'international Américain à la source et à la fontaine de la communication, étudiant l'espèce humaine et cherchant des moyens de la toucher. C'était une tranche de Billy Graham, une portion du Dr Gallup, une pincée de Cassandre, le tout présenté sous forme de petit enfant prodige de jeux télévisés, scellé d'une chevelure en brosse.

Il devint bientôt évident, cependant, que nous ne faisions que causer. Il n'y avait pas d'emploi pour moi. Il me voulait à bord, c'était sûr, mais seulement en visite et par hasard, et il remontait la passerelle sous mes yeux. Il n'avait rien à dire de son travail à Allelec, et quand j'ai essayé de lui poser des questions sur sa campagne personnelle pour Llewellyn, il a mis fin à l'entrevue avec une précipitation toute transatlantique.

Mais comme il me faisait lever de mon fauteuil à grand renfort d'amabilités, son interphone bourdonna et un clignotant rouge spécial s'alluma. Il pressa le bouton et parla très respectueusement.

— Il est maintenant 5 h 46, dit la boîte, d'une douce voix féminine. Et lord Llewellyn se demande pourquoi vous n'êtes pas encore là pour votre rendez-vous de 17 h 45. Il s'inquiète de ce que vous pourriez être retenu.

— Non, non, non, mon chou, dit Schneider. J'arrive, je suis déjà parti.

La lumière s'éteignit et Schneider se dirigea vers la porte.

— Quand faut y aller, faut y aller, Brock, me lança-t-il par-dessus son épaule. Gardez le contact, mon vieux. Angie vous raccompagnera.

39

Il disparut rapidement, tout en tirant un peigne de sa poche.

— Je suis au sommet pour un moment, Angie, cria-t-il du couloir. Ne m'attendez pas, mon chou.

Dans l'antichambre parfumée, Angie me sourit.

— Eh bien, dis-je. Le voilà reparti.

— Oui. Il va me sonner les cloches demain. Je devais le prévenir à 5 h 42. Il aime avoir trois minutes pour monter.

— Monter où? Je croyais que j'étais au dernier étage.

— Oui, en principe. Il y a seulement l'appartement de lord Llewellyn au-dessus.

— Il n'y avait que quatorze boutons dans l'ascenseur.

— Il a le sien propre. Ce n'est qu'une porte de cuir rouge en bas dans le hall.

— Eh bien!

— Vous pouvez le dire. J'ai vu l'intérieur, une fois. Tout en cuir rouge aussi, et un fauteuil comme un trône. Et un grand tableau sur la paroi. M. Schneider m'a dit que c'est un Augustus John.

— Sans blague!

— Oui. Ecoutez, monsieur Brock, je sais que M. Schneider voudra garder le contact. Où pourrai-je vous joindre?

— J'en doute, lui dis-je, mais je lui donnai mon numéro.

Elle ouvrit un grand livre noir et l'inscrivit. J'ouvris mon petit carnet et pris note de son numéro de poste qui figurait au cadran de son téléphone. Elle sourit légèrement, me sembla-t-il. Elle était très jolie quand elle souriait.

— Pourquoi faire, ça? demanda-t-elle.

— Pour pouvoir vous joindre.

— Ça ne vous mènera à rien.

— C'est ce que tout le monde me répète, dis-je, et je commence à le croire. Je peux dire qu'aujourd'hui, je ne suis arrivé à rien. Mais j'espérais que ça pourrait me mener quelque part, avec vous, en fait.

— Où, par exemple?

— Oh, je ne sais pas. Qu'est-ce que vous diriez d'un petit restaurant pittoresque de King's Road? Ou si le temps se maintient, un peu plus haut au bord de l'eau dans la zone des scampi fritti. Ou au catch à Hackney Baths. Ou dans la cave chez Annie, si vous n'aimez pas la musique.

— Ça suffit. Je crois que je choisirais le catch.

J'ouvris la bouche pour parler au travers d'un petit sourire satisfait.

— Si j'avais à choisir, ajouta-t-elle en refermant son registre.

— Ma foi, dis-je, faudrait que je me sauve.

— Oui. Je vais vous accompagner jusqu'à l'ascenseur.

— Pas la peine. Je me rappelle le chemin.

— Ce sont les ordres, monsieur Brock.

— Vous pouvez avoir confiance en moi, Angie. Je vous en prie! Ayez confiance en moi!

— Miss Thomas, rectifia-t-elle, mais avec le sourire. Je la suivis dans le couloir.

— Galloise? demandai-je.

— Non. Je crois que j'ai obtenu cette place par fraude.

— Ça ne m'étonnerait pas. Tout est gallois, ici. Un Augustus John dans l'ascenseur et un liftier grand comme Cader Idris.

Je la vis frissonner.

— Il me donne des cauchemars, murmura-t-elle en me tendant la main.

Elle était fraîche et ferme et je me souvins juste à temps de ma main molle correcte. Elle sourit encore et je me sentis tout heureux.

— Au revoir, monsieur Brock.

— Au revoir, miss Thomas. Je vous téléphonerai.

Les portes de l'ascenseur se refermèrent avant qu'elle réponde, si elle l'avait fait, et je plongeai vers le niveau du fleuve. Heureusement, l'ascenseur était grand et quand il arriva à destination je pus m'aplatir à côté de la porte pour faire croire qu'il était vide. Comme personne ne m'attendait, j'avais l'intention de remonter au plus tôt.

7

CES ascenseurs automatiques sont très longs à comprendre, mais finalement celui-ci décida de refermer ses portes. Et de nouveau sur les hauteurs du quatorzième étage, j'ai tourné le dos aux bureaux de Schneider et je suis passé devant toutes les portes fermées, sans noms ni numéros. Je planais dans les hauteurs sidérales silencieuses de la haute direction. Les nouveaux patrons ne tempêtent pas comme leurs pères, et les ravissantes en tweed qui tapent leur courrier sur des machines silencieuses ne crient pas à la claque et ne pouffent pas à la chatouille.

J'ai tourné un coin au bout du couloir et tout le soleil couchant sur la Tamise m'a sauté aux yeux. Battersea s'étalait derrière une fenêtre en cinérama comme le générique d'une superproduction. Mais les arbres étaient verts, les toits brillants, la rivière d'or et la fumée blanche comme le paradis montait des quatre cheminées de la centrale électrique.

Au bout de ce couloir, il y avait une porte de cuir rouge. « Rien de mesquin, pensai-je, chez ce Llewellyn-là » et je la poussai pour me trouver devant un petit escalier recouvert d'un épais tapis. Il y avait des tableaux aux murs. Je reconnus un Ceri Richards et un Chapman, mais je sais ce que j'aime. Sur le demi-palier devant moi il y avait un grand vase de roses rouges sur une console et derrière le feuillage un miroir convexe. Il me montrait l'autre volée de marches et un large dos noir. Je me glissai hors de vue au cas où il se retournerait.

Je restai planqué là quelques minutes, à m'inquiéter. Puis j'entendis le bourdonnement d'une sonnette. Si on a la patience d'attendre assez longtemps, il y aura toujours une sonnette pour bourdonner. Je cherchai du bois à toucher et le bourdonnement continua un moment, jusqu'à ce qu'on réponde. Alors je risquai un œil vers le miroir. Le dos avait disparu. J'aspirai un grand coup, je montai quatre à quatre et regardai prudemment. Le dos était courbé sur un interphone à l'autre bout du hall, aussi me glissai-je prestement derrière le coin le plus rapproché. Il n'y avait que cinq portes devant moi et je voulais foncer le plus vite possible dans la pièce la plus vide.

Je m'immobilisai une seconde, l'oreille tendue, et j'entendis le son que je guettais. Le gargouillis satisfait d'un lavabo à chasse d'eau automatique au fond du couloir. Je courus devant les portes et me réfugiai aux lavabos. Je laissai la porte ouverte pour éviter tout bruit et me cachai dans le premier w.-c.

Toutes les grosses sociétés ont des mouchards de cabinets et grâce à ceux que je connais j'ai pu observer la technique. Traînez dans les lavabos des huiles à la bonne heure, et vous entendrez quelque chose contre quelqu'un. Les règles sont simples. Choisissez le w.-c. le plus proche de l'entrée, car c'est celui qui sert le moins souvent. Et laissez la porte entrouverte. Les hommes qui valent d'être écoutés subrepticement aiment se sentir seuls, et vous ne risquez pas grand-chose, car si vous êtes menacé, vous n'avez qu'à grogner et remuer le papier. Et d'ailleurs, la meilleure heure pour écouter aux portes c'est après les longues séances d'après-midi avec boissons, et les urinoirs seulement sont recherchés.

Je dus attendre assez longtemps, et il n'y avait rien d'intéressant dans ma retraite. C'était luxueux, bien sûr, mais fonctionnel avant tout. Pourtant par l'entrebâillement de la porte, ce que je pouvais voir des lavabos était tout ce qu'il y a de plus huppé. Encore du cuir, du bois de teck et de la porcelaine noire, et un coin d'une autre mine de charbon de Chapman, hélas! J'avais espéré quelque chose de mieux, aux lavabos. Un de ces nus pulpeux de ce grand artiste gallois, Rubens, par exemple. J'allais risquer un coup d'œil plus étendu quand la porte s'ouvrit brusquement. Je me tassai sur mon siège ovale et retins mon souffle.

Ecoutant les murmures des fermetures à glissière et les clapotis qu'on imagine, j'attendais impatiemment de la conversation.

— Aaaah, fit une voix. C'est pas du luxe.

— Ça fait du bien, c'est sûr. Dieu soit loué! Schneider est arrivé. Il va passer la nuit, je parie.

— Oui, fit une troisième voix, à moins que ce ne fût la première. C'est lui qui a tout en main, pour le moment.

— Pas tout, et de loin, protesta un des types. Ma petite équipe va avoir à suer du sang. Il ne nous reste guère de temps, bon Dieu. Et je vais le passer à ces foutus Bendricks avec Sullivan et c'est pas de la tarte.

— C'est le côté que j'aime pas.

— Je t'ai pas encore entendu faire des objections.

— Non. Il sait ce qu'il fait. C'est seulement que je peux pas voir ces foutus Fritz.

— Y en a pas tant que ça, papa. Une goutte d'eau dans la mer.

— Cinq mille, c'est pas une goutte d'eau. Et tout dépend d'où il les largue.

Il y avait trois voix, pensais-je, toutes aussi fortes et sûres d'elles qu'elles devaient l'être, dans les lavabos de la haute direction d'Allelec. Et toutes aussi galloises qu'elles devaient logiquement l'être pour faire partie des cadres supérieurs chez Llewellyn. Maintenant, ils parlaient dans le bruit d'eau des robinets et le lavage de mains.

— Il y a beaucoup de boulot pour nous tous, attention.

— Oui, mais maintenant c'est du tout cuit. Tout le travail délicat est fini.

— Je suppose qu'il est là-dessus depuis toujours, hein?

L'un d'eux éclata de rire.

— Je le vois, tiens, là-bas, au pied de Buggeral Hill, mangeant des gâteaux gallois et arrosant l'arbre généalogique!

— Oui, pendant que sa mama et son papa à l'étable font monter la productivité et baisser le prix de revient.

— Non, jamais. Il leur a construit un appareil électrique pour la traite des vaches quand il avait trois ans.

Trois lavabos se vidèrent en gargouillant.

— J'aimerais quand même bien savoir comment il va utiliser tous ces Fritz.

— Allez ah, fit la voix la plus forte. T'as pas à te marier avec. Et on saura tout après qu'ils auront eu leur grande réunion à Castle Cork, vendredi prochain.

Et puis la porte claqua. Je changeai de position sur mon piedestal noir étincelant et me demandai ce que j'avais entendu. Schneider avait un gros travail en perspective. Il y avait une date importante quelque part, dans moins de deux mois. Il y avait un tas d'Allemands qui allaient être occupés aux Bendricks, quoi que ce soit et une grande réunion à Castle Cork, où que ce soit.

Je me mis alors à songer à retrouver l'air pur et le soleil. Je poussai prudemment la porte. Le couloir était vide et le jour baissait. Une ligne de lumière jaune au sol m'indiqua la porte de Llewellyn et je me glissai devant; je m'aplatis contre le mur, au coin, écoutai, regardai et soupirai. Le dos noir avait disparu. J'espérais qu'il observait le règlement et accompagnait les trois Gallois jusqu'à la sortie. Mais je restai prêt à tout en descendant silencieusement l'escalier. Le miroir m'indiqua que la seconde volée était déserte.

Je me sens toujours passablement ridicule après avoir pris des précautions pour rien, aussi me suis-je arrêté sur le petit palier pour choisir un bouton de rose à l'exposition florale. Tout me semblait paisible et familier et je suis tranquillement allé appuyer sur le bouton de l'ascenseur. Mais ce ne fut pas la lumière de l'ascenseur qui clignota en réponse. Ce fut un éblouissement comme la mort du soleil, et il dégringola dans un fracas de fin du monde.

8

QUAND je suis revenu à moi, l'impression de l'éclair était encore éblouissante, jaune et rouge sous mes paupières, et l'écho du fracas résonnait dans ma tête. Mais j'ai poussé un soupir de soulagement, car je respirais encore, bien que je ne sois qu'un corps douloureux tassé sur une chaise de bois, seul au milieu d'un grand sol gris.

Et puis j'ai compris que du temps s'était écoulé. Le soleil couchant projetait ses dernières longues ombres sur un des murs. Péniblement, j'ai regardé autour de moi, en m'efforçant de régler ma vision. Le mur en face de moi portait un râtelier de clefs, bien rangées et numérotées, et puis je suis passé à un bureau d'acier gris équipé d'une espèce de tableau de bord presse-bouton. Mes yeux papillotants distinguèrent un râtelier de fusils puis une porte. Ils revinrent aux fusils. Mais ma tête était trop pleine de paille de fer grinçante pour chercher à deviner ce qu'un râtelier de fusils de chasse et de Lanchesters démodées pouvait faire à Allelec, en plein Londres. Je finis par me dire que j'étais ailleurs, très loin.

Ma tête continuait de pivoter comme une marionnette et se braqua sur deux géants en uniforme noir. Ils étaient assis contre le mur, près de la porte, et m'observaient. L'un d'eux souriait. Il avait un air amical et j'ai essayé de lui rendre son sourire. J'ai demandé :

— Comment suis-je arrivé ici? J'étais à Allelec.

— Tu y es toujours, ducon, me dit l'aimable. Et si tu nous dis pas un peu vite ce que tu foutais, tu vas comprendre ta douleur, pauvre pomme.

— Non, non, non, Dai, protesta son copain d'une voix lente et râpeuse. Dis ça gentiment.

Il se leva et s'approcha de moi. Il était grand comme une dosse de mine, mais en plus laid. Il se planta devant moi et croisa les bras. On aurait dit le petit frère de Frankenstein en goguette à Smithfield.

— Dis-nous qui tu es, gronda-t-il.

— Va te faire mettre, répondis-je.

Je me sentais la tête légère, et pourtant elle me faisait l'effet d'avoir triplé de grosseur.

Il décroisa lentement ses bras et crispa un poing gros comme un jambonneau. Une nouvelle bombe explosa pour moi et je me retrouvai par terre, les mains serrées sur mon ventre. Je reste persuadé qu'il m'a bourré de coups de pied pendant que j'étais à terre, mais ça ne fait rien, je lui ai rendu la pareille depuis. J'ai regrimpé sur ma chaise. A ce moment-là, c'était le seul endroit que je connaissais.

— Non, dit-il. Pas comme ça. Dis-nous ça gentiment. Vu?

— Je m'appelle Brock, soupirai-je gentiment, en secouant la tête pour remettre un peu en place le bric-à-brac qui s'y trimbalait. Et j'étais allé voir M. Schneider, avant que la bande de sales Gallois que vous êtes se mette à me prendre pour un ballon ovale. Et maintenant, amenez-moi Schneider ici, vite fait.

— Gentiment, répéta Frankenstein.

Cette fois, je ne perdis pas connaissance. J'avais dû trouver mon second souffle. Et je me suis vu, comme qui dirait du plafond, quitter ma chaise en vol plané comme une étoile filante. « Le fumier m'a encore frappé », me suis-je dit.

— Là, déclara-t-il quand j'eus regagné ma base en rampant. Je sais que t'es venu voir Schneider, pas vrai? Alors maintenant dis-nous un peu qu'est-ce que tu mouchardais et pourquoi.

— Laissez-le-moi, dites, monsieur Williams, dit l'aimable.

— Non, Dai, non, répondit très gentiment M. Williams. Tu vas juste t'asseoir là-bas et boucler ta grande gueule.

Il resta là, épais, silencieux, patient. Alors je l'ai reconnu. M. Williams était le chef liftier qui donnait des cauchemars à Angie Thomas, et je comprenais pourquoi. Maintenant c'était à mon tour d'en avoir. Ce n'était pas sa taille ni son allure préhistorique galloise. C'était son regard. Quand il me frappait. Et maintenant qu'il s'apprêtait à me frapper encore une fois, il n'y avait pas la moindre lueur d'intérêt dans ses yeux. Pas de colère, pas d'amusement, pas de satisfaction, pas de curiosité. Williams était un professionnel.

Moi aussi, dans mon genre plutôt amateur, mais j'étais encore en plein cirage. Une bouffée d'oxygène olympique n'aurait pas été superflue, mais comme il n'y en avait pas j'ai essayé de penser adrénaline. C'était mieux que rien et brusquement cette situation m'a mis en rogne. Alors je me suis bien tassé sur mon siège pour prendre appui et j'ai rué avec de l'effet. Mes deux pieds sont entrés en contact avec ses genoux et, tandis qu'il s'écroulait, je me suis levé pour lui faire le coup du lapin. Il s'est endormi pour le compte.

Dai se remuait déjà en grognant et ce n'était pas le

moment de chercher l'effet et la fantaisie. Je lui ai fait une Mary Rand, saut chassé au ventre. J'ai l'habitude de me servir le moins possible de mes mains sur ces gorilles-là, on ne sait jamais où ils ont traîné.

Tout cela n'avait guère duré que quatre secondes. Après tout, de nos jours n'importe quel bon coureur est capable de couvrir quarante mètres en quatre secondes, et un tigre en fait autant en moitié moins avec quatre fois plus de surcharge. Je fais mon beurre, quand je le fais, pas tellement grâce aux dégâts que je cause qu'à la rapidité avec laquelle j'essaye de les causer, afin de provoquer le choc postopératoire pour leur faciliter les choses quand ils se réveillent. Dai était écroulé dans un coin et faisait de gros efforts pour respirer. Il ne tarderait pas à commencer à se demander de quoi il retournait. Williams était encore K. O., mais je n'avais pu lui assener qu'un coup de dix secondes, alors il ouvrirait bientôt les yeux pour commencer à souffrir.

L'action m'avait quelque peu éclairci les idées. J'ai remis de l'ordre dans ma tenue et je suis allé prendre un fusil au râtelier. Il était chargé. Et le râtelier pas fermé à clef : « Quelle organisation », me suis-je dit. J'ai regardé Williams vautré comme une montagne sur le ciment froid. Il commençait à s'agiter. J'ai éjecté les cartouches du fusil, je l'ai pris par le canon, j'ai poussé Dai avec et j'ai donné un coup de pied à Williams.

— Allez, debout.

Je les ai poussés dans le couloir et je leur ai dit de me conduire à l'ascenseur. Je voulais retrouver la sortie, assommer la triste paire et rentrer chez moi.

Mais mon petit grain de fantaisie a repris le dessus, ce que le Gros appelle ma folle initiative.

— Et puis merde. Conduisez-moi à votre boss.

— Bon Dieu, je vous aurai, grommela Williams, qui avait du mal à marcher.

— Dis ça gentiment, lui conseillai-je en le bousculant

un peu avec la crosse du fusil. Allez, en avant. Au quatorzième.

Une fois de plus nous avons fait le trajet. Je les ai poussés devant moi dans le corridor. Le bureau d'Angie était désert, à présent; il ne restait qu'un faible souvenir de son parfum. J'ai aiguillé mes gars sur le bureau de Schneider. Il était bien là, loin, loin au bout du tapis dans un cercle de lumière fonctionnelle, penché sur des colonnes de chiffres. Il leva les yeux, lâcha sa règle à calcul et resta pétrifié. Pour maintenir Williams dans un gentil état second, je lui ai assené un petit coup de crosse.

— Jésus Dieu, dit Schneider.

— Je ne sais pas s'ils sont à vous ou pas, lui dis-je, mais j'en ai fini avec eux. Où voulez-vous que je les mette?

— Hein? fit Schneider.

— C'est moi, tout est ma faute, déclarai-je. Ils m'ont pris par surprise.

— Williams, constata Schneider. C'est Williams.

— A fouiner partout, qu'il était, grinça Williams.

Il me paraissait un peu trop cohérent, alors j'ai refait le traitement. Schneider ferma douloureusement les yeux.

— Allons, allons, Taffy, dis-je, parle gentiment ou ne dis rien. J'essayais de sortir de cette foutue ruche, j'essayais, c'est pas vrai, hein?

Schneider commença à se décongeler un peu et à prendre un air fâché.

— C'est bon, dit-il à mes deux gorilles chancelants. Sortez. Ça suffit, je vais m'occuper de ça.

Mais Dai et Williams ne bougèrent pas. Je dus les pousser un peu, gentiment.

— Allez, allez, faites ce qu'on vous dit. Et, tenez, emportez ça.

Je leur ai lancé le fusil et ils sont partis, l'un traînant la jambe, l'autre marchant en zigzag.

Schneider me désigna un siège.

— Voyons, voyons, dit-il, que se passe-t-il? Vous dites que vous vous êtes perdu? Mais tout de même pas pendant deux heures d'horloge, allons!

— Oh non! Loin de là. Pendant presque tout ce temps-là vos singes m'ont tabassé dans tous les sens, dans vos sous-sols.

— Ils ne sont pas mes singes. Ce sont les gardiens d'Allelec chargés de la sécurité. Très bien entraînés.

— Et rudement bien armés, pour des veilleurs de nuit.

— Comment vous êtes-vous perdu?

— Vous devriez un peu potasser *Architectural Review*. Les défauts de l'architecture moderne. Tout ressemble à n'importe quoi. Le haut ressemble au bas. Qu'ils aillent faire sa fête à votre architecte.

Schneider fronça le sourcil.

— Mais Angie vous a fait sortir, protesta-t-il. Elle a signé le registre...

Il allait en dire plus mais il s'interrompit. J'ai compris par la suite qu'il regardait le bouton de rose rouge que j'avais cueilli en terrain défendu. Quoi qu'il en soit, il prit une décision.

— Ecoutez, fils, je sais pas ce qui s'est passé, mais c'est forcément un malentendu quelconque. pas vrai? On dit que Williams est pas un rapide. Mais c'est un bon gardien et je suis sûr qu'il était plein de bonnes intentions. Il n'en reste pas moins que je vous dois des excuses, sans doute.

— Des explications feraient mieux mon affaire. Mais je peux peut-être les obtenir chez votre patron. Ce genre de brutalité ne fait pas partie de son personnage.

— Oui, sûr, sûr. Des explications aussi. Je suis certain qu'il y en a une. J'arrangerai tout ça demain matin, à la première heure. Llewellyn n'est pas là en ce moment, sinon nous tirerions ça au clair immédiatement. Et puis au fond, il me semble que vous vous êtes déjà bien vengé sur eux, hein? Vous avez du poids, Brock, pas de doute. Alors, qu'est-ce que vous diriez de classer tout ça derrière une bonne giclée de tord-boyaux, hé, papa?

Il devenait peut-être plus américain après le coucher du soleil.

— J'aimerais bien, dis-je, mais il faut que je rentre.

— D'accord, d'accord, papa, comme vous voulez. Mais gardez le contact, petit, gardez le contact.

— Oui. Miss Thomas a mon numéro.

— Au poil. Vous savez, Brock, mon petit gars, je crois bien qu'on va s'entendre.

Il m'accompagna jusqu'en bas, et traversa avec moi le grand hall plein d'échos, jusqu'à la cour déserte. Nous avions l'air plus copains que jamais. Et je n'en croyais rien.

9

QUATRE comprimés d'aspirine et un triple whisky dans le premier pub venu débarrassèrent mon crâne de la plus grande partie de la paille de fer, mais quand je rentrai chez moi j'avais encore tendance à voir tout en rouge bordé de jaune. Alors je fis ce que je m'efforce toujours de faire. Je me confectionnai mon remède personnel contre la gueule de bois. Je me versai un verre de cognac et posai délicatement une tranche de citron dessus, à flot. Je chargeai le citron de café moulu jusqu'à ce qu'il s'enfonce. Puis je m'assis devant le verre pour assister au naufrage du citron chargé de café.

Mais quand tout fut consommé, si j'ose dire, je fis ce que je fais toujours; j'allai jeter tout l'horrible mélange au cabinet, préférant cuver mes douleurs dans un sommeil réparateur. Je me réveillai sous un soleil tout neuf, en pleine forme, à 9 heures et demie. Un jus d'orange en boîte et un œuf achevèrent le travail.

Ma secrétaire était dans mon bureau, toute prête, toute souriante et bien branchée, assise dans le fauteuil des visiteurs devant la télé, regardant le panneau d'affichage des éliminatoires. Elle avait moissonné trois lettres et deux messages téléphoniques. Je devais trouver du matériel pour une exposition de publicité, je devais trouver du travail pour un publicitaire ivrogne et je devais payer ma cotisation au Cercle des Créateurs, dont le blason est un trou. Je devais téléphoner de toute urgence à M. Schneider ou à M. Greene à ma convenance. Je téléphonai à Greene.

Il fit semblant d'être un vieil ami d'enfance perdu de vue. Il se figurait peut-être que ma ligne téléphonique était sur la table d'écoute d'Unilever ou que mon bureau était truffé des micros de Shell Berre. Il m'annonça que notre oncle se portait bien, qu'il était plus gros que jamais et qu'il espérait me voir bientôt. Je lui dis que j'en étais ravi, et que je ferais un saut dès que possible, peut-être pour prendre un verre avant déjeuner. Puis j'appelai Schneider et touchai du bois. J'eus de la chance. Angie répondit. Rien qu'à sa voix elle était jolie.

— J'avais promis de téléphoner, lui dis-je.

— Ne quittez pas, monsieur Brock. M. Schneider attend votre coup de fil.

— Une seconde, mon chou. C'est vous que j'appelle.

— Ne criez pas, dit-elle, mais elle garda l'écoute.

— Je peux vous voir ce soir? demandai-je. Il m'est arrivé une drôle de chose, hier soir.

— Quoi donc? Je dois dire que votre nom m'a fait siffler les oreilles toute la matinée. (Il y eut un bref silence.) Je ne suis pas libre ce soir. Je regrette.

Elle paraissait sincère.

— Par pitié, lui dis-je. Je suis couvert de bleus des pieds à la tête, tout ça pour avoir occis votre dragon. Ou tout au moins pour lui avoir fait sauter quelques dents. Et pour déjeuner?

Nouveau silence.

— Bon, dit-elle. Mais alors pas loin d'ici.

— Une heure. Le pub sur les quais. Celui qui a la terrasse fleurie.

— Très bien, dit-elle. (Puis elle ajouta vivement :) J'ai M. Brock en ligne pour vous, monsieur Schneider.

— Salut, papa, lança Schneider. Ecoutez, mon vieux, cette petite affaire qu'on a discutée hier...

— J'en ressens encore les effets.

— Ah! Non, non, pas ça. Je crois bien que j'ai le feu vert pour vous faire monter à bord, mon vieux.

Il avait l'air de s'impressionner lui-même.

— Quelqu'un est mort dans la nuit? demandai-je.

— Hein?

— Hier, il n'y avait pas de place pour moi.

— Oh... Non, pas du tout. Mais il y a toujours de la place pour un publicitaire musclé comme vous.

— De quoi s'agit-il?

— Patience, petit. Le patron est toujours dans la nature. Mais il ne va pas tarder. Alors on verra ce qu'on verra. Amenez-vous maintenant, hein?

— Après déjeuner.

— Comme vous voudrez, papa, comme vous voudrez. Si je dis non, vous me passerez à tabac comme vous avez fait à ces deux gros-bras, hé?

— Jamais, assurai-je, et je raccrochai.

Je dis à ma secrétaire, entre deux manches, que je ne rentrerais pas de la journée. Puis je lui demandai de faire savoir à tout le monde, dès que j'aurais le pied dehors, que je serais absent tout le reste de la semaine. Les affaires étaient calmes, n'importe comment, parce que la moitié des P. D. G. de Londres était en train de se faire rôtir au soleil de Tossa da Mar. Elle me dit qu'elle veillerait au grain. Je pris un taxi pour me faire conduire à Holland Park et fis le reste à pied jusqu'à la maison d'Addison Road.

Le flic nouveau ne me dit rien du tout, et je montai

tout droit au bureau de Greene. Il leva le nez de ses mots croisés.

— Où est Muir? demandai-je.

— Dans son bureau, je pense. Comment ça a marché avec la fille?

— Bien. Je pense. On ne sait jamais tant que votre meilleur ami ne vous le dit pas.

— Y en a toujours un pour faire ça.

Muir était chez lui en train de vérifier son compte en banque. C'est aussi le type qui garde toujours son briquet dans la petite gaine de feutre. Il me regarda.

— Brock, mon vieux, content de vous voir. Je suis persuadé que le calculateur électronique de chez Court est goupillé. Que puis-je pour vous?

— Vos deux hommes.

Il eut l'air peiné.

— Ecoutez, mon vieux, protesta-t-il, j'en ai plus de deux, vous savez. Deux cent quarante-quatre, pour être précis. Ou cinq. (Il se souvint d'un message et le consulta.) Deux cent quarante-deux.

— Je veux dire les accidents de la circulation. Où se sont-ils produits? Et quand?

— Ah, vous voulez dire ceux-là, ceux qui Le tracassent.

— Oui.

Il fouilla dans tous les tiroirs de son bureau, puis dans son classeur. Enfin il prit un dossier sous son sous-main et l'ouvrit.

— Nous y voilà, dit-il. Les accidents se sont produits avant, et inclus, le 5 avril de cette année.

Il feuilleta des tas de papiers.

— Oui, oui. Italie 514, mortel sans inculpation. Près de Milan, le 19 septembre dernier. De même, Allemagne 229. Les environs de Francfort huit jours plus tard exactement. (Il leva les yeux.) C'est scandaleux, Brock. Je comprends parfaitement ce qui Le turlupine. Ces temps-ci, Il perd plus de types dans des accidents de la circulation qu'à cause de foutus ennemis.

— Où ça près de Francfort?

— Oh, un petit patelin appelé Dreichenburg, ils disent. Jamais entendu parler.

Je retournai voir Greene.

— Ce Llewellyn que vous filochiez si soigneusement, lui dis-je. Où était-il pendant la deuxième quinzaine de septembre?

— Bougez pas, vieux.

Greene replia soigneusement ses mots croisés et posa son stylo à angle droit contre la règle d'ébène. Puis, d'un mouvement plein d'élégance, il fit pivoter son fauteuil et ouvrit un tiroir. Il en tira une chemise et, d'un autre mouvement élégant, il repivota tout en l'ouvrant.

— Septembre dernier? Voyons ça. Eh bien, le vieux coureur était pagnoté avec sa poule à Milan, pendant une huitaine et puis, pour changer un peu, ils se sont envolés vers le Nord et ils se sont enfermés dans un schloss.

— En septembre?

— C'est ce que vous m'avez demandé, vieux.

— D'abord Milan, puis Dreichenburg?

— Tout juste, Auguste.

— Le Gros est là?

— Oui. Mais lui dites pas ça, il suit un régime amaigrissant.

10

JE descendis au bureau du Gros. Il était tapi derrière sa table comme un éléphant rose.

— Je croyais que vous étiez en train de travailler, dit-il.

— Je l'étais. Je suis passé demander un truc ou deux sur Llewellyn.

— Ça ne vous mènera à rien.

— Si. Je tiens votre rapport. Musgrave a été tué tandis qu'il filait Llewellyn.

— Je sais bien. C'est moi qui vous l'ai dit. C'est par là que vous avez voulu commencer.

— Les deux types de Muir aussi, en septembre.

— Ah oui.

— Oui. Llewellyn était à Milan et à Dreichenburg aux mêmes dates. Et quoi qu'il était en train de faire, il n'était pas pagnoté avec sa poule, comme le prétend si élégamment le système de fiches de Greene.

Il pressa un bouton, un coup pour Greene, deux coups pour Muir, et soudain ils furent là.

— Qu'est-ce que c'est que ça? dit-il.

Ils prirent un air ahuri. Je les mis au fait. Greene

haussa les épaules. Muir pâlit et attendit que le Gros dise son mot.

— Combien de types avez-vous au juste? demanda le Gros.

— Deux cent quarante-deux, chiffre d'aujourd'hui, répondit Muir.

— Je me demande comment nous allons pouvoir apprendre ce qu'ils font, grogna le Gros.

Muir ne dit rien. Greene haussa les épaules plus éloquemment encore.

— Ça m'avait l'air de renseignements de routine, dit enfin Muir. Et je les ai repassés à Greene, comme d'habitude, par la filière normale.

— Y a rien de si foutrement normal que ça, déclara Greene. Deux accidents derrière le même cul.

— Trois, rectifia Muir. Tu oublies ton homme Musgrave.

— Ça suffit, lança le Gros. Vous démêlerez tout ça entre vous tout à l'heure. Apportez-moi tout ce que vous avez sur Llewellyn. Et tâchez qu'il y ait tout. Vous pouvez disposer.

Ils sortirent. Greene, l'aîné, généralement féru de protocole, s'effaça cette fois pour faire passer Muir devant lui.

— Asseyez-vous, me dit le Gros. N'ayez pas trop mauvaise opinion du jeune Muir. Il est tout comme son père. Et Greene va s'occuper de lui, je le crains.

Je faillis encore une fois m'asseoir sur son caniche.

— Il y a autre chose, dis-je. J'ai vu Schneider, hier.

— Qui c'est ça?

— L'éminence grise de Llewellyn.

Je lui racontai ce que j'avais vu, senti, entendu et subodoré. Et puis Greene revint avec un de ses petits dossiers bien propres. Il le posa au centre du bureau nu du Gros, me regarda et haussa derechef les épaules.

— Tout est là, dit le Gros. S'il y a une chose pour laquelle je peux avoir confiance en Greene, c'est bien la documentation.

— Tant qu'il a les faits.

Greene me regarda.

— Bon, voyons ça, vite, s'impatienta le Gros.

Greene toussota, tira ses papiers, eut encore un haussement d'épaules et lança :

— Eh bien d'abord, il y a ce que Llewellyn n'est pas. Tudor Owen Glendower Llewellyn n'est pas né dans un lugubre coron noir de charbon d'Ebbw Vale, et il n'a pas grandi parmi dix-sept sœurs affamées en chantant le *Messie* et en glanant des bouts de charbon au pied du terril derrière la maison. Son père n'a pas été enseveli par des étançons de bois vermoulu pas plus que sa mère n'a vendu son alliance pour lui acheter des livres d'école. Tout ça n'est que de l'imagerie populaire.

En fait, à en croire Greene, Llewellyn était né devant un bon feu dans la plus belle chambre d'une grosse ferme prospère non loin de la baie de Cardigan, dans l'ouest luxuriant du pays de Galles où les paysans ont toujours vécu comme des princes de bonne viande grasse et de belle crème épaisse et de bon beurre jaune.

Mais pour le reste, l'imagerie populaire était assez fidèle. Il était indiscutablement une espèce de prodige. Dans son enfance, les fermes commençaient à peine à se motoriser, et l'électricité commençait à se répandre. Les moteurs et le courant l'avaient passionné et il s'était lancé à corps perdu dans l'industrie électrique en plein essor, si bien que lorsque la guerre avait éclaté il était déjà trop important pour être mobilisé. Et puis son véritable talent s'était déployé. Il était doué pour l'administration et il avait continué de s'administrer lui-même en se poussant d'échelon en échelon pendant toute la durée des hostilités.

En 1945, il était solidement accroché à l'échelon supérieur. Il s'était alors trouvé en mesure de rassembler tous les contacts qu'il avait pris à Whitehall et dans l'industrie, et de réunir brusquement toute l'industrie électrique en un gigantesque trust qu'il avait appelé Allelec, et qui ne devait pas tarder à accaparer tout le marché de tout ce qui touchait à l'électricité.

C'est là que j'ai commencé à m'instruire. Le Gros aussi, je crois, encore qu'il essayât de ne pas le montrer. Llewellyn, à en croire la documentation de Greene, représentait une puissance encore plus considérable que ce qu'un vain peuple pensait, et certaines de ses plus grosses affaires me surprenaient. Allelec avait conçu, exécuté et installé toutes les nouvelles centrales électriques depuis que Whitehall avait commencé à mettre la main sur beaucoup de choses, dans les années 50, et de fait les nouveaux conseils d'administration des grandes entreprises radio-électroniques n'étaient guère mieux que des employées d'Allelec. C'était vrai aussi des chemins de fer, mais le gouvernement ne paraissait pas s'inquiéter, en grande partie, semblait-il, parce que Llewellyn était aussi fabuleux pour les ouvriers que pour les artisans des plans.

Et, disait Greene, sous l'épaisse toison galloise frisée de sa poitrine battait un cœur réellement généreux. Il payait bien et il inondait ses ouvriers de primes de rendement et d'avantages divers. Les syndicats le vénéraient et comme la main-d'œuvre d'Allelec égalait approximativement « l'électorat flottant », les politiciens de tout poil le vénéraient aussi.

Greene entra ensuite dans les détails, montrant l'Allelec de Llewellyn comme la plus grande puissance indépendante de Grande-Bretagne. Tout cela était étonnant, intéressant et, autant que je sache, sans le moindre rapport avec ce qui m'inquiétait. Ainsi que le reste du tableau.

Sa fortune personnelle, chez nous et à l'étranger, était astronomique, ce qui m'expliquait un peu ses incroyables entreprises philanthropiques de Glamorganshire, encore que je ne comprenne jamais comment un homme qui n'a pas à vivre là-bas peut avoir envie de reconstruire Swansea.

Le reste, nous le savions. Il était célibataire, et coureur. Il s'amusait avec presque autant d'ardeur et de force qu'il travaillait. Le coût de ses baisers d'adieu, mis bout à bout, auraient permis de construire le Concorde, mais la petite Lily Beck durait depuis pas mal de temps. Il l'avait ramassée dans le circuit des mannequins et l'avait installée à Cockburn Square, et au bout d'un an elle demeurait encore son passe-temps principal.

Il était le nationaliste le plus virulent et le plus important patron de tout le noir pays gallois, et comme tel il avait toujours été bon pour de la copie. Mais depuis Schneider, il faisait la une, comme Elizabeth Taylor, dans tous les azimuts. Je lui tirais mon chapeau, à Schneider. C'était un champion. Les coupures de presse couvrant les douze derniers mois révélaient un crescendo subtil et parfaitement orchestré qui faisait rapidement de Llewellyn la noble voix du peuple. Grand Frère qui nous conduit tous au triple galop vers une vie meilleure et des lendemains qui dansent, avec des vide-ordures automatiques pour tout un chacun.

11

COMME on me l'avait répété, Llewellyn ne nous menait nulle part. Tout ce que nous avions, c'était un grand super-magnat gallois affligé d'un goût prononcé pour la gloire et d'une marotte à sens unique. Rien qui démontrât qu'il pouvait avoir le temps ou le goût ou l'énergie ou le besoin de parcourir l'Europe en tuant au hasard les petits gars du Gros.

Mais néanmoins, trois paires d'yeux expérimentés avaient été éliminées de sa piste. Et moi-même, j'étais encore tout dolent. Le Gros me regarda. Je regardai un tableau sur son mur. Sous la vieille jetée de Brighton. un bonhomme en barque promenait une femme **armée** d'un parapluie.

— Il y a là quelque chose, je vous l'accorde, dit-il. Mais quoi, je n'en sais rien.

— Vous feriez mieux de me rendre mon pistolet, dis-je, et de me laisser enquêter.

— Pas encore.

Il m'avait confisqué mon pistolet en même temps que mon passeport. Pour mon bien, avait-il déclaré.

— Ecoutez, protestai-je. Vous m'avez demandé de voir si Musgrave l'avait vraiment cherché, ou s'il avait été buté pour rien. Je l'ai fait, et j'ai percé la cloison étanche entre vos petits garçons de bureau. Je me suis fait moi-même arranger. Et la rumeur des w.-c. de Llewellyn est loin d'être la traduction galloise de « régulier ».

Il hocha la tête avec sagacité et se servit un calva.

— Alors rendez-moi mon pistolet, ajoutai-je, et dites-moi où est ce Bendricks.

Il sirota un coup de calva et caressa son caniche. Je m'emparai d'un de ses presse-papiers et le secouai pour obtenir une tempête de neige. Il posa son verre, sonna Greene et lui demanda où était ce Bendricks. Greene haussa les épaules, ça s'entendait à l'interphone.

Au bout de quelques longues minutes, Greene rappela. Le Gros augmenta le volume du son et je pus entendre la voix métallique de Greene.

— Ce que les gens du cru appellent Bendricks est la toute dernière et la plus importante usine de Lle-wellyn. C'est cinq kilomètres carrés de merveilles élec-troniques tout de suite à l'ouest de Cardiff. Avant, c'était les marais de Bendricks.

— Qu'est-ce qui se passe là-bas? demandai-je.

— Ma foi, dit Greene, c'est marrant. J'ai mis Seebie dessus, et personne ne le sait.

— Ne faites pas l'imbécile, dit le Gros.

— Non, monsieur. Je veux dire, Seebie dit qu'un filet d'ordinateurs, de disjoncteurs et de trucs comme ça sor-tent de la boîte, mais sur le papier en tout cas, toute l'usine produit, à cent pour cent. Seebie dit que chaque fois qu'il parle à Allelec de cette entreprise particulière, il se heurte à un mur. Des histoires avec les syndicats, des pannes de cerveau électronique, des trucs comme ça. Seebie dit qu'on le mène en bateau depuis plus d'un an.

— Des histoires avec les syndicats? m'écriai-je. Y a de

quoi rire. Le soleil des syndicats brille dans les yeux bleus de Llewellyn.

— Oui, dit Greene. C'est ce que prétend Seebie. Mais il dit qu'il est bien obligé de l'accepter. Il a envoyé quelqu'un là-bas pour voir de quoi il retournait, mais c'est pourri d'A. S. comme si c'était Harwell, ou je ne sais quoi.

— A. S.? fit le Gros.

— Allelec Sécurité, expliqua Greene. Un groupe assez costaud. Ils nous ont braconné pas mal de nos gars, au fil des ans, vous vous souvenez? Des types de Seebie aussi, semble-t-il.

— Exact, dit le Gros. Merci, Greene.

— Autre chose, monsieur. Qu'est-ce que je vais dire à Seebie? Il veut savoir pourquoi nous voulons savoir.

— Dites-lui que nous faisons des mots croisés, répliqua le Gros. Pas la peine de se tromper entre nos services.

Il coupa la communication. Puis il réfléchit un moment. Enfin il tira la photo de Llewellyn du dossier et la posa debout contre le pied de sa lampe. Il la regarda. Moi aussi. C'était la photo que les journaux préféraient, en pied pour bien montrer sa corpulence. Sa figure lourde, belle, bien rasée, bien éclairée, nous dévisageait, prête à nous lancer tous les deux dans quelque entreprise dynamique qui ferait baisser d'un point l'indice du coût de la vie et mettrait par la même occasion une paire de millions de plus dans ses poches.

— Qu'est-ce que vous en pensez? demandai-je.

— Je ne sais pas, murmura-t-il.

— J'aimerais jeter un coup d'œil aux Bendricks. Et à Castle Cork vendredi.

— Peut-être, dit-il et il resonna Greene. Où est Castle Cork?

— C'est pas comme ça qu'il faut dire, monsieur, répondit Greene.

— Hein? fit le Gros.

— Kastech Korrrrkh, dit Greene. C'est près de Cardiff. Ça veut dire le Château Rouge. Seebie m'a raconté.

— Je ne savais pas que vous étiez un foutu Gallois, observa le Gros.

— Oh non, monsieur, je ne suis pas gallois. Mon école a été évacuée à Karvather.

Il nous l'épela. Cyfartha.

— Merci, Greene.

Le Gros me regarda, puis il contempla la photo de Llewellyn.

— Je ne sais pas, murmura-t-il. Coller Musgrave à ses trousses pour une simple routine est une chose. Aller espionner ses affaires en est une autre. C'est un vrai poids lourd, vous savez.

— Oui, mais pas tout à fait régulier non plus.

Il se leva et fit le tour de son bureau. Puis il se tourna vers moi.

— Ecoutez, dit-il. Laissez-moi faire. Je vais déjeuner dans la City et causer un brin.

Il regarda sa montre et sa figure s'illumina.

— Ah, il n'est pas encore midi.

Il glissa un œil vers la petite table devant la fenêtre où le jeu de scrabble était disposé en permanence.

— J'ai rendez-vous, lui dis-je. Avec la secrétaire de Schneider.

— Brave petit.

Il me libéra. Je descendis, et le nouveau flic ne me dit rien.

— Vous ne pouvez donc pas trouver quelque chose à dire, grommelai-je.

— Hein? fit-il.

— Foutus flics, marmonnai-je, et je sortis dans Holland Park.

12

LES trottoirs étaient pleins de promeneurs matinaux de jolies filles en fuseaux collants un panier au bras, de garçons à la barbe soyeuse en chandails feutrés, d'Irlandais à la rencontre du premier whisky, de belles-de-nuit faisant les courses avec les enfants, avec çà et là une tête connue de la télévision. C'était une de ces journées où les employées font la grasse matinée et téléphonent au bureau qu'elles ont la migraine.

De l'autre côté de la rue, le soleil faisait verdoyer le gazon bien tondu par les moutons de Hyde Park. Je traversai et foulai l'herbe, en me disant que je ferais le détour par le parc pour aller prendre un taxi à Knightsbridge et aller retrouver Angie sur les quais. J'étais, je le reconnaissais, à la merci des belles inconnues brunes, aux mains fortes, aux sourires froids et aux jambes longues.

Je gagnai par la pelouse les bords de la Serpentine. De l'autre côté de l'eau, le Lido de Lansbury s'étendait, le sable disparaissant sous les corps bronzés bien huilés et le bateau javellisant allait et venait, rendant l'univers sans danger pour les nageurs. J'atteignis la rive et m'engageai dans la large allée vers le kiosque à musique. Mes chaussures crissaient sur le gravier, le bateau javellisant ronronnait, un jeune garçon dans une barque faillit perdre son aviron et le rire de sa compagne glissa sur les eaux brunes. A ma gauche, derrière la demeure désirable du gardien du parc, un moteur vrombissait.

Dans l'ensemble, je me sentais très bien dans ma peau. Je n'avais pas fait grand-chose, sans doute, mais assez pour me mettre dans les petits papiers du Gros. Cela m'amena à me demander distraitement avec qui il allait déjeuner et ce qui en découlerait. C'était impondérable. Au mieux, il irait de l'avant, me rendrait mon pistolet et me laisserait obéir à mes intuitions. Au pire, je serais libéré du bureau pendant huit jours.

J'étais à présent à hauteur du jeune garçon dans la barque. Il avait ôté sa chemise et je comparais machinalement le hâle de ses bras à côté du blanc de son torse. Plus vaguement encore, j'écoutais le rugissement du moteur sous les arbres, derrière moi, et je protestais apathiquement contre la circulation dans les jardins publics.

Et puis le jeune garçon du bateau poussa un cri et sa petite amie hurla. Je revins sur terre et entendis le moteur là où il était exactement. Pas sous les arbres, mais juste derrière moi. Je fis un bond sur ma droite et roulai sur la berge. J'avais pratiquement la tête dans l'eau quand je vis une Land Rover passer en trombe et accélérer. Je sentis son déplacement d'air. Le conducteur passa en prise et avant que je me remette d'aplomb elle s'était perdue dans la circulation de Park Lane.

Je m'aperçus que ma main droite plongeait dans l'eau de la Serpentine et que je tremblotais comme une petite Austin. Je m'aperçus aussi que mon œil conservait l'image en gros plan de la voiture, aiguisée par le choc et retenue par l'entraînement. C'était une image sens dessus dessous, comme je l'avais été moi-même. Deux hommes, pas de visages, rien que deux dos et deux têtes. L'une huileuse au-dessus du dos de cuir clouté de cuivre qui conduisait. A côté de lui, un large dos noir et une grosse tête carrée. J'espérais faire un jour la connaissance du conducteur. Son passager, je le connaissais déjà. Williams, l'homme au poing d'acier.

Je me levai, un peu vacillant sur mes jambes, j'essuyai ma main avec mon mouchoir et j'ajoutai quelques invectives choisies au flot compatissant venant du jeune rameur. Nous échangeâmes quelques propos sur les dangers d'une promenade au bord du lac et le garçon me donna une lettre du numéro d'immatriculation de la Land Rover. La petite ajouta deux chiffres. Je me rappelais moi-même le reste du numéro et je le notai pour sauvegarder les apparences. Puis je retournai à pied vers Bayswater Road. Quand mes tremblements de peur rétrospective se calmèrent, ils furent remplacés par des frémissements de colère. Je sautai dans un autobus au feu rouge, restai sur la plate-forme et descendis à un autre feu de signalisation. J'avais probablement l'air aussi furieux que je l'étais, et le receveur ne me réclama pas mes quatre *pence,* pas plus qu'il ne me demanda de circuler.

Je remontai Allison Road et pénétrai en trombe dans la maison. Si le nouveau flic était là, je ne le remarquai pas. J'allai me planter en haletant devant le bureau du Gros.

— Navré, Brock, me dit-il. Plus le temps pour une partie de scrabble. J'allais sortir pour déjeuner.

— Je ne veux pas jouer, lui dis-je. Je veux me mettre au travail. Ce foutu gorille gallois vient d'essayer de me tuer.

— Eh bien?

— Vous n'avez plus besoin de déjeuner ni de causer. Donnez-moi simplement mon pistolet et je m'en occupe.

71

— Allons, allons, calmez-vous, asseyez-vous et racontez-moi tout.

Naturellement, je ne me calmai pas, pas plus que je ne m'assis. Mais je lui racontai tout, et il fit preuve d'intérêt. Et de plaisir aussi.

— Eh bien, dit-il, je suis heureux de voir que j'avais raison de m'inquiéter. A moins, bien sûr, que ce Gallois ne soit simplement vexé que vous l'ayez battu hier soir.

— Nom de Dieu! combien de meurtres vous faut-il encore? Llewellyn possède un tas d'automobiles, vous savez, et ses sbires, sur ses ordres probablement, se servent des routes comme de foutues pistes de bowling et de vos types comme quilles. Y compris moi.

— Je me le demandais, n'est-ce pas?

— Alors rendez-moi mon pistolet. Y en a parmi nous qui ont du boulot. J'ai un truc épatant en train avec ma pâtée pour chats et plus vite j'y retournerai, mieux ça vaudra.

— Oui, murmura-t-il.

Et sans plus discuter il sonna le sous-sol et lui annonça ma venue.

— Mais n'allez pas faire le fou là-bas, admonesta-t-il. Je ne sais pas si nous avons un agent à Cardiff.

— Bon, bon, bon. Vous savez bien que je ne m'en suis servi que cinq fois en obéissant pour vous à mes intuitions.

— Si l'on peut dire. Et vous avez massacré sept personnes avec ces cinq coups, pas vrai?

— Onze, répliquai-je. Faut bien essayer, non?

— Vous voulez un permis?

— Mettez-le où je pense. C'est mon pistolet.

— Gardez le contact, dit-il.

13

JE descendis au sous-sol. A l'exception du bureau du Gros et du sous-sol, toute la boîte est dirigée, service service comme à l'armée, par Greene, et aussi, je suppose, par Muir. Ils se noient dans plus de paperasseries que les officiers d'ordonnance de la caserne de Portsmouth, et leurs sergents sont plus raides que des sentinelles au garde-à-vous. Dans l'ensemble, ces types sont trop occupés pour travailler.

Mais au sous-sol, Pusser Talbot dirigeait son magasin d'accessoires comme à l'intendance. Si vous avez envie d'aller d'A à B pour faire sauter B au plastic, il vous équipera, pendant que vous attendez, d'un paquet d'Extrion 135, d'un itinéraire et d'une voiture idoine, boîte automatique ou non suivant les routes qu'il aura choisies. Si le Gros lui donne le feu vert, bien entendu.

Tout ce que j'avais à lui demander c'était mon pistolet qui, dit-il, est l'arme la moins professionnelle qu'il ait en magasin. Mais je l'aime bien. C'est un Kruger Hawkeye Special. Tout le groupe l'appelle un pistolet grosse tête, Greene parce qu'il est qu'à un coup, le Gros parce qu'il est trop lourd et Pusser Talbot parce que les cartouches 265 Magnum sont hors de prix. Mais c'est ce qui se rapproche le plus d'un fusil à éléphant et ça ferait sauter une tête de ses épaules à cinquante mètres, distance la plus réduite possible à laquelle je veux me trouver de la mort.

Greene, dans l'exercice de ses fonctions et de son devoir, aime à s'armer d'un colt 45. Muir, qui est bien le fils de son père et aussi un lecteur avide et un satyre refoulé, trimbale un beretta comme dans les romans. Moi, je prends mon Kruger pour être à l'aise. Si je n'ai pas à avoir recours à des fantaisies ou si je ne suis pas transformé en foutu amateur par la frousse, je suis très heureux de l'avoir dans mes bagages ou dans un étui de cuir noir qui a l'air d'une reliure à spirale. J'arrive à le recharger assez vite mais, pour tout dire, je n'ai jamais eu à tirer deux fois de suite. Le Kruger est fait pour transformer tout ce qu'il touche en un ragoût si spectaculaire qu'il met fin à toute bagarre sur l'heure et pour l'éternité.

Donc Pusser Talbot a envoyé un de ses jeunes gens zélés le chercher sur les étagères, et m'a demandé si j'avais besoin de moyens de transport et d'équipement spécial. Je lui ai dit que je partais simplement jeter un œil à une usine du pays de Galles. Il m'a dit qu'il avait justement le véhicule rêvé pour ces fichues pistes galloises. Je lui ai expliqué que maintenant ils avaient de vraies routes au pays de Galles, sans ça je me serais retrouvé au volant de je ne sais quelle folle Alfa genre rallye à échappement libre. Il a essayé aussi de me refiler quelques-uns de ses surplus les plus surplus. Un nouveau téléobjectif russe dans un flacon plat gainé de cuir, une lame de rasoir longue de soixante centimètres qui jaillissait d'un décapsuleur en argent, un agenda aux pages explosives qui sautaient trois secondes et demie après qu'on avait retiré le crayon et un soulier orthopédique avec une antenne radio dans le talon.

74

Puis il s'échauffa, se lança dans son baratin de camelot et chercha à placer ses idées les plus récentes. Il me montra un ampli miniature capable de transformer le premier combiné téléphonique venu en microscope sonique à haute fréquence et longue portée, une pièce de monnaie à demi vaporisée de caoutchouc pour court-circuiter un cerveau électronique IBM Atlas et une bicyclette Graziella à moteur se repliant dans une petite valise de week-end portant l'étiquette de l'hôtel Métropole à Brighton.

— Donnez-moi simplement la cape et l'épée, lui dis-je, et je partirai en loup solitaire.

Mais je pris quand même deux ou trois bombes aérosol de laque blanche. Ma voiture est d'un noir publicitaire discret, et on ne sait jamais quand on peut avoir besoin de se blanchir.

— Pas la peine de signer pour ça, me dit Pusser. Au revoir, monsieur Brock, et attention où vous mettez les pieds. Ah, en parlant de pieds, je vous ai jamais montré ce gilet en tricot de nylon. Ça se dévide pour devenir une échelle de corde. Il y a un grappin d'acier dissimulé dans l'ourlet du col.

Il n'avait vraiment pas l'air d'espérer une réponse, alors je suis remonté vers le soleil. Pusser avait roulé mon pistolet dans une édition sportive et l'avait mis, en compagnie de mes aérosols, dans un sac en papier marqué Men Shop. Muir achète ses chemises à Carnaby Street. J'étais en retard pour Angie, mais pour dix shillings de mieux, le taxi a brûlé tous les feux rouges sauf celui du bas de Church Street.

14

ELLE était toujours là, et faisait danser de la glace à moitié fondue dans un verre vide. Elle portait un grand manteau blanc au col montant mousseux, et la plupart des hommes du bar avaient manifestement l'eau à la bouche en la regardant subrepticement du coin de l'œil ou dans les multiples miroirs des murs. Sa bouche avait un certain pli d'impatience féroce qui devait éveiller en leur cœur l'homme primitif de la jungle.

Je suis passé maître dans l'art de faire des excuses et elle accepta mon histoire de bonne grâce. Alors je lui offris un autre verre, en pris un moi-même et ce fut tout à fait plaisant. Nous avons parlé du soleil et de la Tamise, puis de cinéma, elle pour Bergmann moi pour le western. Mais nous sommes tombés d'accord pour penser que Trevor Howard aurait fait un meilleur James Bond que Sean Connery. Et puis nous avons parlé publicité. Nous nous sommes découvert des amis communs que nous détestions pour les mêmes raisons. Ainsi, soulagés après avoir mis les choses au point, nous nous sommes souri et nous avons décidé en chœur qu'il était trop tard pour déjeuner. J'ai commandé deux autres verres, deux sandwiches et deux saucisses.

C'était un de ces vieux pubs de l'époque victorienne, comme on en voit peu, plein de miroirs. Nous étions assis dans la salle encaustiquée, séparés des crachats et de la sciure par un grand édifice d'acajou étincelant de bouteilles, de verres, d'ampoules électriques et de Winstons en plâtre. Derrière le comptoir, de notre côté de l'édifice, se tenait une vieille dame au large sein bétonné. Côté bar, il y avait son vieux mari, la perruque glissant légèrement sur une oreille. Elle déplaçait ses sandwiches et construisait des châteaux avec ses petits pâtés. Il buvait de l'eau de Vichy en jetant des regards nostalgiques vers les bouteilles de scotch. Ce n'était pas l'heure du coup de feu. Il n'y avait guère qu'un petit groupe murmurant de buveurs de midi et deux amateurs de mots croisés.

— C'est l'annexe d'Allelec, ici, dit Angie. Ce type au bout du bar est un de nos électroniciens. Regardez, il fait les mots croisés du *Times* de tête.

— Moi, dis-je, il me faut un crayon avec une gomme au bout.

— Moi, je peux les faire au crayon à bille, déclara-t-elle avec satisfaction.

Le soleil rebondissait sur le fleuve et de miroir en miroir. Ces glaces étaient peintes, et de là où j'étais, si je tournais légèrement la tête, je me voyais dans un glauque paysage de roseaux et de cygnes. Il y avait aussi une infinité d'Angie et chacune me plaisait autant que sa voisine.

Je repoussai un peu ma chaise sur le tapis rouge élimé pour changer mon point de vue et sortir du tunnel de roseaux. Le miroir ne contint plus qu'un cygne et trois roseaux à travers lesquels j'apercevais le bar. Il était presque désert; je ne voyais qu'un buveur solitaire dans le recoin le plus sombre, la figure cachée par une chope de Guinness. Comme je le regardais il posa sa chope et je le reconnus. J'allai au comptoir commander deux autres verres et regarder plus attentivement. Je laissai les verres sur le comptoir, entrai aux lavabos des hommes, passai devant l'étincelante porcelaine blanche à l'ammoniaque, et sortis par l'autre porte donnant dans le bar. Je foulai le plancher bien lavé et fonçai vers le recoin obscur.

Empoignant le buveur solitaire par le col de sa veste noire, je le mis debout, me carrai solidement sur mes pieds et le frappai de toutes mes forces. Il était très lourd, aussi ne quitta-t-il pas le sol. Je me penchai légèrement sur lui et attendis. Il était costaud et savait encaisser. Il ouvrit les yeux, secoua la tête, vit mes pieds et remonta jusqu'à ma figure. Il marmonna je ne sais quelle obscénité galloise et se mit à se relever lourdement. J'aurais dû le frapper à ce moment-là, mais je voulais lui faire mal, pas le mettre K. O. J'ai attendu, et ce fut une erreur. Il se mit sur pied plus vite qu'il n'aurait dû et plus près de moi que je n'aurais dû permettre, et je me suis retrouvé serré dans une étreinte d'ours que j'aurais pu et dû éviter. J'ai essayé de lui donner des coups de genou dans l'entrejambe mais il était trop près et il avait des jambes comme des réverbères.

J'ai encaissé un coup aux reins. De grands nuages noirs ourlés d'argent passèrent devant le soleil. Alors j'ai rejeté ma tête en arrière pour éviter le coup de boule qui arrivait. Le bon vieux une-deux-trois n'est plus ce que c'était. De nos jours, la spécialité du gros-bras, c'est étouffer, rompre les reins et la grosse tête. Quand le coup de tête rate, il n'a plus de garde. Tout l'effort va dans le cou et l'étreinte faiblit. Alors je me suis dégagé, j'ai serré les deux mains en marteau au-dessus de ma tête et je l'ai assommé. J'allais avoir le tranchant des mains tout bleu et meurtri comme au temps où Joe Robinson essayait de m'enseigner le karaté. Le gars est resté à terre cette fois et j'ai levé le pied pour lui faire sauter toutes ses dents.

— Non, dit Angie.

Elle était derrière moi. Elle devait être passée par le w.-c. des hommes, elle aussi.

— Taisez-vous, grognai-je. Allez m'attendre dehors.

— Non, dit-elle.

Et puis quoi, le vieux ménage derrière le comptoir émettait des bruits inquiets et les quelques consommateurs de la salle alignaient leurs têtes en rang le long du cadre de la porte des lavabos. Je vis que j'avais cassé deux chaises et quelques verres. Je donnai aux deux vieux chéris un des billets de cinq livres du Gros.

— Cela devrait vous dédommager, leur dis-je. S'il y a de la monnaie, mettez-la dans la tirelire et dites-lui que je reviendrai.

J'aurais pu le lui dire moi-même. Le temps que la bonne vieille mémé tende le sac d'Angie et mon paquet par-dessus le bar, Williams s'était réveillé. Mais il vomissait et ne m'aurait pas entendu. Le bruit et la vue de ses expectorations me remirent en colère et je fis un mouvement vers lui, probablement, car Angie me prit le bras et m'entraîna dehors au soleil.

Nous avons traversé la chaussée et sommes allés nous accouder au parapet du quai un moment. J'étais encore tout furieux et elle a su se taire sagement. Un chaland est passé, remorquant un train de péniches vers un quelconque quai de chargement et nous avons regardé défiler les types dans les grandes boîtes vides. Dans la dernière, ils avaient organisé une partie de cricket et comme ils passaient devant nous ils perdirent une balle et recommencèrent aussitôt avec une autre.

— Ils doivent perdre un tas de balles comme ça, observai-je.

— Ils n'ont pas de vraies balles. C'est de la corde.

Des têtes de Turc, ils les appellent. Dites-moi, monsieur Brock, vous êtes un violent.

— Pas vraiment. Cet homme m'a passé à tabac hier et il a essayé de me tuer ce matin.

— Mais c'était Williams, notre chef liftier!

Bien que sa chevelure brillât comme de l'ébène poli et que sa main se posât, solide et affectueuse, sur mon bras, j'avais plutôt envie de couper court aux explications. Je lui fis alors remarquer qu'il était tard et je la pilotai vers Allelec. Je lui demandai de dire à Schneider que j'étais obligé de remettre notre rendez-vous. Je devais faire un petit voyage d'affaires.

— Dites-le-lui bien gentiment, trésor. J'aurai peut-être besoin de la place qu'il m'offre bientôt, et quand puis-je vous revoir?

— Pas de quelques jours, dit-elle. Moi aussi, je dois m'absenter. Pour affaires.

— Ha! Il est bien aussi yankee qu'il en a l'air.

— Voulez-vous vous taire! Il adore son chien.

— Ça ne se voit pas.

— Vous devriez le voir. Il l'amène au bureau quand lord Llewellyn n'est pas là.

Nous arrivions à Allelec, et je m'arrêtai à l'ombre de la sculpture.

— Eh bien, dis-je, je vous téléphonerai quand nous serons tous deux de retour.

— Et nous irons voir le catch à Hackney? Je vais attendre ça avec impatience. Et vous pourrez me raconter pourquoi vous avez été pris d'un coup de folie, là, tout de suite.

— Où allez-vous en voyage? demandai-je pour détourner la conversation.

— En Galles du Sud. Il y a je ne sais quelle conférence, vendredi, encore que je ne sache pas du tout pourquoi il veut que je sois là.

— Le standing, dis-je. Aucun gros ponte américain ne

se déplace sans une paire de merveilleuses jambes fuse-
lées en manteau blanc à col mousseux.

— Merci. On se reverra à notre retour. Ne m'appelez
pas. Je vous ferai signe.

« Quel morceau », me dis-je. Je la regardai traverser
la cour. Les croupes sont plus éloquentes que les étoiles.
Et je m'attardai au soleil, en songeant que j'étais un
homme de jarret.

15

JE suis retourné à pied vers le centre moelleux de Bel-
gravia pour dédouaner ma voiture de son frigo sous
un pâté noir d'appartements-cagibis derrière King's
Road, garage que j'avais adopté parce qu'il était assez
voisin pour être commode et qu'elle y était à l'abri des
vandales du samedi soir. Le personnel est à la disposition du client vingt-quatre heures sur vingt-quatre afin
de plaire aux putes de luxe et aux gros-bras en melons
fourrés des appartements du dessus, et pour eux c'est
une simple question d'ascenseur direct garage, monter
la rampe et prendre la route. Mais il se trouve que j'ai
une Volvo et qu'un des mécanos de ce garage est un
volvomane, alors chaque fois que je vais chercher ma
petite auto c'est tout juste si je ne dois pas la racheter.
Il faut dire que je lui donne carte blanche pour la brico-
ler. Il a augmenté la compression et il a fait un travail
délicat aux carburateurs avec des outils d'horloger, je
crois. Il a mis des plus gros pots, ou des plus petits,
je ne sais pas, il a collé de l'uranium aux vis platinées
ou je ne sais quoi de plus abominable, et il a complète-

ment repensé toute la foutue transmission. Maintenant nous sommes amis pour la vie et j'ai une Volvo qui fait quarante-cinq de plus à l'heure que n'importe quelle autre Volvo. Seulement il me faut vingt minutes pour sortir du garage.

Je suis descendu par l'ascenseur plein de cambouis en espérant me glisser dedans et ressortir en douce et vite. Mais Fred appela Bert et Bert appela Joe et Joe me dit de pas bouger, il allait chercher Bill. Je me suis mis au volant, j'ai mis en marche et j'ai écouté le doux battement de cœur silencieux du moteur en attendant que Bill vienne m'expliquer ce qu'il avait fait à notre enfant, cette fois. Il avait limé des choses et détourné l'échappement de quelque subtile manière qui faisait monter son plafond d'encore quatre ou cinq km/h.

— Nous consommons combien maintenant, Bill? demandai-je.

— Pas de souci de ce côté-là, monsieur, affirma-t-il. Pas plus de vingt litres au cent sur route.

— Dieu soit loué! Encore quelques-unes de vos améliorations et je serai ce qu'il y a de plus rapide entre deux pompes à essence.

— Y a encore un truc, monsieur, dit-il. Vous vous en servez pas autant que vous devriez, mais quand vous la prenez, ce qui me fait plaisir c'est que vous lui faites faire une bonne balade. Alors je vous ai collé un second réservoir. Maintenant, vous pouvez faire Bristol aller et retour sans vous ravitailler.

— Mais je vais à Cardiff!

— Allez, croyez-moi, monsieur, me confia-t-il, Bristol est rudement plus chouette. Ils ont cette *camera obscura*, vous savez? Là-haut près du pont suspendu que tous les dingues y vont se suicider.

— C'est possible, mais je vais à Cardiff.

— La route de Bristol est meilleure. Plus rapide. Et d'ailleurs vous pouvez avoir du pain laver à Bristol, si ça vous plaît tant que ça. Le seul endroit où on en trouve en dehors du pays de Galles, à ma connaissance.

— Quoi?

— Des algues bouillies, m'expliqua-t-il. C'est délicieux frit avec des flocons d'avoine. Une spécialité galloise.

— Eh bien, dans ce cas j'en trouverai de plus frais à Cardiff, pas vrai?

— Que non, que non. Ça vient tout d'Irlande.

— Foutus Celtes, soupirai-je.

— Je vous le fais pas dire. Mais écoutez voir, monsieur, ils voient pas passer tellement de voitures au pays de Galles, probable. Alors veillez bien sur elle, dites?

— Sur qui?

— La Volvo. Ces gamins peuvent la faire mal tourner rien qu'en la regardant. Et toute cette poussière de charbon! Ça entre dans les réacteurs, alors rendez-vous compte!

— Il n'y a pas de mines de charbon à Cardiff, lui dis-je.

— Peut-être pas, grogna-t-il.

Sur quoi je passai ma vitesse et gravis la rampe.

Je suis rentré chez moi faire mes bagages. J'ai mis dans la valise quatre chemises, des chaussures de tennis, un jean noir et un chandail noir. Et aussi mon pistolet. Il était près de 3 heures et je commençais à me faire une joie de la longue route ensoleillée, aussi décidai-je de prendre mon déjeuner dans un verre. Un grand gin aromatisé à la sauce anglaise avec un peu de sel, et deux boîtes de jus de tomate pour repousser les parois de l'estomac. Et tout en buvant, je téléphonai à Greene.

— Universal Export? demandai-je.

— Qui est à l'appareil? grogna Greene.

— Confirmation de votre commande d'hier courant, dis-je, de six bottes de poireaux gallois de la vallée de la Rhondda et deux tonnes de noix d'anthracite galloise. Notre représentant s'en occupe exclusivement et vous fera parvenir un rapport détaillé en temps utile.

— Quoi, qui est à l'appareil? répéta Greene.

— Vous n'allez donc jamais au cinéma? lui criai-je et je raccrochai.

Je laissai un billet à miss Frewin qui range et nettoie derrière moi, m'assurai que tout était bien éteint, jetai ma valise dans le coffre de ma voiture et pris le départ, à travers le parc jusqu'à Marble Arch, où commence l'A 40 qui serpente jusqu'au fin fond du pays de Galles.

Je crois que l'A 40 est une des plus belles routes de la carte. Elle n'apporte aucun plaisir, naturellement, avant qu'on ait passé High Wycombe, mais après la grosse boule dorée de Hellfire Dashwood, le revêtement est assez neuf pour être rapide et la route assez sinueuse pour être intéressante. On peut mettre le pied au plancher dans la déviation d'Oxford et je ne m'en privai pas. A l'heure où les enfants sortaient de l'école dans les villages que je traversais, je roulais sur le plateau dénudé des Corswolds, très haut au-dessus de la Windrush qui donne naissance à la Tamise. Tout en bas, dans l'immense cuvette, de hauts beffrois de pierre et de tuile couleur de miel se laissaient entrevoir entre les bosquets verts comme dans les affiches touristiques. Et puis je passai de l'Oxfordshire dans le Gloucestershire et ralentis un peu car la chaussée empire de canton en canton quand on quitte Londres. Et, comme j'étais en avance sur mon horaire, je quittai la route nationale et m'offris une promenade par Cirencester, Sapperton, Bisley, Birdip et l'Air Balloon. Je suivis des voies romaines aussi droites et plates que la vertu et des chemins creux capricieux comme l'humeur d'une femme. C'est le genre de paysage que j'aime et j'y vais le plus souvent possible, car je possède un cottage secret dans ces régions boisées où le Gros lui-même ne peut me trouver.

La demi-heure que me coûta mon détour fut comme une dose de benzédrine, car ce coin des Corswolds est un microcosme de l'Angleterre. Les vallées sont toutes différentes les unes des autres, et chacune est semblable et les pentes sont autant de Breughels soignés. Les maisons sont bâties aux endroits les mieux choisis et des rouleaux compresseurs ivres aplanissent les chemins tordus qui les desservent. Il y a des vallons à un kilomètre à peine des villages, qui sont trop reculés pour être cultivés. On y trouve des serpents, et des lézards, de l'ail sauvage et des sorcières susurrantes. Et au sommet de Birdip, d'où l'on peut apercevoir les fumées de Birmingham et au-delà, il y a des hot dogs et du thé fort.

J'arrêtai ma voiture là-devant et marchai jusqu'au parapet. La Severn argentée scintillait devant les collines bleues. Elgar contempla un jour les Malvern par sa fenêtre. Il traça une portée en travers de leurs pentes et, de là où il était assis, les sommets formaient des notes de musique. Il les joua et en fit des variations. Nous appelons ça les *Enigma Variations,* mais pour moi les collines lointaines ne jouèrent que l'air du *Pont de la rivière Kwaï*; je regagnai ma voiture et traînai lamentablement dans la descente derrière un camion à dix roues. J'étais sorti de mon détour, je reprenais la route de Galles, par l'autoroute de dégagement de Gloucester et au-delà de la rivière dans les vergers de pommiers.

De là, l'A 40 grimpe par Monmouth dans les vastes Brecon Beacons désertiques, et plonge vers la pêche à la truite, au sud vers Carmarthen, et remonte la côte jusqu'à Fishguard. Mais je tournai à gauche dans l'A 48, suivis la rivière jusqu'à Chepstow et pris enfin la route rapide et lassante de Cardiff. Je perdis vingt minutes dans la queue de Newport qui attendait pour franchir le pont étroit qui est l'entrée principale étranglée des Galles du Sud. Un grand individu rageur, rouge et suant, en habit de flic, m'apprit qu'il n'y avait aucun autre itinéraire de remplacement qui n'allongerait pas mon voyage d'une heure. Le pont suivant était à huit kilomètres en amont et s'il était moi, il nous ramènerait à Chepstow où on prendrait le train. Alors je me suis résigné, j'ai écouté la radio et je suis arrivé à Cardiff vers 7 heures. Il y avait un peu moins de trois cents kilomètres au compteur, en quatre heures, ce qui faisait environ soixante-douze de moyenne. J'avais poussé deux ou trois pointes à cent quarante-cinq, dont la moitié est environ soixante-douze. La vieille règle de la route est toujours juste. Sur une longue distance, en tout cas, la moyenne d'un conducteur égale la moitié de sa vitesse de pointe.

Je pris une chambre à l'Ange, dominant le Cardiff Arms Park, où me conduisit une petite bonne brune au teint éclatant. Les buts étaient dressés, car nous étions en pleine saison d'entraînement, et je restai un moment à la fenêtre à contempler les longues ombres s'étirant sur le terrain en me rappelant les vieux samedis internationaux où Wilf Wooller était roi. A l'époque, on pouvait toujours trouver un billet à l'Ange, pour peu qu'on ait de l'argent, jusqu'à dix minutes avant le coup d'envoi, les Monoprix de Cardiff ne vendaient que de petites casseroles et de gros poireaux et pendant toute la nuit Saint Mary Street n'était qu'une mer hurlante de serge bleue et de foulards blancs. Il y avait dans ma chambre une Bible en gallois, et j'avais faim.

Je pris une douche et me pomponnai comme l'étranger que j'étais et, en bas, je demandai à une autre Galloise au teint éblouissant un mixed grill et une pinte de bière.

16

APRES dîner, je m'assis tranquillement dans la Volvo. La côte déchiquetée de Cardiff se déroula à côté de moi et au bout d'une vingtaine de minutes j'aperçus l'usine d'Allelec. C'était une grande étendue de rivage longue de six kilomètres, large de huit cents mètres, englobant l'extrémité orientale de Barry Docks, y compris un bassin profond et, à première vue, une des cales sèches. L'atelier central était le plus grand bâtiment que j'avais jamais vu, entouré de tout l'équipement de laboratoire géant, étincelant, qui fait des installations industrielles modernes des décors de science-fiction.

Le soir tombait, et quoi que puisse en penser l'ami Seebie de Greene, l'endroit était illuminé du haut en bas et d'un bout à l'autre. Cela fulgurait comme Piccadilly Circus, surtout près des grilles disposées à quatre cents mètres d'intervalle tout le long de l'installation. La grille de deux mètres cinquante qui les séparait aurait tenu en échec les hordes sauvages de Gengis Khan.

Bien au-delà des docks, la grille tournait vers la mer. Je longeai tout le périmètre, mais sans bateau il était impossible d'entrer. La grille s'enfonçait jusque dans l'eau. Il y avait cependant un îlot d'aspect assez lugubre, à seize mètres environ dans les eaux d'Allelec, qui donnait l'impression d'être accessible à marée basse. Le long de la côte, aux mêmes quatre cents mètres d'intervalle que les grilles, des miradors type stalag ressemblant à des grenouilles sur échasses se dressaient, et du plus proche on m'observait sans doute. Le crépuscule et les hautes masses sombres, la clôture et les portes gardées faisaient penser à Sing Sing. Avec un sinistre petit côté Ravensbruck. Mais un cygne blanc aux pattes graisseuses sortit de l'eau devant moi et laissa des empreintes noires sur la route. Alors je détournai la voiture des docks et me payai le grand tour mystère de Barry.

La publicité municipale, dans mon guide, annonçait Barry, sa brise, son iode, son air fortifiant, le Blackpool des Galles du Sud. Mais Barry est un dock charbonnier, et pas si gallois que ça à tout prendre. Quand les maîtres mineurs ont commencé à réclamer des bateaux, des ouvriers sont descendus du Yorkshire pour construire les docks. Puis ils se sont bâti des rangées de petites maisons, toutes avec vue sur les voies du chemin de fer, et quelques chapelles. Il y avait un tas de cordonniers et peu de circulation et j'eus terminé la visite de la ville en dix minutes. Du côté des docks, vers le port, les lascars en visite avaient suscité un petit quartier réservé, une simple rue bordée de cafés avec quatre serveuses par table, et un peu plus loin il y avait une plage de sable sec et sale, avec un scenic railway, des chapeaux en papier et une horloge qui retardait de dix minutes.

Mon guide m'indiqua le chemin de Castell Coch, la folie de Llewellyn, perché sur une colline avec vue sur le canal de Bristol. De la route, ce n'était guère que le sommet un peu idiot d'une tour de brique rouge dépassant des arbres avec un Dragon Rouge claquant au mât, mais le crépuscule la nimbait d'un certain mystère gothique. Très haut dans le ciel, une étoile rouge scintillait qui m'intrigua un moment, jusqu'à ce que je reconnaisse le phare du relais de télévision de Wenvoe. Les murs de Castell Coch étaient, naturellement, crénelés, et le portail aussi solide et menaçant que les grilles de l'usine des docks. Mais un kilomètre plus loin, environ, il y avait une rangée de cottages et un pub. J'avais juste le temps de boire un verre avant la fermeture, aussi garai-je la voiture et entrai-je. Je commandai une pinte de bière.

— Hancock ou Flower? demanda le patron. Ici, c'est un établissement libre, vous savez. Vous pouvez avoir ce que vous voulez.

— Parfait. Il ne reste plus beaucoup de bars libres, de nos jours.

— Non. Alors, qu'est-ce que ce sera?

— Ça m'est égal. Et servez-vous vous-même.

— Merci, c'est pas de refus. Je vais vous donner une Hancock, alors. Elle est bonne, je vous dis que ça.

Il tira une chope mousseuse de bière brunâtre et la leva à la lumière du plafonnier.

— Regardez-moi ça, donc! Si j'étais pas une maison libre, je serais forcé d'avoir de leurs nouvelles citernes à la cave. Ça remplit la bière de gaz, voilà ce que ça fait, et ça prend deux fois plus de temps pour servir. Rien ne vaut la bonne vieille pompe, moi je vous le dis.

Je goûtai son breuvage. C'était aussi amer que ça en avait l'air.

— Une bonne goulée de bière, déclarai-je. Grâce à Dieu, il y a encore des établissements libres.

— Que oui. Et ils feront bien de pas venir par ici avec leurs rachats et tout ça. A proposer tout l'argent du monde. Je suis libre et fier de l'être. De la télévision, peut-être, vous seriez?

— Oui. Mais juste de passage, pour une émission.

— Je vous ai jamais point vu sur l'écran.

— Oh non, je travaille en coulisse, simplement.

Je cessai de l'intéresser et il y eut un long silence pendant lequel je m'efforçai d'ingurgiter ma bière, gorgée par gorgée. Deux vieux jouaient aux dominos dans un coin. L'un d'eux trichait. « Foutus Celtes », pensai-je, et je souris au patron.

— J'ai vu une drôle de grande bâtisse, là, avant d'arriver. C'est pas le château de Cardiff, si?

— Quoi? Pensez-vous, c'est pas ça. Le château de Cardiff, il est à Cardiff, tiens. Vous avez pas été à Cardiff? Tout au bout de Queen Street, il est, on peut pas le rater. Vous avez bien dû passer par Cardiff.

— Oui, mais cette baraque, alors, qu'est-ce que c'est?

— Ben en tout cas, c'est pas le château de Cardiff, ça non, assura-t-il et il faillit presque rire. Que non, monsieur. Ça c'est Castell Coch, là où il habite lord Llewellyn.

— Dites donc, on dirait qu'il tient à sa vie privée. Des murailles comme le fort de Portsmouth!

— Oui, il est plutôt ours, faut dire. L'a tout un tas de trésors d'art, là-dedans, j'ai lu ça dans l'*Echo*. Ça peut être que ça. Vu que pour commencer, y a pas de faisans sur ses terres.

— Que voulez-vous dire?

— Tous ces gardes-chasses, m'expliqua-t-il. Dès qu'il est arrivé, il a amené tous ces gardes-chasses. Des cochons, tous tant qu'ils sont. Jamais la main à la poche pour payer le coup, jamais rien dépenser. A courir après les femmes les trois quarts du temps. Et des grands chiens méchants, qu'ils ont, des sales bêtes qui cochonnent tout.

— Combien de gardes-chasses?

— J'en sais trop rien. Trop, y en a. Des grandes sales bêtes. Pas plus tôt arrivés, ils ont mis ma Zizi grosse, parfaitement.

— Elle s'est fait faire un certificat de paternité?

— Non, ma chienne. Hé! qu'est-ce que vous voulez me faire dire?

Sur quoi j'ai renoncé à me forcer à boire sa bière répugnante et je suis parti. J'ai l'air de passer pas mal de temps dans les pubs, à attendre les gens ou à essayer de m'en débarrasser. Mais cette petite entreprise libre devrait être fermée définitivement.

17

J'AI fait faire demi-tour à la voiture, j'ai descendu la route en roue libre sur huit cents mètres et j'ai roulé sur l'herbe au pied du grand mur de brique de Castell Coch. Je suis monté sur le toit de la Volvo et j'ai examiné le faîte du mur pour voir s'il était électrifié, mais c'était assez difficile comme ça sans qu'on y ajoute du courant. Les ridicules machicoulis avançaient de trente bons centimètres. Et c'était haut. Même du toit de la voiture. J'ai dû sauter et me tortiller comme un acrobate pour me hisser. Ce genre de sport vous esquinte les ongles.

Je me suis laissé retomber de l'autre côté aussi doucement que possible et je suis resté avec des ronces jusqu'aux genoux pendant trois longues minutes. Le château devait être juste au-dessus de moi et l'allée d'entrée à une centaine de mètres à ma gauche. Quelque part au-dessous de moi j'ai entendu passer un train. Il s'éloigna en claquetant dans le silence noir. Pas de garde-chasse, pas de grandes sales bêtes. Je l'espérais. Rien que de grands arbres noirs dans une grande nuit noire. J'ai essayé de couiner comme une chauve-souris mais aucun radar ne me renvoya d'échos alors, avant d'être paralysé par la claustrophobie, je suis allé de l'avant résolument, dans un silence assez satisfaisant, car le sol était humide et feuillu et ne craquait pas. Au bout de quelques minutes de tâtonnements et de heurts, les carottes de mon dîner ont commencé à faire leur effet ou le chemin s'est dégagé et bientôt j'ai aperçu les lumières de la maison entre les arbres. Et puis j'ai débouché à l'orée du bois et les étoiles m'ont montré le château.

Il était plus énorme et plus fou que je n'aurais imaginé, un vrai rêve gothique de Walt Disney, et le ciel étoilé faisait luire des flèches et des tourelles et des échauguettes et des vitraux. Tout était obscur à part une lumière filtrant entre les rideaux tirés d'une pièce, mais les pelouses autour de la maison étaient aussi désertes et menaçantes que des douves. Et puis une vive lumière s'alluma et se braqua en plein sur moi. J'avais l'impression d'être sous le feu d'un projecteur et je restai pétrifié. Mais le montant central de la fenêtre projetait une ombre noire épaisse sur l'herbe, jusqu'aux arbres. Je m'y glissai et la remontai comme sur une corde raide. Personne n'aboya.

Il n'y avait personne dans la pièce, quand j'arrivai devant la fenêtre. Je me fondis dans l'ombre des murailles et attendis jusqu'à ce que j'en eus assez. Je me mis à songer à pénétrer dans la forteresse.

En rasant les murs, je contournai la maison. C'était un mur fait pour être rasé, avec des niches et des recoins et des bandes d'ombre noire tout le long du chemin. Je rasai ainsi jusqu'à ce que j'arrive à une fenêtre obscure et sans rideaux. Elle était fermée, cependant, et probablement équipée d'un système d'alarme, donc une lamelle de celluloïd ne m'aurait servi à rien même si j'en avais eu une. Mais je n'ai jamais pu apprendre, assimiler cet art, l'alphabet morse non plus, d'ailleurs, à part le

S. O. S., donc je suis généralement obligé de casser le carreau. Et sans ventouse. Mais même cela n'est pas nécessaire au Moyen Age. Le plomb est souple et les petits carreaux des vitraux furent faciles à ôter. J'en retirai un près de l'espagnolette et tâtonnai pour voir s'il y avait un fil. Au toucher, ça m'avait l'air d'un Bemmel standard, donc j'avais de la chance. Le Bemmel n'est qu'un plomb établissant un contact qui est coupé quand on ouvre la fenêtre. Voltage bas. Des semelles de caoutchouc, une épingle dans le plomb de part et d'autre du contact et un fil de fer reliant les deux épingles, font office de coupe-circuit. Des voleurs, peut-être, mais Llewellyn pensait manifestement que les voleurs ne sont pas électriciens. Ou alors il se fiait trop à ses chiens.

J'ouvris la fenêtre, l'enjambai, la refermai, replaçai le petit carreau et ôtai les épingles. La pièce était obscure mais un rai de lumière m'indiqua aimablement la porte. Les becs-de-cane de fer forgé et les serrures de ces châteaux de fantaisie sont terribles pour les nerfs. C'est bruyant comme un atelier de chaudronnier. Mais encore une fois, personne n'aboya. J'étais obsédé par ces chiens. J'ai presque aussi peur des gros chiens que des cygnes.

Je passai enfin la tête dans un immense hall avec plus de boiseries sculptées qu'une chapelle wesleyenne. C'était éclairé par des armures brandissant des torchères électriques, et le plafond était à trois étages de haut, voûté et noyé dans l'ombre. Tout là-haut dans l'obscurité, des oriflammes et des drapeaux pendaient comme les brumes de l'Antiquité. C'était un décor pour John Carradine. Il y avait même un orgue, attendant dans les ténèbres de jouer de la musique de chambre au premier jaillissement de sang.

Le silence était total. Pas de conversations à surprendre, pas d'action à observer et alors, que fait le malheureux agent secret? Je me dis que j'avais fait chou blanc, et je me mis à chercher mon chemin dans la pénombre, vers la porte d'entrée, pour retourner à Cardiff et à mon lit. Et puis le téléphone s'est mis à sonner dans la salle et m'a figé sur place. Je n'ai pas demandé pour qui sonnait le glas. J'étais sûr qu'il sonnait pour moi et j'étais déjà sous la table quand la sonnerie s'est arrêtée. Cela signifiait qu'on avait décroché un appareil annexe; je l'espérais. Je m'approchai à quatre pattes du téléphone, soulevai très doucement le combiné et m'assis par terre pour écouter. Une voix à l'accent américain demandait lord Llewellyn. Je la reconnaissais. C'était Schneider. Nous n'avons pas quitté, obéissant tous les deux aux ordres, et bientôt j'entendais pour la première fois la voix de Tudor Owen Glendower Llewellyn. C'était une voix impressionnante, avec toutes les profondeurs musicales du Gallois cultivé et rien de l'irritant énervement acide du politicien gallois.

— C'est vous, Schneider? Ici Llewellyn.

— Salut, patron, dit Schneider. Tout est aux œufs ici. Je leur ai fait gober les apaisements maison et je les ai mis au parfum question distribution.

— Schneider, vous avez bu? fit Llewellyn.

— Non, monsieur.

— Alors cessez de faire l'Américain.

— Oui, monsieur, bien sûr, oui, répondit vivement Schneider.

— Avez-vous eu des difficultés? demanda Llewellyn.

— Non, monsieur, pas vraiment. Ils ont un peu grogné, naturellement. Mais comme ils ne savent pratiquement rien de l'opération Bendricks, n'importe comment, ils n'ont pas pu discuter. Et d'ailleurs, je leur ai dit que toute la réorganisation avait votre approbation.

Llewellyn se mit à rire.

— J'aime assez le mot réorganisation.

— Oui, monsieur, reprit Schneider. Freland a beaucoup parlé, bien sûr. Birmingham commence à être assez chargé et il dit qu'il ne peut pas envisager d'augmentation de ses forces de sécurité pour le moment. Je lui ai dit qu'il pouvait.

— Si vous avez de nouvelles difficultés, je lui parlerai.

— Je lui ai dit ça, aussi, et ça lui a cloué le bec. J'ai aussi approuvé le texte de votre allocution télévisée. Et vu le film de Growlands. Maldwyn Daniels l'apporte à Wenvoe demain. Nous pourrions le faire passer sur le circuit fermé pendant le week-end, si vous avez le temps.

— N'est-ce pas dangereux?

— Oh non, monsieur, assura Schneider. Sans votre commentaire, que vous ferez en direct, le film n'est qu'une simple émission historique sur le pays de Galles. Ils se demanderont probablement comment il a été programmé à une heure de pointe, mais c'est tout.

— Parfait. Vous feriez bien de venir ici tout de suite, Schneider. Les Allemands sont déjà arrivés aux Bendricks.

— Mais on ne les attendait pas si tôt, il me semble!

— Sullivan a fait du zèle, grogna Llewellyn. Quoi qu'il en soit ils sont là et ça fait une masse à cacher. Je voudrais que vous arriviez dès que possible. Silverstein et Growland sont déjà ici. Hans Breumann est en route et Fluck a fait dire par son petit ami qu'il arrivait vendredi directement à la réunion.

— Bien, monsieur, dit Schneider. J'ai encore une petite mise au point à faire, soigner les détails de l'allocution.

— Il est bien tard pour ça!

— Non, monsieur. Tout est prêt. Rien qu'un petit travail à la règle à calcul. Je crois que je peux améliorer ça un brin. Ma secrétaire me précédera avec des copies de tout. Elle sera là demain matin et moi en fin d'après-midi.

— Bien, dit Llewellyn. Alors je pense que nous sommes prêts à démarrer?

97

— Oui. Je suis très satisfait. Deux mois plus tôt que prévu.

— Ne soyez pas trop sûr de vous, conseilla Llewellyn.

Il raccrocha si brusquement que j'ai bien failli me faire surprendre en terrain découvert. Mais mon index était prêt et j'appuyai sur les broches à l'instant précis où il raccrochait. Je reposai mon combiné sans faire retentir le tintement révélateur et restai assis un moment à enregistrer tous ces noms. Il y avait une espèce de carte, au mur, que je pensais devoir examiner, alors je suis allé tirer les rideaux, j'ai allumé et j'ai fermé la porte à clef. Je me trouvais dans une espèce de salle de conférences. La grande table était recouverte d'un tissu aux vives couleurs. En y regardant de plus près, je vis que c'était un drapeau, vert avec un grand motif central, une tête de taureau rouge aux longues cornes portant chacune un cœur empalé.

La carte murale était également assez bizarre. C'était une carte de Grande-Bretagne. Le sud du pays de Galles, en forme d'œuf, de Swansea à Newport et de Dowlais à la mer, était vert prairie, et très détaillé. Le reste de la carte était tout noir, et parsemé de taches de couleur, des confetti qui semblaient jetés au hasard. Au bout d'un moment, j'ai pigé. Les grosses taches blanches étaient les centres industriels et les grands centres à population dense, les taches rouges les centrales électriques qui les entouraient. Les points verts saupoudrant les intervalles devaient avoir un rapport quelconque avec les chemins de fer. Il y avait aussi pas mal de points violets, surtout le long de la côte est. Là aussi, j'ai pigé. C'étaient les terrains d'aviation et les bases de lancement de missiles. Les points n'étaient pas tous de même grosseur et, en fait, je contemplais une planche anatomique très détaillée des installations électriques de Grande-Bretagne. Il y avait une espèce de tableau de bord plein de lumières, de couleur et de manettes avec lequel j'aurais aimé jouer un peu, mais ça aurait pu faire sonner des cloches, aussi n'y touchai-je pas. Il était temps de partir.

Je commençais à en avoir assez du rôle de cambrioleur-espion, et le grand hall était à présent obscur. Tout le monde était couché, alors je suis sorti par la grande porte comme un véritable visiteur, et j'ai descendu l'allée en essayant de me rappeler qui était Hans Breumann. Ce nom me disait quelque chose, Growland aussi. Et puis, trop tard, je me suis rappelé les grandes sales bêtes et j'ai plongé sous les arbres. Naturellement, je n'ai pas tardé à entendre un de ces molosses courir après moi en hurlant comme un damné. J'ai pris mes jambes à mon cou, mais j'ai compris que ça ne suffisait pas, alors je me suis arrêté et j'ai fait demi-tour; je me faisais l'effet d'un cerf aux abois. J'étais également furieux. Je me serais volontiers giflé si j'en avais eu le temps. Je n'arrive jamais à m'obliger à sortir en prenant autant de précautions que pour entrer. Ça ne me semble jamais valoir la peine de se fatiguer.

Le chien descendait l'allée en courant comme un lévrier, un spectacle à vous glacer les sangs. Il bavait, même, mais j'étais tellement en colère que j'oubliais d'avoir peur. Je me suis laissé tomber à genoux, comme Johnny Weismuller le faisait avec ses lions, et j'ai laissé la sale bête me bondir dessus. Heureusement que j'avais mis un bras sur ma figure, car ses griffes de derrière me déchirèrent la manche et m'auraient emporté la moitié de la joue. Ma colère s'en accrut. Je portais mon costume bleu léger tout neuf de cadre supérieur.

Je fis demi-tour aussi rapidement que le chien et quand il sauta de nouveau, j'en fis autant. J'avançai ma tête baissée sous ses mâchoires et saisis fortement ses deux pattes de devant. Et quand son poids me renversa, je roulai avec lui sans lâcher prise, en écartelant ses pattes de toutes mes forces Le chien poussa un seul cri. Je me dégageai et lui brisai la nuque d'un coup de talon. Sur quoi son dresseur me sauta dessus.

Mais il me sauta dessus par-derrière, et la première éclaireuse venue sait comment se débarrasser d'un homme qui la monte, si j'ose dire, si elle le veut bien. Je lui pris la tête, tirai et il passa par-dessus mes épaules pour aller s'écraser sous les arbres; j'ai plongé derrière lui et je lui ai écrasé la figure.

Puis je l'ai tiré hors des broussailles, j'ai enroulé ses jambes autour d'un jeune arbre, je lui ai coincé les chevilles en les croisant et je l'ai poussé un bon coup, de manière qu'il soit assis sur ses talons. Ça s'appelle la vrille de vigne, et ça sert à ligoter un homme sans cordes. J'ai appris ça soit au cours de jungle à Whale Island, soit à la télévision. J'aurais pu lui attacher les pouces avec ses lacets de souliers, mais la vrille de vigne doit en principe marcher sans ficelle. Et d'ailleurs il était endormi pour le compte.

Je courus dans l'allée, escaladai le mur et retombai sur le toit de la voiture.

18

JE fis les quinze kilomètres qui me séparaient de Cardiff en dix minutes exactement. J'aspirais à mon lit en dévalant la rampe du garage de l'hôtel, mais je demandai au veilleur le chemin du poste de police central, et je suivis Saint Mary Street au clair de lune. Il n'était pas encore une heure, mais Cardiff était aussi mort qu'un village. Pas d'ivrognes, pas de filles, pas de circulation, pas de flics, pas même une fenêtre éclairée.

Au poste de police, j'ai demandé à l'agent de service qu'il m'appelle le sergent de service, et au sergent de service, le commissaire de service. Après pas mal de tiraillements, j'ai fini par l'avoir. Les flics sont encore plus imbus de leur importance que les employés des postes. Le commissaire était un de ces petits Gallois noirauds, une vraie mouche d'âne. Il était manifestement furieux d'avoir à bourdonner à cette heure impossible, mais s'il devait bourdonner il allait exiger sa pinte de sang.

— Que puis-je pour vous, monsieur, dit-il, à cette heure de la nuit? Vous avez eu un accident, par hasard?

— Non, j'ai besoin de renseignements.

— J'ai un agent et un sergent, là, dehors, qui sont fort capables de vous renseigner.

Il quitta son bureau en désordre pour me raccompagner à la porte.

— Ecoutez, ça commence à bien faire. Je veux des renseignements, si vous les avez. Je veux utiliser votre ligne S. X. Et puis je veux aller me coucher.

Mais il a fallu que je lui fourre sous le nez ma petite médaille qui, d'après le Gros, ne devrait jamais servir de ce côté-ci des Enfers, et le commissaire a jugé indispensable de faire une vérification auprès des types du chiffre à Ilford. Il raccrocha rageusement et se remit à bourdonner.

— Votre bureau central est censé nous mettre au courant. J'aurais dû savoir que vous veniez fouiner par ici.

— Vous le savez.

— Oui, mais il a fallu que je découvre ça par moi-même. Enfin, qu'est-ce que c'est que ce système?

— Il marche.

— Ah oui? bougonna-t-il. Comment voulez-vous que je le sache, que ça marche? Et comment ça peut marcher, hein? Nous aimons savoir ce qui se passe. Nous sommes sur notre territoire ici, vous savez.

— C'est la raison de ma visite. Pour me renseigner entre autres choses sur les Bendricks.

— Je connais.

— Parfait. Parlez-moi des Allemands. Comment sont-ils arrivés et que viennent-ils faire?

— Quels Allemands?

— Cinq mille. A l'usine Allelec aux Bendricks.

— Ça va pas, non? Un système qu'on appelle l'Immigration et la Main-d'Œuvre étrangère, il y a. Si vous le savez pas, vous avez pas le droit de trimbaler votre fichue petite médaille idiote. Y a pas d'Allemands aux Bendricks.

— Bon, très bien. Où est votre S. X.?

Le S. X. est simplement un réseau de lignes téléphoniques privées reliant tous les postes de police du pays entre eux et avec les vingt-deux groupes de Londres et de sa banlieue. Ce réseau n'a rien à voir avec la police, bien sûr, qui n'en est que le conservateur, en quelque sorte, et c'est pourquoi les policiers y tiennent tant. Celui-ci fit encore des difficultés, mais il me fit enfin monter au premier et m'ouvrit un petit bureau où se trouvait le téléphone privé. Il me dit que si j'avais besoin de lui il serait en bas dans son bureau.

Je formai simplement le numéro d'Addison Road et Greene répondit immédiatement. Seul le Gros habite là, mais comme il aime dormir en paix il exige que Greene et Muir soient de garde de nuit à tour de rôle.

— C'est moi, lui dis-je, navré de vous réveiller.

— Je dormais pas. On a joué au scrabble

— Combien avez-vous perdu ?

— Pas loin de cinq livres, grommela Greene. Qu'est-ce que je peux faire pour vous ?

— Je suis à Cardiff. Je ne sais pas ce qui se mijote, mais il y a quelque chose. Une histoire de cinq mille Allemands à l'usine Allelec. La police locale ne sait absolument rien d'une immigration massive comme celle-là. J'aimerais savoir comment ils sont arrivés et ce qu'ils viennent faire.

— O. K., dit Greene. Vous attendez ?

— J'aimerais aussi ce que vous avez sur les noms suivants : Hans Breumann, Growland, Fluck et un petit ami qu'aurait ce Fluck. Et Silverstein. J'attends.

— Vous voulez dire Silverstein le Coco ?

— S'il a un homme de barre nommé Growland.

— O. K. vieux, dit Greene. Accordez-moi dix minutes.

— Qui est votre contact à Cardiff ? lui demandai-je.

— Provis, fournitures pour la marine, Hirwain Street à Tiger Bay. Je lui a dit que vous étiez dans son secteur. S'il peut donner un coup de main...

— Merci.

Je sonnai le commissaire à l'interphone et lui demandai d'avoir l'obligeance de bien vouloir monter me voir. Il arriva rapidement.

— Il va me rappeler dans dix minutes, lui dis-je. Je suis navré d'avoir eu à tirer avantage de mon grade, commissaire. J'aurai peut-être besoin de votre aide pendant mon séjour, alors j'espère que nous pourrons avoir de bons rapports.

— Je suis contraint, comme vous le savez, monsieur, de coopérer avec vous de la manière que vous jugerez adéquate, répondit-il. Avec l'autorisation de mes supérieurs, naturellement.

J'y renonçai. Les Gallois, comme les Ecossais et les Irlandais, ne tireront jamais un trait sur le passé. Ils n'ont guère que ce passé.

— Eh bien, monsieur, dit le commissaire, si je ne puis plus vous être utile, je pense que je vais descendre reprendre mon travail.

Au lieu de lui expliquer à quel point il m'avait été inutile, je lui dis que je voudrais pénétrer dans l'usine Allelec aux Bendricks. Il ricana.

— C'est facile. Si c'est là toute l'aide que vous désirez, je me ferai un plaisir de vous rendre service. Mon sergent vous y conduira et vous présentera au chef du service de sécurité quand vous voudrez.

— C'est la dernière chose au monde que je veux, lui dis-je. Bon, je vois que j'aurai à foncer tout seul. Mais votre sergent peut m'apporter un plan de la ville. Après avoir eu ma communication je dois aller à Hirwain Street.

— Hirwain Street, murmura-t-il en le prononçant à la galloise comme il convenait, c'est tout en bas du côté des docks, dans le quartier, dont vous avez peut-être entendu parler, appelé Tiger Bay.

— Ah oui, c'est de là que vient Shirley Bassey.

— Non, dit-il, elle vient de Splott.

— D'où?

— De Splott. Pas du tout de Tiger Bay. Ça, c'est des inventions de journalistes.

— Ah... Enfin, c'est Tiger Bay qu'il me faut, à moi, avec ou sans Shirley Bassey.

— Vous êtes libre, naturellement, chacun ses goûts, mais je ne puis distraire un agent pour vous escorter à une heure pareille.

— Je n'ai pas besoin d'escorte. Je veux simplement savoir où se trouve Hirwain Street.

— Hirwain Street, dit-il en prononçant le nom encore plus correctement que la première fois, est un lieu douteux. Mes agents ne s'y risquent guère, je puis vous l'assurer.

— Je m'en doute.

— Oui. Des individus douteux y traînent. Mes agents ont l'ordre de n'aller que par deux dans le quartier d'Hirwain Street. Des lascars y sont, des Maltais des bateaux. Et les soi-disant Blancs sont les pires du tas. L'un d'eux en particulier, Provis, un individu des plus suspects. Nous l'avons à l'œil.

— C'est justement lui que je veux voir.

Il grogna quelque chose en gallois. Puis il jugea préférable de se laver les mains de moi et de mes affaires. Il ressemblait de plus en plus à une mouche d'âne.

— C'est tout en bas de Bute Street, dit-il.

Sur quoi la ligne S. X. se manifesta.

— C'est vous? demanda Greene.

— Oui. Une seconde, voulez-vous?

Je regardai le commissaire et attendis. Au bout d'un moment, il comprit l'allusion, cessa de frotter ses antennes et sortit en bourdonnant.

— Foutus flics, dis-je à Greene.

— Je vous comprends. Ecoutez, vieux, au sujet des Fritz. Y a pas cinq cents de ces citoyens-là dans tout

le pays, en ce moment. A part un groupe culturel vien-
nois, tous bien rangés au Russel Hotel, et le contingent
normal d'au pair, il y en a très peu. Ils vont tous à
Capri cette année.

— Oui, eh bien, il y en a cinq mille par ici. Alors
comment sont-ils arrivés?

— Vous en êtes sûr? demanda Greene. Vous les avez
vus?

— Non. Mais j'ai des oreilles. Peu importe. Les gens
que je vous ai donnés?

— Une drôle de salade, vieux. Breumann, si c'est le
bon, facile. C'est un de ces gros pleins de fric de Zurich.
Il se donne beaucoup de mal pour qu'on ne parle jamais
de lui dans la presse. Les nazis l'ont installé dans les
années 30, dit Seebie, et aujourd'hui ce serait une vraie
araignée au milieu de sa toile. Quand il saute sur place
dans ses montagnes, les mouches se mettent à s'agiter
jusqu'à Valparaiso. Si c'est bien ce Breumann-là.
Seebie dit aussi qu'il est demeuré un foutu nazi. Il
nous hait et n'a plus jamais mis les pieds de ce côté-ci
de la Manche depuis qu'on l'a refoulé à Douvres en 38.

— Foutus Suisses.

— Non, dit Greene. Il est resté allemand.

— Foutus Allemands.

— Oui. Silverstein aussi, facile. S'il était avec Grow-
land, c'est forcément le Silverstein auquel je pensais.
Vous le connaissez. Le coco. Il ne fait pas un pas sans
Growland.

— Et qu'est-ce qu'il y a sur lui?

— Ma foi, vous devez savoir qu'il est député travail-
liste d'un petit coin d'East London. Il est surtout
remuant, toujours à glisser, à trouver des angles, à se
faufiler dans tous les coups. Il se prend pour un foutu
faiseur de rois rouge sang. En fait, un foutu frelon
rouge, dit Westminster. Ils l'ont à l'œil, naturellement,
mais il est trop coco pour qu'on le laisse approcher de

106

quelque chose d'important, et ils ne s'inquiètent pas.

— Et qui est Growland, alors?

— L'ombre de Silverstein. Vous le connaissez aussi. J. J. G., vous savez bien. Growland, le prof de la télé.

— Je sais. Repassez votre histoire et tout ça. Bien. Et Fluck?

— J'ai là sa fiche. Nigel Thurston Fluck, né en 1917, race blanche. Identification physique D2.P2/3. X4GGH. Ce qui veut dire, Brock, que le gars est un grand quartier de bœuf blond saignant. Profession, néant. Revenu personnel, dans les vingt mille livres par an. Intérêts réduits à la Ligue des Socialistes Moraux, plus connue à Shepherd's Bush comme la Bande des Chemises Grises. C'est un de ces petits groupes fascistes qui font Portobello Road le samedi soir. Je n'imagine pas ce qu'il peut bien foutre à Cardiff. Ils n'ont jamais comploté plus loin que Cheltenham.

— Je me souviens. Il en remontrait aux foutus nazis. Et son copain?

— Je suis justement en train d'admirer sa photo, dit Greene, un joli mignon, mince et pâle, gallois et jeune, nommé Ivor Ball. Né sur un trottoir de Swansea. Mais il m'a tout l'air d'avoir trouvé son papa gâteau sur le tard.

— Comme vous dites, une drôle de salade.

— Plutôt. Mais ne sous-estimez pas Ivor. C'est un petit génie. Pas dans des recherches secrètes, naturellement, avec ses tendances. C'est un petit génie de l'électricité. Sous contrat à prix d'or à Allelec.

— Quelque chose, hein? Un gros ponte nazi plein de fric, un coco retors, un pion de la télé, un pédoque nazi et une pédale géniale. Llewellyn leur offre une petite réception vendredi. J'essayerai d'être là.

— Ça ne vous mènera à rien, dit Greene.

— Faut bien que je commence quelque part, rétorquai-je.

19

JE devais rendre justice au commissaire. Bute Street, aux petites heures du matin, n'avait rien de rassurant. Il y avait de longs, très longs intervalles entre chaque réverbère, et presque pas de passants. La lueur des feux colorés des docks filtrait entre les maisons, et aux coins des ruelles se tenaient des lascars immobiles comme des statues. D'une fenêtre illuminée aux carreaux cassés montaient des bruits de bêtes, d'une autre, obscure, venait un hurlement humain, et d'un terrain vague un rire aigu suivi d'un reniflement. Voilà comment naissent les Gallois.

Et puis la lumière jaunâtre d'un réverbère m'a montré Hirwain Street. J'ai frappé à la porte d'une boutique claquemurée, et au bout d'un moment elle s'est ouverte.

— Provis? demandai-je. Je viens de descendre d'Addison Road.

— Non, pas vrai, répliqua-t-il. Vous êtes arrivé ici vers 7 heures. Je vous attendais.

Il grogna et s'effaça pour me laisser passer. J'entrai.

Je le suivis à travers la boutique obscure jusque dans une confortable arrière-boutique. Il y avait des bibelots sur la cheminée, un gros poste de télévision sur le buffet et une grande table recouverte d'un tapis de peluche qui occupait presque toute la pièce. A la lumière, ce type était peut-être bien le plus grand costaud que j'avais jamais vu. Un vrai dandy aussi; son costume croisé gris perle était si clair qu'il paraissait blanc et sa chemise était rayée de rose vif. Il s'assit et me désigna un fauteuil profond, à côté du fourneau de cuisine où, bien que l'on fût en août, un feu de charbon faisait rage. La pièce était étouffante, et j'avais du mal à respirer.

— Navré d'être en retard, dis-je. J'ai fait le tour complet, Barry et Wenvoe, et j'ai perdu du temps au poste de police.

— Le commissaire Reece? demanda-t-il.

— Je ne connais pas son nom. Un petit Gallois tout noir.

— C'est Reece. Ça ne vous mènera nulle part. Qu'est-ce que vous cherchez, d'abord?

— Ma foi, je voudrais pénétrer dans l'usine de Llewellyn aux Bendricks, je crois.

— Vu. J'aimerais bien y jeter un œil moi-même. Simple curiosité, notez bien. Leur boîte est une vraie forteresse mais je suppose que nous pourrons y arriver. De quoi s'agit-il, au fond?

— Je n'en sais trop rien. Des morts accidentelles semblent avoir un rapport avec Llewellyn et m'ont conduit jusqu'ici. Il a je ne sais quelle opération bizarre en train. J'avance simplement au pifomètre dans l'espoir que ça me conduira quelque part.

— Bien souvent, c'est la meilleure tactique, observa-t-il. Vu. Un coup de café avant de partir?

— Malheur! Je ne veux pas y aller là tout de suite. J'ai besoin de dormir. La journée a été longue.

— Si c'est indispensable, grogna-t-il, l'air déçu. Prenez quand même un café.

Il sortit et reparut avec une longue bouteille élégante et deux petits verres.

— Du Père William suisse, annonça-t-il. Ce que le calvados est aux pommes, le Père William l'est aux poires. Mais en mieux. Vous aimerez ça.

Je goûtai le Père William avec méfiance. Le type avait raison. Cela évoquait davantage les poires que le calvados les pommes, et cela avait tout le feu d'une femme passionnée. Entre mes larmes, j'examinai Provis. Il avait une figure de jeune vautour gras et curieux, et ne ressemblait pas à l'agent local habituel. Ils ne sont pas souvent aussi grands que lui, plutôt le genre fouineur en gabardine. Provis n'avait rien d'une fouine et, tout à fait en dehors de sa force physique, il donnait une impression de confiance en soi massive et sans complications. Je me disais qu'il ne serait jamais brûlé et je me demandais ce qu'il faisait là à Cardiff au lieu d'être plus près des échelons supérieurs et du centre des événements. Et puis le café est arrivé dans une grosse cafetière de bateau en émail, et j'ai compris pourquoi Cardiff lui plaisait. La fille qui l'apporta était aussi brune et dorée que Shirley Bassey et aussi ravissante. Un chemisier de soie blanche faisait ressortir son hâle et une jupe rouge serrait de près sa taille menue et ondulante.

— Voilà John Brock, de Londres, dit Provis. Il dit qu'il a eu une longue journée et qu'il veut dormir, Steve.

— Quel dommage, s'exclama Steve. On ne sort pas, alors? Moi qui avais envie de danser!

— A Cardiff? m'écriai-je. A une heure pareille?

— Nous ne sommes pas si provinciaux que ça, protesta Provis. Pas dans ce quartier, en tout cas. On peut encore trouver de la musique après l'heure légale.

110

— Très bien, dis-je. Si Steve a envie de danser, moi aussi.

Nous sommes sortis dans la nuit de Cardiff. Steve s'était emmitouflée dans un ciré jaune de marin. Ça venait d'une coopérative de marins pêcheurs, mais elle avait l'air de poser pour *Vogue*. Elle glissa ses bras sous les nôtres et nous guida au milieu de la chaussée vers les docks. Bute Street avait l'air morte et noire mais par-ci par-là, sur le chemin, des voix invisibles saluaient Provis dans l'ombre. Et puis Steve nous fit tourner un coin de rue et passer une porte. A en croire l'enseigne qui la surmontait, nous étions dans le havre des marins d'Ifor Williams, autorisé à vendre du tabac, de l'alcool et de la bière.

L'endroit était spacieux, les plafonds hauts, les couloirs larges et l'escalier élégant. C'était un de ces vieux hôtels luxueux construits pour les patrons de mines et les maîtres de forges qui descendaient de leurs vallées pour voir charger leurs fortunes sur les navires.

— Soyez le bienvenu au *Cœur qui Saigne*, dit Provis.

Il nous fit franchir des portes vitrées au fond du couloir et nous fûmes assaillis par le bruit.

La salle était remplie de tables, de consommateurs et de fumée. Il y avait des lumières tamisées et de la musique qui était peut-être bonne mais si forte qu'on ne pouvait l'écouter. Ce fracas venait de deux jeunes gens malingres juchés sur une estrade et avant de remarquer leur sono je me demandais comment ils pouvaient donner à eux deux une telle impression de grande formation. Ce qui ressemblait à un décor de scène était en réalité deux mille livres sterling de matériel à faire du bruit. Un des gamins, celui qui avait le pantalon le plus étroit, tripota le tableau de bord de sa guitare et j'attendis la foudre. Mais rien ne se passa, sauf le bruit de tonnerre, qui montait et descendait et montait encore jusqu'à perpète. Trois personnes applaudirent et les

garçons entreprirent de déménager péniblement leur
matériel.

— Dommage, murmura Provis. Dimanche dernier, le
plus maigre a eu un court-circuit dans sa guitare et il
est devenu bleu électrique tout partout. Son pote a dû
lui donner le baiser de vie.

— Moi je croyais que ça faisait partie du numéro, dit
Steve.

— C'était pas de la comédie, dit Provis. Pas du bidon
mais de l'authentique. Venez, on va s'asseoir.

20

IL n'y avait pas une table libre, mais Provis nous
fraya un passage jusqu'à un coin relativement tranquille. Il attendit une seconde tandis que deux hommes
et une fille nous offraient leurs sièges, puis il les remer-
cia poliment et tout le monde s'assit. Une blonde bien
gonflée apporta une bouteille, des verres et quelque chose
dans un sac de toile que Steve pressa dans son verre.

— Fruit de la passion, expliqua Provis. Essayez dans
votre Slivovic.

J'en pris, et je regardai autour de moi avant de
boire. La grande salle était luxueusement décorée, et la
clientèle aussi. Généralement des petits durs avec de
grosses molles. La boule de cristal d'un dancing d'une
autre époque tournait au plafond dans la fumée et faisait
scintiller des tas de bijoux, sur les hommes comme sur
les femmes. Les murs du *Cœur qui Saigne* étaient couverts de petits Amours roses et joufflus, et éclairés par de
grosses boules orangées. Les seaux à glace étaient d'argent, et la glace rouge. C'était quelque chose !

Et puis un projecteur fora un tunnel de lumière dans
le brouillard pour illuminer une jeune personne qui

sortait des coulisses. La musique commença et tout le monde applaudit. C'était la fille la plus lisse, la plus blanche, la plus ronde que j'avais jamais vue. Elle avait des cheveux d'argent et portait une robe de paillettes d'argent scintillantes, comme nous nous imaginons que Mae West en portait. Sa jupe la moulait comme un bas et elle avança à petits pas délicieux jusqu'au milieu de la scène puis elle tapa dans ses mains. Un autre projecteur se braqua sur un immense miroir. Le cadre doré luisait doucement contre le fond de velours noir, et la fille se planta devant, argentée et immobile. La musique s'était tue, et dans le silence la fille se tourna et se retourna lentement en s'admirant. Et dans le miroir son reflet imitait ses moindres gestes.

Puis la plainte douce de violons flotta dans l'air, venant des coulisses, et les épaules de la fille se mirent à vibrer sous ses caresses. Je vis les muscles de son dos se tordre comme des serpents sous les paillettes et dans le miroir ses seins se soulevaient et s'écartaient et se resserraient. La musique devint plus forte et bientôt la fille se mit à danser. Il n'y avait rien d'autre au monde pour elle, qu'elle-même et son beau reflet d'argent.

La musique s'accéléra et les mouvements de la danseuse devinrent plus désordonnés. Ses mains, qui caressaient amoureusement son corps, furent prises de folie et elle se pétrit les seins en tournant ses fesses rebondies vers leur reflet qui se trémoussait dans le miroir. Et puis la musique se tut brusquement et l'on n'entendit plus rien que la respiration haletante des spectateurs.

Dans un silence de mort, la fille s'immobilisa devant son reflet d'argent. Elle leva lentement les bras. Dans le miroir, nous pouvions voir ses seins admirables monter et se crisper tandis qu'elle dégrafait sa robe. Sans quitter son image des yeux, elle se tortilla et le fourreau de paillettes ne fut plus qu'une petite mare d'argent à ses

pieds qui s'en alla ruisseler dans les ténèbres des coulisses quand elle le repoussa. La musique reprit, plus
rapide et plus forte, et la danse recommença, plus fré-
nétique et plus abandonnée. Elle tendait ses longs bras
vers son reflet dans le miroir. Alors je me suis aperçu
que le reflet était toujours vêtu de la robe d'argent et
gardait une immobilité hautaine. La danseuse se tordait et se secouait, de plus en plus violemment, en s'im-
plorant elle-même dans la glace. Elle arracha le soutien-
gorge de lamé et brisa le ruban d'argent qui séparait
ses fesses. Elle se faisait tentatrice et suppliante. Mais
la fille dans le miroir ne bougeait pas.

La musique s'exacerbait, le tam-tam poussait la fille
dans un tourbillon affolant de seins, de cuisses et de
cheveux d'argent tandis qu'elle tournait tout autour de
la scène. Enfin elle fit un bond, elle sauta très haut et
retomba à genoux face au miroir. Ses cuisses étaient
écartées et son corps immaculé se renversait en arrière
dans une ultime offrande. Son long cri de désir arrêta
net la musique. Alors, la statue d'argent dans le miroir
se mit à bouger.

Sans musique, l'écho du cri résonnant encore dans la
salle, la fille du miroir leva les bras et fit glisser à
terre sa robe scintillante. Lentement, elle ôta les longs
bas de ses jambes musclées. La danseuse écroulée gémit
encore. Et la fille du miroir, dans un mouvement violent
et rapide, arracha son soutien-gorge de lamé. Les seins
pulpeux s'envolèrent en même temps. Puis elle lança en
l'air sa perruque d'argent. Et arracha l'étroite ceinture
de satin ceignant ses hanches. Et dans la fraction de
seconde avant que la scène s'éteignît, on put voir un
homme nu bondir du grand miroir, dans un fracas de
tonnerre, sur le corps offert de la danseuse.

Sur quoi nous avons tous retrouvé notre souffle, car
nous avions eu la certitude qu'il allait se passer quelque chose de surnaturel.

— Eh bien, dis-je dans le silence tendu. On n'a pas des trucs pareils à Oxford Street.

— Elle est fabuleuse, souffla Steve, et je m'aperçus qu'elle haletait plus qu'aucun homme de la salle, et que sa jambe frémissait contre ma cuisse.

— Buvons un coup, dit Provis, et il nous servit tous les trois. Pour ce qui est de demain, me dit-il. Est-ce qu'il risque d'y avoir de la bagarre?

— C'est possible. Ils ont déjà balancé quelques-uns d'entre nous et ils ont essayé de me rectifier. J'imagine que c'est plutôt calme, par ici, pour vous.

— Assez. Une petite routine. Je surveille un bateau de temps en temps, un matelot. Dans le temps, Cardiff était un port de sortie important, et il y avait un peu d'action. Mais plus maintenant. J'entretiens des rapports assez cordiaux avec le capitaine du port et la plupart des flics, à part ce salaud de Reece. Nous sommes à peu près certains à présent que pas grand-chose ne sort qui n'était pas entré.

— Et ces histoires de traite des blanches dont on parlait dans les journaux du dimanche?

— Il y avait un peu d'exportation d'ici. De l'importation aussi. C'est comme ça que j'ai connu Steve. Elle faisait partie d'un chargement destiné aux frères Scarlatti.

— Ils m'avaient payée deux cent cinquante livres, déclara-t-elle.

— Tu ne les valais pas, lui dit Provis. Enfin bref, j'espère que Llewellyn nous donnera de quoi faire.

— Que pensez-vous de lui, au fait? lui demandai-je.

— Rien. Il est tout le temps en train de faire don de quelque chose à quelqu'un, et il a sa tête dans les journaux toutes les semaines. Par ici, tout le monde l'adore, bien sûr, parce qu'il a ramené des emplois. Mais je ne l'ai jamais rencontré au cours de ce qu'on appelle plaisamment mon service. A part les cérémonies d'inauguration, personne ne le voit jamais par ici.

— Carla l'a vu, dit Steve. Des tas de filles l'ont vu. Elles vont à des soirées à Wenvoe, de temps en temps.

— Qu'en disent-elles?

— C'est juste un type. Elles n'aiment pas ses amis. C'est rien que des pédales ou des dingues. Il y a une soirée vendredi prochain.

— Tu n'y vas pas, si? demanda Provis.

— Non. Ecoutez, faut que j'aille quelque part. Vous m'attendez, dites?

Elle nous laissa à nos boissons et se faufila entre les tables, vers la scène.

— Elle ne reviendra pas, dit Provis. Elle est folle de cette danseuse.

— Vous ne pouvez rien y faire?

— Je m'en fiche un peu, au fond, dit-il. J'essaye de la laisser tomber.

— Ça ne sera pas facile.

— Pour demain. Venez chez moi après déjeuner. Je trouverai un moyen de pénétrer aux Bendricks. Venez avec votre voiture.

— D'accord, dis-je. Vous venez?

— Non.

Sur le seuil, je me retournai. Provis contemplait fixement le fond de son verre. Il croyait peut-être qu'il renonçait à elle, mais je me disais qu'il était bien accroché. Plus ils sont costauds, plus ils sont faibles. Je sortis, remontai Bute Street et allai me coucher. Et je dormis comme un plomb jusqu'au matin.

21

CARDIFF par un jeudi matin ensoleillé ressemble assez à n'importe quelle autre ville un lundi de pluie. Je traversai lentement le marché couvert, une grande bâtisse victorienne lugubre pleine de lapins frissonnants et de chemisiers pakistanais. Il y avait aussi un étalage de pains laver, le grand délice gallois, un tas de trucs noirs visqueux sur une dalle de marbre sale. Une large galerie faisait le tour du marché et je gravis l'escalier, achetai un bouquin de science-fiction vieux de quinze ans chez un marchand de journaux et allai manger seul dans une alcôve abritée derrière un rideau de perles. Ils me firent passer une Guinness au mépris des règlements de la corporation et je me remplis nostalgiquement l'estomac de saucisses, de tarte aux pommes et de thé noir. Il fut enfin temps d'aller prendre la voiture et de me rendre chez Provis.

Bute Street était beaucoup moins sinistre en plein jour. Des camions chargeaient, des poubelles sentaient, des enfants criaient, et Steve se tenait derrière le comptoir, vêtue d'une chemise blanche et d'un pantalon noir.

Elle était fraîche et bien reposée, et elle me conduisit dans l'arrière-boutique.

— Bien, dit Provis. Tout est arrangé. Nous sommes une équipe de reporters à la pige en train de faire un reportage sur le nouvel essor gallois. Vous êtes le photographe.

Il me tendit un vieux Pentax et une sacoche de cuir pleine de gadgets. Il me donna aussi une carte de presse du *Western Mail*.

— Voilà pour la couverture, dit-il.

— Je ne suis pas un photographe bien fameux.

— Aucune importance. Il n'y a pas de pellicule. C'est juste pour voir au travers.

Steve s'attardait, belle et boudeuse.

— Allez, va, dit Provis. Retourne à la boutique. On peut avoir un client.

— Je veux vous accompagner, grogna-t-elle.

— C'est ce que t'aurais dû vouloir hier soir, lui rétorqua Provis.

Il sortit avec moi et monta dans la voiture. Il me guida dans un labyrinthe de ruelles et me fit sortir de Cardiff en passant devant les marais de Grangetown.

— Qu'est-ce qui s'est passé hier soir? demandai-je.

— Oh, elle voulait rester avec cette pute aux cheveux d'argent, au *Cœur qui Saigne*. Il y a eu un peu de bagarre. Je me suis mis en colère, brusquement.

— J'aurais dû rester. Vous n'avez pas eu besoin de secours?

— Non. Le jour où je pourrai plus régler leur compte à une bande de poivrots gallois, j'irai m'acheter un élevage de poulets. Tournez à droite à la prochaine fourche.

Je conduisis en silence et bientôt les limites est d'Allelec apparurent. Provis me dit de m'arrêter à la grille principale. Il sortit de la voiture et alla au pavillon de garde. Au bout d'un moment, les deux lourdes barrières de fer se levèrent et Provis me fit signe d'entrer. Les barrières retombèrent bruyamment derrière moi. Je me faisais l'effet d'un bœuf à l'abattoir. Provis remonta en voiture et un colosse de gardien, un autre Williams, m'examina attentivement. J'entendis un claquement derrière moi. Un autre Taffy géant regardait dans le coffre arrière. Ils n'étaient pas armés mais ils avaient tous les deux des sifflets au cou et au moins trois petits copains qui guettaient derrière une grande fenêtre du pavillon. Enfin le gardien nous fit signe de passer, et fit lever la seconde barrière d'un coup de sifflet. Nous étions dans la place.

— On croirait qu'on entre dans Berlin-Est, grommelai-je.

— On doit nous attendre au parking des visiteurs. Roulez droit devant nous.

Nous nous dirigions vers le grand bâtiment central que j'avais aperçu la veille au soir. C'était encore plus grand que je n'avais cru.

— C'est mahousse, dit Provis. Qu'est-ce qui se passe là-dedans?

— J'en sais rien. A Londres non plus, ils ne savent pas. On va peut-être le découvrir.

Le parking des visiteurs était annoncé par de grands panneaux. Il n'y avait pas à s'y tromper, on n'avait aucune excuse pour s'égarer, aussi y entrai-je. D'ailleurs, un type nous y attendait. Il nous fit signe, et attendit que je me gare et que nous retournions vers lui à pied.

— Vous êtes censé être photographe, me dit Provis.

— Je sais.

— Alors retournez chercher votre appareil.

Le type nous accueillit avec tout le charme et la sincère amitié d'un directeur de service.

— Bonjour, messieurs, dit-il. Je suis Malcolm Twynham, le chargé de presse.

Il était grand, jeune, mince et, tout imbu de son

propre charme, il nous entraîna sur la route en devisant élégamment du soleil, des éliminatoires, de la pêche sous-marine et du bon vieux temps où il était en garnison à Malte. Il parlait aussi beaucoup de son travail.

— Les types comme vous peuvent beaucoup pour l'industrie britannique, dit-il. Lord Llewellyn est très chaud pour une coopération amicale avec la presse. Il dit que la productivité engendre la prospérité. Il est aussi très chaud pour la productivité. Il dit que la productivité est engendrée par un enthousiasme national engendré par une opinion publique informée.

— L'opinion publique, observai-je, a certainement été informée de lord Llewellyn.

— Oui. Ha ha, fit-il. Eh bien, messieurs, je suis à votre entière disposition. Rien dans les mains, rien dans les poches.

— Que fait-on ici? demanda Provis.

Nous marchions à l'ombre du grand bâtiment central et je biglais dans mon Pentax, dans l'espoir de voir quelque chose.

— Nous sommes équipés pour tout, déclara Twynham. et automatisés plus compréhensivement que tout autre ensemble productif au monde. Pas automatisés, comprenez bien, pour la galerie, mais pour la productivité. Nous employons ici en pleine production cinquante mille ouvriers. En ce moment, cependant, nous produisons de l'équipement lourd. Regardez de ce côté.

Il montrait du doigt une énorme masse de machinerie rouge et grise posée comme un mammouth à l'attache derrière un grillage rouge danger.

— C'est un tout nouveau coupe-circuit à l'épreuve. Le plus grand du monde. Ce n'est qu'un fusible, en somme, comme vous avez chez vous au compteur. Mais grand, comme vous pouvez le voir. Il y a cinq millions de volts dans ce bébé-là, du courant à l'échelle nationale.

— Qu'est-ce qu'il se passe quand il y a surcharge? demandai-je.

— Rien qu'un sacré gros bruit, répondit Twynham, et un véritable éclair, mais qui va se perdre dans le bain d'huile là-bas. Pas de dégâts, naturellement. Et puis la centrale locale le remet en marche.

— Qu'est-ce qui se passe, demanda Provis, si un truc comme ça tombe en panne?

— Impossible, mon vieux. Rien ne sort d'Allelec qui ne soit pas parfaitement vérifié. Notre système de contrôle de la qualité est impeccable.

— Assez de publicité, mon vieux, dis-je. Rien n'est parfait.

— Si. Nous, assura-t-il. Et d'ailleurs, une panne de courant isolée dans un grand réseau comme le National Grid moderne, depuis que lord Llewellyn le dirige, ne fera pas éteindre toutes les lumières, vous savez.

— Mais supposons que tous ces monstres tombent en panne en même temps?

— Je vous l'ai dit. C'est impossible.

— Et supposons, dit Provis, qu'ils ne s'arrêtent jamais, même quand ils le doivent? Supposons qu'ils restent branchés? Ce serait comme de mettre une épingle de sûreté dans la boîte à fusibles. Rien n'actionnerait le disjoncteur.

— Eh bien, dit Twynham, ça aussi c'est impossible. Mais intéressant. Avec une poussée de courant suffisante, je suppose que toutes les installations du pays sauteraient.

— Et ça éteindrait indiscutablement toutes les lumières, dis-je. Et toutes les chaudières et les réfrigérateurs et les séchoirs à cheveux et les centaines de mille de symboles de Llewellyn d'un bout à l'autre de la Grande-Bretagne.

— Ha, ha, fit Twynham.

— Les chemins de fer marcheraient encore, cependant,

dit Provis. On pourrait toujours aller se chauffer et manger dans la Brighton Belle.

— En fait, dit Twynham, vous vous trompez. Je ne suis pas technicien, bien sûr, mais je pense que dans cette folle hypothèse d'une panne générale des circuits Allelec, alors tous les bons vieux chemins de fer s'arrêteraient aussi. Dites donc, c'est rigolo, votre idée. Ça m'amuserait que vous fassiez la connaissance d'Ivor Ball.

— Qui est-ce? demandai-je.

— Notre grand petit génie. A le voir, on ne le croirait pas, mais attention, il vaut son pesant d'or. Je n'ai jamais pu piger ces matheux. Ça se balade comme une vedette, ça se gratte avec une règle à calcul et ça marmonne en gallois. Dieu sait ce qu'il raconte!

— Tire-toi de là, foutu Anglais, dit Provis.

— Pardon? fit Twynham.

— C'est peut-être ce qu'il dit?

— Oh! Oui, je vois. Ha, ha! Un esprit brillant, naturellement. A le voir tout est si facile. Il est capable de décrire toute cette installation de façon qu'un gosse de cinq ans le comprenne. Il faut que vous fassiez sa connaissance.

Nous étions arrivés au bâtiment principal. Un autre membre du service de sécurité gardait l'entrée.

— C'est l'unique entrée, dit Twynham. Attendez que je montre mon laissez-passer.

22

L E gardien prenait son boulot au sérieux mais il nous laissa entrer et Twynham retrouva sa cordialité condescendante pour nous faire faire le grand tour du propriétaire des vastes ateliers hygiéniques et des laboratoires étincelants. Tout le monde était en blouse blanche et travaillait en silence. Chaque salle donnait dans la suivante et il n'y avait pas de fenêtres, rien qu'un éclairage fluorescent « lumière du jour ». Ces hommes en blouse blanche travaillaient en silence à toutes sortes de machins, tout l'équipement électrique familier d'une maison mais à une échelle gigantesque. Je fis marcher le déclic de mon appareil deux ou trois fois. Provis posa quelques questions intelligentes, un homme à grosses lunettes épaisses nous fit de la foudre et son copain nous fit marcher un cerveau électronique. Des lumières clignotaient à toute vitesse, et nous avons pris un air impressionné. Nous l'étions, d'ailleurs. Cependant, pour une aussi fabuleuse installation, il y avait peu d'ouvriers, et l'ordre immaculé s'alliait au voltage puissant pour produire ce même silence respectueux que les gens observaient dans les vastes nefs des cathédrales au temps où elles étaient blanches. Il nous fallut plus d'une heure pour faire le circuit, mais finalement nous nous sommes retrouvés à notre point de départ, et le gardien a noté notre sortie.

— Une seule entrée, et la même qui sert de sortie, nous dit Twynham. Organisation et méthode Llewellyn. Il dit que c'est plus facile pour le pointage, mais naturellement c'est pour la sécurité. Et c'est très bien ainsi. J'étais chez B. M. C. à Longbridge avant de venir ici, et là-haut, le vol et les menus larcins sont chroniques. C'est vrai, vous savez. Ils ne sont jamais arrivés à arrêter un zigoto tant qu'il n'a pas essayé de sortir avec un bloc radiateur sous sa veste. Il avait le reste de la foutue Mini déjà tout monté dans son salon.

— Sans doute, dis-je. Ça doit tout de même faire de l'embouteillage. Mais je dois dire que ça a l'air plus grand que ça n'est en réalité. C'est-à-dire, si nous avons tout vu.

— Eh bien, dit Twynham, pour être franc, mon vieux, il y a deux petits ateliers qui sont strictement sous scellés. C'est provisoire, comprenez-le. Moi-même, je suis incapable de deviner ce qui s'y fait. Encore une fantaisie d'un génie quelconque. Ah, nous y voilà.

Il nous précéda vers une rangée de tricycles avec une banquette à deux places sur le devant, comme les pousse-pousse de Singapour. Ils étaient tous branchés sur ce qui me parut être des parcomètres. Il en débrancha un, tira le véhicule sur la route et nous fit signe de prendre place devant.

— Je vais conduire, dit-il. C'est un des jouets de nos petits prodiges. Moteur Allelec trois chevaux, se recharge automatiquement à son parcomètre. Je pense que ça sera moins fatigant, hein?

Il abaissa une manette et le tricycle roula silencieusement pour nous faire faire le tour des installations. Il y avait d'innombrables cantines pour quarante mille ouvriers et employés, des clubs, des salles de récréation, un petit héliport. Le site englobait les docks voisins de Barry et il y avait une cale profonde. Un assez gros cargo y était au mouillage. Il battait un pavillon vert avec une tête de taureau rouge, un cœur ensanglanté empalé sur chaque corne.

— Voilà un drôle de drapeau, dis-je en me dévissant la tête pour regarder Twynham.

— Oui. Je ne l'aime guère, j'avoue. Malsain, je trouve. Mais Llewellyn l'emploie beaucoup. Il a un fanion comme ça sur sa Rolls, des fois.

La visite continuait. De temps en temps, je lui demandais de s'arrêter pour me permettre de prendre des photos, comme j'étais censé le faire, des photos de gras ouvriers gallois heureux, épanouis au soleil de trente-cinq livres par semaine. J'avais du mal à en trouver. Les lieux étaient étonnamment déserts, à part les types de la sécurité en uniforme noir qui surgissaient de tous les côtés et examinaient chaque fois le laissez-passer de Twynham. Nous lui avons posé des questions à leur sujet.

— Vous faites bien de demander, déclara-t-il. La force de sécurité la plus compréhensive de l'industrie britannique. Disciplinés, discrets et incorruptibles.

— Et tous vêtus de noir, murmura Provis. Ça marche, ce bon vieux pas de l'oie?

— Pardon? fit Twynham.

— Rien, je pensais tout haut, répondit Provis.

— Oui. Bien sûr. Llewellyn est aussi fier de ses services de sécurité que de son empire. Il veille sur eux comme un père. Ils sont presque tous gallois, naturellement. C'est peut-être pour ça. Et ils lui sont fanatiquement dévoués.

Nous dévalions sur le périmètre des installations, au bord de la mer. Twynham s'arrêta à côté d'un poteau d'acier portant un téléphone.

— Attendez une seconde, dit-il. Je vais juste voir s'ils

126

ne sont pas sur le point de faire faire boum à notre bébé là-bas.

Il alla décrocher l'appareil.

— Eh bien, me dit Provis, tout ça c'est très intéressant, mais nous n'avons pas vu grand-chose, pas vrai?

— Non. Je crois que nous n'en avons pas vu le quart.

— Vous voulez dire dans l'atelier principal?

— Oui. L'intérieur ne colle tout simplement pas avec l'extérieur. Les ateliers sont grands, je veux bien, mais pas tant que ça, au fond. Il y a un grand creux, au centre de ce bâtiment.

— C'est mon impression aussi. Essayons de jeter un œil par-là.

Twynham revenait vers nous sans se presser.

— Pas de chance, hélas. Ils font monter le voltage à une puissance astronomique, et ça demande du temps.

— Ça ne fait rien, dis-je, nous l'imaginerons.

— Ça fait vraiment beaucoup de bruit, assura Twynham. Enfin, venez toujours faire la connaissance du génie.

Il remit son engin en marche et nous fit longer le rivage, passer devant la petite île à présent presque à sec tandis que la mer se retirait, et monter jusqu'à un bâtiment blanc au bord de l'eau.

— Voilà, dit-il. Contrôle et Planning.

23

L E gardien examina le laissez-passer, et nos têtes, et
sonna ses collègues de l'intérieur. On nous conduisit à un bureau où une jeune fille nous reçut et nous
pria d'attendre. Le professeur Ball serait avec nous dans
quelques minutes. C'était une pièce agréable, avec des
portes-fenêtres ouvrant sur une grande terrasse dominant la mer. Il n'y avait pas de bureaux, rien que des
tables d'architecte encombrées de calques et de bleus. Un
des murs était un tableau noir couvert d'une masse de
charabia compliqué, et dans un coin il y avait une
machine à cartes perforées. Des fauteuils et une table
basse étaient disposés devant les fenêtres.

— Un endroit plaisant pour y travailler, observai-je.

— C'était un sana, avant que Llewellyn l'achète, dit
Twynham. Pour les tubards. Ici, c'était un des appartements privés.

Là-dessus, le professeur Ivor Ball entra, aussi maigre
et précieux que l'avait dit le chargé de presse. Il alla
tout droit à une des tables d'architecte et y prit une
règle à calcul. Mais il ne se gratta pas avec. On fit les pré-
sentations.

— M. Brock et M. Provis sont de la presse, dit Twynham.

— Oui, mais je ne vois pas trop ce que je pourrais leur expliquer, dit Ball avec un accent gallois probablement affecté. J'espère, monsieur Twynham, que vous ne leur avez pas raconté que je suis Pic de la Mirandole.

— Dieu soit loué! marmonna Provis.

— Plaît-il? dit Ball.

— Nous autres reporters, dis-je, nous aimons obtenir pour ainsi dire nos tuyaux de la bouche du cheval.

— Ah, ah, fit Ball. Ah, ah. Mais pas d'un cheval de bois, j'imagine.

— Loin de là, intervint Twynham. Tout à l'heure, ces messieurs ont émis une hypothèse assez extravagante, et j'ai pensé que cela vous amuserait, monsieur le professeur.

— Ah, fit Ball. Je dois avouer que les hypothèses m'intéressent, plus elles sont extravagantes plus je suis heureux. C'est notre métier, messieurs. D'abord nous les attrapons, puis nous les dressons et enfin c'est la domestication, hein? L'histoire de l'électricité.

— Oui, dit Provis. Nous regardions tout à l'heure le grand coupe-circuit que vous avez à l'épreuve, là-bas.

— Ah, *boyo*, s'écria Ball. Voilà une merveille. Nous sommes en train de le gonfler en ce moment. Quand il sautera, et à la seconde précise, je vous le garantis, on l'entendra à Cardiff. Qu'est-ce que je dis, à Cardiff? Bon Dieu, ils l'entendront péter à Newcastle!

Il se mit à marmonner en gallois.

— Si ça ne saute pas à la seconde précise, dit Provis, qu'est-ce qui arrivera?

— Non, non, non, assura Ball, vous en faites pas, *boyo*. Pas de souci à avoir. Nous ferons péter tout un tas de matériel, pas plus.

— Eh oui, insista Provis. C'est justement. Autant

qu'on puisse voir, tout le matériel électrique, les réseaux et tout, c'est conçu par Allelec?

— Juste, *boyo*, dit Ball. Et depuis ces huit dernières années, c'est aussi installé par Allelec.

— Exactement. Que se passe-t-il si ça tombe en panne? Disons que tous vos bidules ici tombent en panne en même temps. Est-ce que ça détruirait toute l'installation électrique du pays, ou simplement cinq millions de secteurs sauteraient laissant tout le monde tâtonner dans le noir?

— Quoi? grogna Ball.

Il se leva et alla à la fenêtre. Il y eut un silence longuet, et quand il se remit à parler ce fut d'une voix plus sèche.

— Qu'est-ce que vous racontez, nom de Dieu?

— Quelle est la valeur de la procédure de vérification d'Allelec? demanda Provis. C'est tout.

Ball resta près de la fenêtre, à contempler la mer. Cette fois, le silence dura plus longtemps. Provis le rompit.

— Nous connaissons tous la valeur des services de sécurité d'Allelec. Tous ces nazis qui défilent dans toute l'usine...

Même Twynham comprit alors qu'il se passait quelque chose. Il tripota le minuscule nœud de sa cravate vieux genre. Et je tripotai l'alpaga véritable de mon Oxford-et-Cambridge. Ball se retourna et marcha sur Provis. Il n'était plus nonchalant. Il n'était plus vague. Tout le côté artificiel du matheux avait disparu et il se dressait devant Provis d'un air dur et astucieux, auréolé de danger.

— Bon Dieu, de quoi parlez-vous? cria-t-il.

Provis ne perdit rien de son calme.

— Rien qu'une idée en l'air. C'est formidable, ici. Ils nous ont fait de la foudre, rien que pour nous.

Ball le regarda fixement pendant quelques instants.

Puis il me regarda. Puis il porta l'acier étincelant de son regard sur le jeune Twynham, qui laissa sa cravate tranquille, se redressa un peu et prit un air inquiet.

— Qu'est-ce que vous leur avez montré? demanda Ball.

— Rien que la visite habituelle de la presse, professeur. Les ateliers et les labos, et puis un tour de l'extérieur. Et puis nous sommes venus ici tout droit.

Ball grogna.

— Faites venir Sullivan.

Twynham s'esquiva rapidement et tout le monde attendit que quelqu'un parle. Ball fulminait à la fenêtre. Provis se carra dans son fauteuil et allongea ses jambes puissantes sur le tapis. Je tirai une cigarette de ma poche de poitrine et l'allumai. Ball se retourna et nous examina. Provis sifflotait tout bas. Je soufflai un rond de fumée. Et Twynham reparut, accompagné d'une seconde version de lui-même, en plus grand, plus osseux, plus dur.

— Ah, Sullivan, dit Ball. Ces messieurs sont journalistes, prétendent-ils. Je pense qu'ils viennent nous espionner. Débarrassez-vous d'eux.

Sullivan se tourna vers Twynham.

— Où les avez-vous dégottés?

— *Western Mail*, répondit Twynham. Un des rédacteurs en chef m'a téléphoné ce matin et m'a demandé de m'occuper d'eux.

Sullivan me regarda.

— Vous êtes du *Western Mail*? C'est Cockerell qui vous envoie?

— Eh bien, pas tout à fait. Nous sommes une équipe de pigistes qui cherchons un sujet de reportage.

— Je vois, murmura Sullivan. Vous allez m'accompagner. (Il se tourna vers Twynham.) Prévenez la maison des gardes. Dites-leur d'envoyer le camion tout de suite.

— Mais...

— Taisez-vous.

131

— Bien, monsieur, dit Twynham, et il sortit.

— Très bien, vous deux, nous dit Sullivan. Venez avec moi. Et donnez-moi cet appareil, je vous prie.

— J'aimerais mieux le garder, dis-je.

Sur quoi Provis se leva. Sullivan eut un petit choc. Provis, tant qu'il ne se tenait pas très droit, avait l'air d'un bon gros. Debout, il faisait l'effet d'une montagne. Mais le temps qu'il s'extirpe de son fauteuil, Sullivan avait un pistolet à la main. Alors Provis se rassit. Il me regarda avec un petit haussement d'épaules fataliste.

— Vos relations publiques laissent à désirer, observai-je en remettant mon appareil.

— Bouclez-la, dit Sullivan.

Deux minutes s'écoulèrent, et puis la porte se rouvrit et Twynham entra avec trois types de la sécurité. Sullivan nous fit signe de sortir, du canon de son arme. Les gardiens nous poussèrent dans l'escalier, et dans un camion électrique qui nous transporta jusqu'à la grille principale. Là, on nous poussa dans le pavillon de garde, on nous fit traverser la première salle et entrer dans une espèce de cagibi. La porte claqua derrière nous. Provis haussa les épaules et s'assit sur un des bancs de bois. J'essayai la fenêtre. Ce n'était pas une issue. La porte se rouvrit. Sullivan revenait, avec deux gardiens armés, et mon appareil. Il nous fit asseoir côte à côte à la table et s'installa en face de nous.

— Il n'y a pas de pellicule dans cet appareil, dit-il.

— Ah merde! fis-je.

— T'as encore fait le coup, dit Provis.

— Faut-il que je sois con, soupirai-je.

— Jamais on réussira dans le journalisme, grommela Provis.

— Tu peux parler. Je suis prêt à parier que toi, t'as encore oublié ton calepin.

— Taisez-vous, ordonna Sullivan.

— Ma foi, dit Provis, il a oublié de charger son appareil une fois de trop. C'est fini, je le laisse tomber.

Il croisa les bras d'un air farouche et résolu.

— Je m'en fous, dis-je. D'abord, je voulais pas venir ici. Qui est-ce qui peut s'intéresser à une foutue bande de Gallois, je vous demande un peu !

— Bouclez-la, cria Sullivan, si fort que les deux gros-bras sursautèrent.

Nous nous sommes tus.

— Le *Western Mail* n'a jamais entendu parler de vous, reprit-il. Je ne sais pas ce que vous êtes, mais vous n'êtes certainement pas de vrais journalistes. Le moins que vous ayez fait, c'est de vous introduire ici sous un prétexte fallacieux. Vous savez, ou vous ignorez, qu'en agissant ainsi vous avez transgressé la loi sur les Secrets Officiels. Dans les limites de n'importe quelle installation ou propriété d'Allelec, j'ai les pleins pouvoirs policiers et en vertu de ces pouvoirs je vous arrête maintenant pour espionnage industriel.

— Allez vous faire voir, lui dis-je.

24

— IL vous faut rester ici pendant que nous faisons une enquête, nous déclara Sullivan.

Il se leva et nous quitta, laissant les deux gros-bras avec nous. Nous sommes restés assis. Provis sifflotait son petit air, et moi je dévisageais les gardes.

— Vous connaissez Tonypandy Williams? demandai-je au plus costaud des deux.

Il me regarda et se détourna.

— Vous lui ressemblez.

Je me levai, allai à la fenêtre et regardai dehors. Sullivan fourrait Twynham dans une Princess avec chauffeur. Je vis la voiture franchir la grande grille. Elle accéléra sur la route de Wenvoe. « Adieu, Twynham », me dis-je. Provis vint me rejoindre. Je m'approchai du garde.

— Vous êtes sûr que vous ne le connaissez pas? dis-je en l'examinant de près. Vous pourriez être son frère. Son petit frère crétin.

Le gros-bras posa le canon de son arme sur mon ventre et poussa. Ce n'était pas un pistolet ordinaire. Le canon était presque aussi long qu'une sarbacane et un peu plus étroit, se terminant par un renflement ovoïde au-dessus de la crosse. Il n'y avait pas de pontet ni de détente et tout le bidule avait l'air moulé d'une pièce dans une espèce de métal argenté. On aurait dit un accessoire d'émission de télévision pour enfants, mais dans les grosses pattes du colosse il avait l'air dangereux. J'étais sur le point de décider de faire quelque chose quand Provis agit.

Il se déplaçait plus vite qu'aucun être de ma connaissance. Il était accoté à la fenêtre, sifflotant son air vague, et soudain il se trouva à l'autre bout de la pièce en train de faire tomber le pistolet d'un coup du tranchant de la main. Du même poing il assena un terrible revers à la figure du type, qui s'écroula en poussant un faible miaulement. Mais déjà Provis s'attaquait à l'autre. Il démarra bas et en se redressant il fit monter son poing massif du sol. Le gardien l'encaissa à la pointe du menton et sa tête se renversa brusquement en arrière avec un vilain craquement. C'était la première fois que je voyais un bonhomme se faire briser la nuque par un uppercut banal des familles.

Je me dis alors que Provis marchait sur mes effets. Il était là pour m'assister, pas pour jouer les vedettes. Alors, principalement pour faire valoir mes droits, je bondis pendant qu'il ramassait le pistolet par terre, fis irruption dans la salle de garde et sautai sur un des trois gardiens. Je le soulevai de terre et le projetai de toutes mes forces sur les deux autres. Un seul se releva, alors je l'achevai d'une ruade à l'entrejambe et du plus formidable des directs que j'avais en stock. Le coup fit un fracas de gazomètre qui saute.

— Bon Dieu! haletai-je. J'avais encore jamais tapé si fort.

— C'est ce foutu coupe-circuit, dit Provis derrière moi. Pas vous. Allez, grouillons.

— Vu. Ligotez-les pendant que je cherche quel bouton ouvre la grille.

Il attacha solidement les trois gardiens et les fourra dans le cagibi avec les autres. J'en récupérai un et l'assis sur une chaise devant le guichet d'observation. Il restait encore un gardien. Il nous regarda, vit son collègue avachi sur la chaise. Je lui fis signe de venir et quand il franchit le seuil, Provis l'assomma avec le pistolet.

— Filons, dis-je.

J'appuyai sur le bouton ouvrant la grande grille.

Branchés à des prises murales, sur le côté du pavillon, des tricycles électriques s'alignaient. J'en dégageai un et l'enfourchai. Provis s'installa devant et je fonçai derrière la bâtisse sur la route déserte menant aux ateliers.

— Où allons-nous? demanda Provis.

— Au bâtiment principal. Quand ils découvriront les dégâts, ils penseront que nous avons mis les bouts. Alors autant profiter de ce que nous sommes là pour voir ce que nous sommes venus chercher.

— Pourquoi pas?

Je poussai le véhicule à son faible maximum. Mais il nous a fallu pas mal de temps pour gagner le grand bâtiment.

Nous sommes descendus et nous avons paisiblement rebranché le tricycle à son parcomètre. Puis nous nous sommes approchés de la porte, du pas nonchalant de Twynham. Le gardien se redressa.

— Ah mon Dieu, dis-je. Ce charmant M. Twynham n'est pas encore là?

— Non, dit le gardien. Il doit vous retrouver ici?

— Oui. Je l'espère. Nous étions là-bas au Contrôle. Il a été obligé de s'absenter.

Pendant que je parlais, Provis s'était avancé dans l'ombre de la porte et s'épongeait la figure avec un mouchoir lilas. Le gardien ouvrit la bouche pour nous dire de partir. Mais Provis s'exclama d'une voix plaintive :

— Quelle chaleur atroce! Viens te mettre à l'ombre tout de suite, trésor. Je t'ai déjà dit que le soleil est mortel pour ton teint. (Il se tourna vers le gardien.) Il est têtu, vous savez. Il me fera mourir d'inquiétude.

Sur quoi le gardien referma la bouche, sourit et nous laissa à l'ombre. De fait, il vint nous y rejoindre, soit pour rigoler, soit qu'il en soit lui aussi. Il paraît qu'il y en a beaucoup dans la police. Quoi qu'il en soit, Provis l'assomma, le bâillonna avec le mouchoir et le ligota avec sa ceinture. Nous l'avons tiré dans sa petite guérite, j'ai fermé la porte à clef, et puis nous sommes entrés et nous avons regardé autour de nous. Nous avions besoin de faire une tournée consciencieuse des ateliers sans qu'on nous dérange, et il nous fallait quelque chose à transporter. Tous les grands établissements se ressemblent. Tant qu'on trimbale quelque chose, personne ne vous pose de questions. J'ai passé une fois cinq semaines à la caserne de Plymouth en trimbalant partout un vieil ordre de réquisition sans avoir la moindre histoire. Ce coup-ci, nous avions besoin de quelque chose de gros qui nous cacherait la figure.

Provis m'a montré un long bouclier isolateur. Nous l'avons hissé sur nos épaules et nous avons pris la direction que Twynham nous avait fait prendre plus tôt, à travers les longs ateliers et les laboratoires. Nous marchions lentement, comme si notre fardeau était très lourd, mais d'un pas régulier comme si nous savions où nous allions. Nous baissions la tête et personne ne nous interpella. De temps en temps, nous nous arrêtions, comme pour nous reposer, car il nous fallait examiner les ouvriers. Après avoir parcouru au moins huit cents mètres, me semblait-il, et le bâtiment était si grand que c'était bien possible, Provis ordonna une halte. Nous nous trouvions dans une salle plus petite que les autres, vide de tout matériel, et déserte. Nous avons posé notre fardeau.

Provis me montra le sol. C'était bien ciré et, autant que je pouvais voir, sans la moindre tache, mais Provis me fit signe de me mettre à sa place. La lumière faisait ressortir une piste sur le plancher reluisant, des marques de gros pneus de camion. Elles allaient tout droit d'un mur à l'autre.

Nous avons alors examiné le mur de plus près. Il était presque imperceptiblement fendu aux coins. Un conduit pour des câbles et de la tuyauterie le traversait à cinq mètres de hauteur, et par-derrière je distinguais les reflets d'un cylindre bien huilé. Le mur extérieur semblait bâti avec les mêmes blocs de ciment peint que le reste de la bâtisse, mais c'était en fait une porte secrète bien dissimulée, assez large pour permettre aux plus gros poids lourds de passer.

Le mur intérieur était faux également, bien sûr, mais nous n'avons trouvé aucun moyen de l'ouvrir. Il était nu, à part une sorte de boîte d'acier de deux mètres de haut, couverte d'avertissements et de signaux de danger de haut voltage. Nous avons pu l'ouvrir et nous sommes tranquillement passés dans un large couloir qui bifurquait sur notre gauche. Il n'y avait personne en vue et nous n'entendions rien, alors nous avons avancé sans hésiter.

25

NOUS sommes passés devant quelques portes derrière lesquelles nous n'entendions aucun bruit; nous en avons choisi une au hasard et nous avons fait irruption de la manière forte. Provis leva le pistolet, fit sauter la serrure et jeta un coup d'œil. Il n'y avait personne. Nous nous sommes enfermés et nous avons regardé autour de nous. C'était une sorte de long magasin étroit, avec de nombreuses étagères pleines de pistolets bizarres, comme celui que nous avions pris au gardien.

— Heureusement qu'il y a ça, fit Provis en montrant un grand tableau explicatif au mur. J'ai encore rien pu comprendre à cette pétoire.

J'ai pris un pistolet sur l'étagère et nous avons passé quelques minutes à nous familiariser avec l'engin. C'était une détente à air comprimé, avec un minuscule recompresseur dans la crosse, et le renflement ovoïde était le magasin. Ça s'appelait, disait la notice, le Ball 005 à aiguilles. Il contenait, disait le tableau, cinq mille aiguilles amorcées. Je pris un autre pistolet et, suivant les instructions affichées, je l'ouvris et fis tomber quel-

ques-unes des aiguilles sur le long comptoir qui parta-
geait la pièce en deux. Elles étaient grosses comme des
aiguilles à repriser ordinaires, sans chas, et avec une
minuscule boule terne juste derrière la pointe. Provis
en ramassa une et se mit à gratter la boule avec son
ongle.

— Faites pas ça, conseillai-je.

Le magasin servait aussi de stand de tir, vraisem-
blablement pour essayer les armes. A l'une des extrémi-
tés du comptoir long d'une vingtaine de mètres, il y avait
un petit chevalet de pointage et en face une grosse boîte
métallique dans laquelle se trouvait une espèce de cible
tridimensionnelle, une sphère de métal grosse comme
une tête d'homme.

— Essayons, dis-je.

J'allai au bout du comptoir, visai et appuyai sur le
bouton commandant la détente. Le pistolet siffla, la
sphère métallique se désintégra avec un bruit sourd. Les
aiguilles continuèrent de jaillir jusqu'à ce que je libère
le bouton; elles allaient exploser dans le fond de la boîte
en fer. J'allai voir ça de près. Chaque aiguille avait
creusé un petit cratère qui traversait presque entièrement
le blindage de deux centimètres d'épaisseur.

— Nom de Dieu, souffla Provis. Mince de sarbacane!

— Je me demande quelle est sa portée.

— Deux cents mètres. C'est marqué au tableau.

— J'aime quand même mieux mon pistolet.

— Vous utilisez quoi?

— Kruger Hawkeye.

— Vous êtes dingue en plein? s'exclama Provis. C'est
un truc à un coup, non?

— Allons voir plus loin, lui dis-je.

Le couloir était toujours aussi désert. Nous avons
avancé sans bruit et dépassé la bifurcation, passant
devant de nombreuses portes en en poussant quelques-
unes. C'était généralement des magasins, et ces pièces

contenaient assez de rations et de matériel pour équiper une petite force expéditionnaire. Enfin nous sommes arrivés au pied d'un escalier. Je m'aperçus seulement alors que les plafonds de cette partie intérieure étaient plus bas que dans les ateliers qui, eux, occupaient toute la hauteur du bâtiment. Ce centre devait avoir deux étages, trois, peut-être, pensai-je en me rappelant les dimensions des lieux.

Nous sommes montés prudemment, rasant chacun un mur, Provis à l'arrière-garde, moi en éclaireur. En haut c'était encore le silence, et un labyrinthe de passages étroits percés de nombreuses portes. En en ouvrant quelques-unes au hasard, nous avons découvert des locaux d'habitation exigus. Il y avait cinquante couchettes superposées par deux dans chaque étroite pièce; ce n'était pas tout à fait à la hauteur des exigences actuelles de l'armée, mais bien capable, autant que je pouvais l'estimer, de loger quelques milliers d'hommes pour une brève période. Si, bien sûr, ces quelques milliers pouvaient avoir une utilité quelconque dans une usine électrique.

Puis nous avons débouché, des corridors étroits, dans une galerie dominant un vaste espace coiffé d'une verrière en coupole, et la lumière éblouissante nous rejeta dans la pénombre. Ce n'était pas plus mal, car ce vaste espace était le théâtre d'une activité fébrile. Tapis dans le noir, nous écoutions les bruits. Des voix marmonnaient, des moteurs s'emballaient et, brochant sur le tout, il y avait un martèlement sourd, irrégulier. Je rampai sur le balcon et risquai un œil. Ce que je vis ressemblait davantage à l'activité dans un préau d'école qu'à autre chose, à cela près que les enfants étaient tous adultes et que le préau était plus grand que la gare de Paddington. Je fis signe à Provis qui me rejoignit, au bord du balcon. Le corps caché dans l'ombre, nous avons observé.

Il y avait là une quarantaine de groupes d'hommes, un peu dans tous les coins; certains écoutaient une conférence, d'autres se livraient à des exercices variés. La voix marmonnante que j'avais entendue venait d'au-dessous de nous. On aurait dit une classe de géographie. Le prof avait une carte sur un chevalet et promenait sur cette carte un long bâton. Les hommes de ce groupe prenaient tous des notes.

— Voilà nos Frisés, dis-je. Il est en train de leur baragouiner allemand.

— Vous pouvez comprendre?

J'écoutai un moment.

— Oui, dis-je enfin. L'allemand avec l'accent gallois, c'est quelque chose, mais je pense que c'est un itinéraire. On dirait une préparation pour un rallye automobile dans les Marches de Galles.

Un peu plus loin, je vis ce qui causait le martèlement sourd. Un autre groupe s'exerçait au tir. Je voyais scintiller l'argent des pistolets à aiguille; encore un autre groupe s'affairait autour d'une version canon du pistolet, montée sur un trépied.

Les bruits de moteurs venaient du fond de la salle où une vingtaine de longues conduites intérieures étaient garées en épi contre le mur. Elles avaient l'air assez solides et très rapides, mais je ne distinguais pas la marque.

— Qu'est-ce que c'est comme voiture? demandai-je.

— Jamais rien vu de pareil, dit Provis. Il y a quelque chose de la Daimler dans la ligne, mais je ne connais pas une Daimler qui soit aussi massive que ça.

Comme nous les regardions un coup de sifflet retentit. Le groupe le plus rapproché de la rangée de voitures s'élança au pas de course, deux pour une auto. Ils étaient drôlement bien entraînés. Le passager n'avait pas encore fermé sa portière que les voitures accéléraient déjà, entre deux larges lignes jaunes figurant une route. La longueur de la salle devait faire dans les quatre cents mètres, à mon avis, et les vingt voitures avançaient en rang dans un ordre parfait. Plus que tout, ça me rappelait les vieilles escadrilles de Spitfires pendant la guerre, en formation de chasse. Les voitures s'arrêtèrent. L'une d'elles se trouvait juste au-dessous de nous et la classe de géographie s'interrompit. Les élèves regardèrent et nous aussi. La voiture était une conduite intérieure de sport normale, un peu plus grande que la moyenne, et plus lourde d'aspect, mais d'une ligne orthodoxe. Elle avait l'air rapide et puissante, et nous venions d'avoir la preuve de sa vitesse d'accélération départ arrêté. De notre perchoir, nous plongions sur le tableau de bord. Il était hérissé de cadrans.

Un nouveau coup de sifflet. Et, sous nos yeux, des plaques métalliques montèrent devant les vitres, unies sur les côtés, grillagées devant et derrière pour la visibilité. Un ronflement électrique à l'intérieur de la voiture, et la moitié arrière du toit se souleva pour laisser émerger un des canons à aiguille, qui se mit à pivoter lentement comme un aérien de radar.

— Eh bien! souffla Provis. Des chars d'assaut grand tourisme!

— C'est bien bizarre, tout ça, non?

Les chars firent alors une démonstration. Deux gardiens abaissèrent une espèce de bidule d'un portique fixé au sommet de la coupole et se retirèrent pour manipuler les manettes, à l'abri. Et du bidule au centre se mirent à tomber des pigeons d'argile de science-fiction. Les canons à aiguille de la brigade de chars se braquèrent aussitôt sur les ballons de couleur qui flottaient et dansaient en l'air, et pas un seul ne manqua son coup. Ils tiraient à vue, au son et à la lumière. Puis sur un nouveau coup de sifflet, les chars firent demi-tour à la perfection, foncèrent sur leur piste, à la même vive allure, dans les quatre-vingts à l'heure, et se rangèrent au quart de poil dans les encoches d'où ils avaient pris leur départ.

Provis grogna.

— Si ce truc est à l'épreuve des balles, et s'ils sont aussi rapides qu'ils en ont l'air, voilà bien les autos les plus dangereuses du monde.

Je lui disais que j'étais d'accord avec lui quand ma voix fut couverte par le baragouin colossal d'un Frisé tout près de nos têtes. Nous avons battu en retraite dans la pénombre.

— Qu'est-ce qu'il dit? demanda Provis.

— Ça dit « Achtung ». Taisez-vous et laissez-moi écouter.

Le haut-parleur baragouina quelques minutes, vomissant de longs mots allemands sinistres. Puis la voix se tut.

— Qu'est-ce que ça disait? demanda Provis.

— Eh bien, pour commencer, ça vous sous-estimait. Ça disait que nous mesurions tous les deux environ un mètre quatre-vingt-cinq.

— Je fais un mètre quatre-vingt-dix depuis que j'ai quinze ans, protesta Provis. Qu'est-ce qu'ils ont?

— Ils savent que nous sommes par là quelque part, ils ont trouvé le garde dans son placard. Tout le monde doit se mettre en rang et marcher au pas vers les ateliers extérieurs. Ils les ont vidés des ouvriers normaux. Ensuite, ils vont fouiller tout le secteur.

— Eh bien, on ferait bien de nous tirer de leurs pattes.

En dessous, des ordres étaient aboyés, des coups de sifflet retentissaient, des bottes claquaient. Enfin, toute la troupe s'en alla au pas. Il ne manquait que le Horst Wessel Lied pour se croire dans une bande d'actualités de 1936. Et puis le silence tomba dans le vaste hall. Je levai prudemment la tête. Tout était désert. Mais déjà, dans les couloirs derrière nous, nous entendions des ordres brefs, des cris et des portes qui claquaient.

— Ils font ça méthodiquement, depuis l'entrée, dis-je. Venez.

Souvent, la meilleure façon de s'échapper, c'est de monter. Dans les films, en tout cas, ça ne rate jamais. James Cagney, par exemple : il escaladait toutes les échelles qui lui tombaient sous la main, du temps qu'il tournait. Je levai les yeux vers le portique qui soutenait la cible des chars. Il se terminait dans une cabine de commandes située très haut sous la verrière. Et le chemin de la cabine était une étroite passerelle le long des vitres. Je la suivis des yeux jusqu'à ce qu'elle croise une échelle et je suivis l'échelle jusqu'au sol. Elle passait contre le balcon et je fis signe à Provis de me suivre. Je me hissai sur la balustrade et de là sur l'échelle. En faisant le tour de la coupole, nous avons gagné la cabine. Nous étions gâtés. La cabine était construite tout contre la coupole de verre et, dans sa paroi, il y avait une porte. Nous passâmes dehors.

La corniche extérieure était large d'une trentaine de centimètres, et assez facile à suivre. Le seul ennui, c'était que le soleil avait échauffé les carreaux. Nous sommes arrivés au coin du bâtiment, qui fut moins commode à négocier. La corniche s'arrêtait là, et nous devions nous traîner tant bien que mal sur du verre brûlant, avec rien au-dessous de nous que le vide. Néanmoins, je fermai les yeux et réussis. Et Provis sauta derrière moi comme un gros chat de gouttière. Je commençais à être passablement fripé et poussiéreux, mais mon colosse de collègue était aussi immaculé qu'à notre départ de chez lui.

Au bout d'une cinquantaine de mètres, nous avons atteint un des énormes piliers qui soutenaient la coupole de verre. La corniche s'élargissait et nous offrait deux mètres confortables; elle se prolongeait aussi sous une arche de béton pour former une espèce de petite grotte.

— Nous y voilà, déclara Provis. Nous ferions bien de nous étendre un moment.

Il ôta sa veste, la plia soigneusement, et se coucha en chien de fusil contre le mur brûlant.

26

PROVIS embrassa le paysage maritime d'un geste large.

— C'est Weston-Super-Mare là-bas. La mer se retire plus loin sur de la vase plus vaseuse que nulle part ailleurs le long de la côte. Et ces deux rochers sont les Holms. Le plus plat s'appelle Holm Plat, le plus pointu Holm Pointu.

— Logique.

— J'ai nagé jusqu'à Holm Pointu quand j'étais gosse. Y a rien là-bas, que des mouettes.

— Vous êtes gallois? Vous n'avez pas l'accent.

— Pas vraiment. Mais je suis né ici, à trois ou quatre kilomètres sur la côte. Je suis allé à l'école sur la colline et j'ai appris quelques passes de rugby et rien d'autre. Et puis mon père a été tué là-haut à Cowbridge Road. Il rentrait son bateau à la maison et un ivrogne l'a embouti avec un vieux tacot.

— Embouti un bateau?

— Oui. Il avait l'habitude de conduire son bateau partout. Il faisait autre chose aussi, attention, des tas de choses. Il avait eu six commerces différents avant ma naissance, il avait été agent immobilier et je ne sais plus quoi, mais il n'a jamais fait fortune. A la fin, il a acheté deux vieux cars juste avant que la Western Welsh prenne le monopole des transports. Il les a revendus avec un bénéfice énorme, mais pas avant d'avoir pris le goût de la combustion interne. Alors il a acheté un vieux camion Trojan et une chaloupe à un matelot des docks et les a assemblés. Une chance qu'il ait pas vécu pour voir le débarquement, sinon il aurait fait un procès au ministère de la Guerre pour plagiat de son Provis Mark I amphibie.

— Où le conduisait-il?

— Sur la plage et dans la mer. Il faisait le plein de clients à l'arrêt des cars à côté du glacier, et il leur faisait faire une balade jusqu'à Friar's Point et retour. C'était moi qui encaissais. Quand il n'y avait pas de passagers il m'emmenait tout seul et il me racontait des histoires de mer. C'est là que j'ai appris les histoires du jeune capitaine Morgan et du vieux Horace Nelson et la vérité vraie et maritime sur Boadicée.

Il tendit le bras vers le Canal, au-delà de Holm Plat et de Holm Pointu, vers le couchant.

— Je croyais tout, dit-il. Mon vieux disait que l'horizon n'est pas à plus de sept kilomètres mais qu'après il y en a un autre, et puis un autre et un autre. On peut voguer jusqu'à la retraite, disait-il. Et quand on arrivait là-bas, on trouvait des ananas et des grenades et des ice-creams sodas américains et des petits Chinois aux yeux bridés. Et des jardins suspendus très haut dans les airs, pleins de plus de fleurs qu'à l'enterrement d'un conseiller municipal. Et des pays où les dinosaures se promenaient encore par les rues et de grands lézards souriants volaient partout. Et le vallon verdoyant où le vieil Adam a le premier poussé la barque à la mer et a hissé la voile pour nous tous.

— Pourquoi êtes-vous parti?

— Il s'est fait écraser en rentrant à la maison. Le bateau était complètement détruit, sans ça j'aurais quitté l'école et j'aurais continué. Mais là, j'ai quitté l'école et je suis parti voir ce qui se passait derrière l'horizon.

— Est-ce que ça en a valu la peine?

— Je suis revenu ici, pas vrai? L'ennui, il me parlait beaucoup du monde entier, mais il était jamais allé plus loin que la limite du Glamorganshire, sauf une fois pour se faire gazer par des gaz anglais en France, quand il avait quinze ans. Il lisait beaucoup, voyez-vous. Il lisait six bouquins à la fois, et rien n'avait de sens tant qu'il avait pas tout brassé dans les autres choses qu'il lisait. Il avait des idées fausses sur tout. Ainsi pour lui, Londres était un épais brouillard de péchés et de trottoirs encombrés de petits ours mécaniques. Et Rome était un pays de grande pompe et de lions affamés, Tahiti était son pays favori, tout en volcans en flammes, et Dorothy Lamour, habillée d'oiseaux de paradis et buvant du missionnaire frappé en mangeant des sandwiches d'arbre à pain. Et la Russie, bien sûr, de la neige et du sel et des moines obsédés sexuels et des reines avec des pistolets dans le corsage et des fourmis entre les jambes.

— Assez rigolo, dis-je. J'aurais bien aimé l'écouter.

— Peut-être. Mais il m'a rendu les pays étrangers vivants, pleins de couleurs, et j'avais hâte d'y aller.

— Et vous y êtes allé?

— Oui...

Il s'est gratté une aisselle grande comme une mâchoire de lion.

— Oui, j'y suis allé. Et c'était pas du tout comme ça. Je suis parti à quinze ans, et je suis allé aux Indes. Ce n'était pas du tout rien que des charmeurs de serpents et de la danse du ventre et des arbres yum-yum, comme le racontait le vieux. C'était tout vérole et pas de pénicilline, alors j'ai poussé jusqu'à Singapour. Et à dix-sept ans je mangeais du riz frit spécial et je dormais entre des couvertures japonaises.

— Vous aviez trouvé un bon emploi?

— Non. J'étais un solide garçon et j'ai fait la connaissance d'une diseuse de bonne aventure eurasienne au Happy World. Elle était assez vieille pour être ma sœur, mais elle était très jolie. C'est là que je me suis le plus rapproché d'une des histoires de mon père. Sa préférée, faut dire.

— Racontez.

— Oh, c'était juste une histoire idiote qu'il me racontait quand on doublait la pointe, les soirs d'été. Du temps qu'il était en Patagonie. Il n'est jamais allé en Patagonie. Il ne savait même pas où c'était. Probable que le nom lui plaisait.

— Il y a une vieille colonie galloise, là-bas.

— Je sais, mais le vieux était de Bradford. C'est une histoire trop longue et trop bête pour que je vous la raconte maintenant. Mais à quinze ans, qu'est-ce qu'on peut savoir?

Provis regarda tout en bas, ses yeux bleus paisibles cherchant, me semblait-il, un vieux camion amphibie s'essoufflant dans le canal. Il n'y avait rien d'autre en vue qu'un caboteur britannique sale, ou un bateau gallois. Le père de Provis avait dû être bien sympathique.

— Et qu'est-ce qui est arrivé à votre diseuse de bonne aventure?

— Quoi? Oh, elle s'est mise avec un Chinois et il l'a mise sur le ruban. Je l'ai tué. Et puis les Japonais sont arrivés et j'ai fait sortir quelques chargements de Singapour, le long de la côte. Mais ça ne leur a rien valu de bon.

— Vous vous êtes battus en Malaisie?

— Non. Probable que j'étais trop jeune.

— Moi aussi.

— On l'était tous. Je me suis rapatrié. Enfin, jusqu'à Marseille, quoi. Ça m'a pris beaucoup de temps et, en fait, je ne suis rentré en Angleterre qu'en 1944. En grande partie parce qu'en traversant la France, j'ai fait la connaissance de votre patron.

— Qui donc?

— Le Gros.

— Je croyais qu'il avait fait sa guerre avec un téléphone et un jeu de scrabble.

— Non. Il est resté en 1940, pour former un réseau.

— Je me souviens, maintenant. Il les appelait les Thugs. Vous en faisiez partie?

— Oui. C'est une longue histoire. Mais j'ai fini par revenir, et à la fin de la guerre j'en avais assez de lui, et comme j'avais jamais rien signé il a pas pu me garder.

— Mais vous travaillez encore pour lui.

— Vous aussi. Et la condition que je mets, c'est que j'aie jamais à le voir. Dites, ce serait pas temps qu'on les mette?

Je regardai autour de nous. Provis avait fait coucher le soleil en bavardant, et notre coin du toit était déjà dans l'ombre. Il n'y avait aucune activité particulière en bas, à ce que nous pouvions voir, et tout semblait indiquer qu'ils avaient fini par penser que nous nous étions échappés. Le sol me semblait aussi très loin.

— Et puis merde, dis-je. Retournons par où nous sommes venus.

27

DANS le vaste préau d'exercice, il faisait tout à fait noir. C'était aussi extrêmement silencieux tandis que nous rasions le mur sur la pointe des pieds, mais ça n'a pas duré. Nous avons entendu un martèlement de pas et des ordres aboyés.

— On ferait bien de se tirer d'ici, dis-je. Ils vont peut-être se coucher mais aussi bien ils font une nouvelle fouille.

— C'est vous le patron. Qui conduit?

— Moi, déclarai-je et nous avons plongé vers la familiale de sport blindée la plus proche. Je contemplai les commandes et ajoutai : Si possible.

Dedans, il y avait deux sièges baquets modèle réduit et un tableau de bord normal avec compteur de vitesse et compte-tours. Il y avait un volant, pas de levier de changement de vitesses et une seule pédale.

— J'aime mieux pour vous que pour moi, dit Provis. Le mien est étiqueté.

Il avait un tableau de bord, lui aussi, pour les bidules et les gadgets, et il s'est mis à jouer avec comme sur un piano. Les plaques métalliques montèrent devant les vitres ne me laissant qu'un entrelacs de petits trous pour conduire. L'arrière était entièrement occupé par le canon à aiguilles rentré. Provis appuya sur un nouveau bouton et l'arme sortit en grondant du toit ouvrant. Il y avait une espèce de manche à balai et des cadrans devant lui, sous un écran qui ne m'aurait pas déplu. Il manipula un peu le manche à balai et l'image changea sur l'écran. C'était une espèce de dispositif à prisme relié au canon.

— Filons, dit Provis.

Il y avait au moins un démarreur. Alors j'appuyai et le moteur vrombit comme un avion à réaction.

— Bien, dis-je. Et maintenant, touchons du bois.

Je posai un pied hésitant sur l'unique pédale et la lourde voiture avança, aussi docile et délicate qu'une Lambretta, et presque sans changement de son du moteur. Alors j'ai suivi la ligne jaune, tout autour de la salle, pour essayer de m'habituer à voir quelque chose à travers ce grillage de trous microscopiques. C'était comme de conduire la nuit sans phares, et puis mes yeux ont brusquement trouvé la mise au point à faire. En fait, les trous étaient percés d'une manière extrêmement étudiée et dès que mon œil eut pigé le truc, j'eus une visibilité aussi large que dans une décapotable.

Alors j'ai fait un tour à vive allure et j'ai foncé dans la large route couverte par laquelle nous étions entrés. C'est une chance que j'aie appuyé le pied un peu plus lourdement car nous nous sommes trouvés face à face avec un peloton d'uniformes noirs tournant le coin. Je crois que nous en avons touché deux ou trois, mais la voiture était trop massive pour transmettre les chocs. Et puis nous avons franchi la porte dans le mur et nous nous sommes trouvés dans l'atelier extérieur, le capot braqué sur le mur, le moteur vrombissant et gémissant en escaladant la gamme. La voiture accélérait comme Fangio. Et puis nous sommes passés à travers le mur. J'ai levé le pied et j'ai cherché le frein.

Il n'y avait pas de frein, mais la voiture s'est tout de même arrêtée pile, une moitié dehors, l'autre dans le trou que nous avions fait dans le mur.

— Bon Dieu, pourquoi vous vous arrêtez? protesta Provis.

— Histoire de voir comment ça marche, dis-je en laissant retomber mon pied.

La bagnole vrombit sur la route vers la grille principale.

— Vous croyez qu'on peut enfoncer la grille? m'inquiétai-je. Elle m'avait l'air bougrement solide.

— Faudra bien essayer, pas vrai? répondit Provis.

Alors j'ai appuyé sur la pédale et le moteur s'est mis à chanter comme des vierges d'argent. En moins de vingt secondes, le compteur marqua cent quarante-cinq. Nous avons foncé sur la grille comme une comète, et cette fois, nous avons tout de même senti le choc. Mais nous étions passés au travers.

— A gauche, me dit Provis.

Je braquai à gauche. Je faillis aussi me retourner, mais malgré son poids c'était une brave et bonne voiture et elle a tenu le coup.

— Dieu de Dieu! s'écria Provis. Ce truc est construit comme un char. Ils vont être à notre cul dans une seconde, mais je peux voir ce qui se passe dans le viseur du canon, et s'ils ne sont pas encore en vue quand on y arrivera, tourné dans le cimetière de voitures que vous verrez à environ deux kilomètres, à l'intérieur des docks. On va pouvoir les semer.

Par la grâce de Dieu, la route était assez droite, car j'avais encore une fâcheuse tendance à malmener la pédale comme un accélérateur ordinaire. Cela nous faisait avancer d'une manière assez effrayante, avec des grandes envolées et des arrêts brusques, comme un gouvernement démocratique. Mais j'apprenais assez vite. Il le fallait, nos vies en dépendaient. Au bout des quatre-vingt-dix secondes que je mis pour atteindre les tas de ferraille, je conduisais au moins aussi bien qu'une mémère.

— On y est, dit Provis. Attention. C'est un tournant à angle droit, à droite.

Je levai le pied et braquai. La voiture tourna sur place en chassant, à un angle parfaitement impossible de quatre cent cinquante degrés, me laissant sans souffle, marmonnant une prière, et braquant le capot dans la direction que j'espérais.

— Eh bien, souffla Provis. Pour des fantaisies!

— Oui, dis-je, c'est une voiture épatante.

Je me suis efforcé de prendre l'air du type qui a horreur de conduire sans ses gants de crochet et je l'ai peut-être abusé. Je crois. Je fis ronronner la voiture le long d'une des étroites allées entre les tas de ferraille. Provis baissa les mantelets de sabords et laissa entrer de l'air. Nous sommes sortis de la voiture, pour escalader la montagne de métal devant nous et risquer un œil au sommet, à temps pour voir trois uniformes noirs passer en trombe sur trois grosses motos, suivis d'une voiture semblable à la nôtre.

— Bien, dit Provis, ça nous donne un peu de répit. Si on les suivait, dites?

Nous avons dévalé le tas de ferraille. Je sortis sur la route en marche arrière et repartis gentiment dans une direction ouest en passant devant des tas de charbon et des entrepôts aussi noirs et abandonnés qu'ils avaient dû l'être aux tristes temps pré-llewellyniens.

— Vous avez qu'à suivre la route, dit Provis. Elle nous fait sortir de la ville, et puis elle monte dans les collines et... Nom de Dieu, les fumiers nous attendent! Demi-tour!

155

Nous débouchions d'un virage. La voiture semblable à la nôtre était en travers de la route et les uniformes noirs, assis sur leurs motos, attendaient comme les motards de Brighton un automobiliste imprudent. J'exécutai le demi-tour réglementaire le plus rapide et le plus parfait de ma carrière et fonçai dans la direction opposée.

Mais le temps de faire demi-tour, les motards étaient sur nous, à hauteur de ma vitre. Je regardai leur chef et pus m'admirer dans ses lunettes. Il conduisait d'une main et son autre main plongeait dans son blouson de cuir pour chercher un paquet de cigarettes ou un foutu pistolet à aiguilles. J'accélérai et le distançai. Provis fit remonter les boucliers.

— Non, descendez-les de mon côté, lui dis-je.

Les plaques d'acier redescendirent en ronronnant. Je laissai le motard revenir à mon niveau et j'essayai un truc que j'avais vu dans un film américain. J'aspirai un bon coup, avançai un peu, levai carrément le pied en braquant à gauche et accélérai. Les pneus protestèrent, le moteur hurla et le motard en fit autant. Je l'avais proprement éjecté de la route et balancé dans le bassin avec mon aile arrière.

Et je manquai de quatre centimètres un poteau de béton.

— Et les autres, maintenant? demandai-je quand j'eus ramené la voiture au milieu de la route.

— Pendant tout ce temps, ils ont cavalé derrière nous en nous balançant des aiguilles dans le cul. Rendons grâce à Dieu pour la solidité des aciers Allelec.

— Ils sont loin?

Provis tripatouilla le viseur de son canon.

— Trois mètres, annonça-t-il. Ils sont forts. Faut faire quelque chose.

Alors j'ai essayé un truc que j'avais vu sur la grand-route du Nord, où il y a tous les gros poids lourds. J'ai accéléré assez souplement pour les garder sur mes talons, j'ai dit à Provis de se cramponner et j'ai brusquement ôté le pied de la pédale. La voiture s'est arrêtée tout net comme si elle avait embouti le château de Cardiff et nous avons entendu le bruit affreux.

— Ça va faire des saloperies sur la malle arrière, observa Provis.

— Que voulez-vous? Oh, il va bientôt faire nuit, personne ne s'en apercevra.

Je rabaissai le pied. Derrière nous, le conducteur de la voiture d'Allelec s'arrêta, pas tant pour porter secours à ses collègues que pour en débarrasser la chaussée et les repousser dans l'ombre. Je fonçai sur la route des docks.

— Guidez-moi, dis-je à Provis.

— Quand vous arriverez aux grilles des docks, vous prendrez un tournant en épingle à cheveux à gauche. Ça monte presque à pic, là tout de suite, et puis après c'est du tout plat jusque dans le centre de la ville.

La colline était très abrupte mais la voiture la gravit sans un frémissement. Le moteur à réaction, ou le turbo-propulseur ou je ne sais quoi, était fantastiquement puissant. Nous avons commencé à voir des gens, de la circulation et j'ai dû reprendre une allure respectable, et la voiture d'Allelec nous recolla au cul.

— Pas de feux de signalisation où nous pourrions le semer? ai-je demandé à Provis.

— Pas à Barry. Pas assez de circulation. Nous sommes des piétons, par chez nous. Regardez tous les magasins de chaussures. Mais tout de suite après le cinéma, là, tournez à droite et foncez au maxi.

Je ralentis donc imperceptiblement pour amener la voiture d'Allelec plus près de mes arrières. Je roulais bien soigneusement très à gauche pour faire croire que j'allais continuer tout droit et puis arrivé au carrefour j'ai braqué d'un coup à droite en écrasant la pédale. Nous avons failli décoller, mais ça a marché. L'autre conducteur a dépassé le carrefour et nous étions libres. Devant moi il y avait de nouveau une côte raide. Je passai deux ou trois croisements à une allure dangereuse et la voiture escalada tout ça comme une Caravelle.

— En haut, dit Provis, tounez à gauche et redescendez vite la colline suivante.

Quand nous avons atteint le sommet, la voiture d'Allelec était de nouveau en vue, mais très, très loin, et nous avions réussi. Bientôt, nous retrouvions l'artère principale, les docks noirs sur notre gauche, les boutiques éclairées sur notre droite, et rien qu'un vieux car vert derrière nous. Et Provis me guida à travers la ville.

28

— SI vous appuyez un peu sur le champignon, dit Provis, nous aurons le temps de prendre un verre ou deux dans un club plaisant à Cowbridge. Il faut mettre le cap à l'ouest. Ils vont nous chercher vers Cardiff.

— En attendant, faites un peu descendre ce foutu canon du toit, répliquai-je.

Je filai dans les tristes quartiers ouest de Barry et autour des maisons. Comme presque partout, un dingue quelconque avait tracé les routes à sa façon. Elles étaient si sûres qu'il était pratiquement impossible de conduire. Toutes les bonnes routes larges avaient été rétrécies aux virages avec des espèces de jetées de brique bucoliques et seuls les géraniums « rouge malade » m'empêchaient de nous envoyer dans le décor à chaque tournant. Les routes étaient boursouflées de petits dégagements, aussi, comme des furoncles sur la nuque d'un écolier, dessinés pour le rayon de braquage d'un taxi londonien ou des jeeps japonaises. Et toute la ville était vérolée de propriétés municipales et d'impasses étroites appelées Churchill Close ou Attlee Avenue. Mais nous avons fini par nous en sortir, sans yeux sournois dans notre dos, et nous avons débouché dans ce que Provis appelait un joli coin de paysage, les petits abords du vallon de Glamorgan, pleins, disait-il, de trèfle juteux, de vaches grasses et d'abeilles bourdonnantes.

— On croirait entendre une des histoires de votre père, bougonnai-je et je me mis à rêver d'un grand verre plein de glace, de quatre mesures de whisky et de soda à ras bord.

— Est-ce qu'on trouvera à manger dans votre pub? demandai-je.

— Du pain, du fromage, des oignons au vinaigre faits à la maison, et de la bière.

J'accélérai. J'aime bien la cuisine de pub. Le grand palais du gin, là-haut, à Swiss Cottage, servait dans le temps les plus délicieux Welshrabbits de Londres, et le Wellington, au Strand, coupe des tranches de jambon plus épaisses qu'une femme de paysan. Le Windrush, de Witney, vous sert des œufs écossais gros comme des balles de cricket et à l'auberge d'Amberley, tout en haut au-dessus de Woodchester Priory, le cuisinier apporte à une heure des anneaux d'oignons frits dans du beurre, aussi légers et dorés que les portes du Paradis.

Mais on ne peut pas tout avoir, et nous n'avons jamais atteint les oignons au vinaigre de Cowbridge. Très haut au-dessus de notre destination, le long de la Windy Ridge, à en croire Provis, je me suis trouvé en sandwich entre deux voitures d'Allelec. Elles ont surgi de la nuit noire, une de chaque côté, et le premier soupçon que j'ai eu de leur présence, ce fut le brusque éblouissement déconcertant de leurs phares, allumés au moment où elles m'encadraient.

— Nom de Dieu, jura Provis, comment qu'ils nous ont retrouvés, les fumiers?

Mais j'étais trop occupé par ma conduite pour m'en soucier. Le volant se faisait rétif tandis que les deux conducteurs se renvoyaient notre bagnole comme une balle de tennis. N'importe quelle voiture ordinaire se serait désintégrée au bout de dix mètres, avec le traitement que nous subissions.

Les voitures essayaient de prendre une encolure d'avance pour me contraindre à m'arrêter en me prenant en tenaille et j'arrivais tout juste à me maintenir à hauteur de mes problèmes, tant que je restais entre eux et que la route était droite et dégagée. Nous avons fait deux, trois kilomètres comme ça. Provis avait sorti son canon du toit, mais il avait dû renoncer à tripoter le manche à balai. Les voitures étaient trop près de nous. Il se cramponnait, jurait tout bas et réclamait mon pistolet, mais j'étais trop occupé. Devant nous, dans la lumière de six phares puissants, la route était illuminée comme en plein midi.

Et au loin j'aperçus un rétrécissement de la chaussée entre deux murs de pierre qui avançaient. Ils le virent aussi. Le conducteur côté fossé ralentit pour permettre à son copain de faire une queue de poisson qui m'expédierait dans le mur. Mais il ralentit un peu trop, et un peu trop tôt, et les quelques mètres de route qu'il me laissa me permirent de me libérer de son collègue. J'accélérai divinement sur la chaussée plus étroite. J'aurais pu retarder la manœuvre d'une fraction de seconde, sans doute, et j'aurais pu en expédier un dans le mur, mais nous n'étions pas au cinéma, je n'étais pas un cascadeur et de toute manière on n'avait pas répété. Alors ils sont tous deux restés à mes trousses.

La route plongeait sur Cowbridge, et nous avons tous traversé en trombe la large rue principale. Je contournai le derrière d'une auto, passai presque sous les roues d'un car et gravis la côte de la sortie de la ville dans un grand concert de cris et de coups de klaxon.

De nouveau sur la hauteur, je m'appliquai à semer mes poursuivants. Provis me racontait où nous étions, et vers quoi nous roulions, et comment me débarrasser de notre filature, mais il aurait pu s'épargner cette peine. J'avais pris cent mètres d'avance quand nos phares illuminèrent un énorme poids lourd arrêté en travers de la route, beaucoup trop près de nous. J'ôtai mon pied de la pédale comme si c'était un charbon ardent mais la route était lisse comme une patinoire et nous glissâmes toutes roues bloquées pour aller proprement piquer du nez dans le camion.

— Dehors et par-dessus la haie, criai-je à tout hasard.

Un foutu hasard? Nous avons sauté en plein dans les bras d'une escouade d'uniformes noirs qui nous ont enlacé avec ce que je pris pour de la ferveur celte fétide. Quand j'ai repris connaissance, cependant, j'ai compris mon erreur. Nous avions été enlacés avec une grande satisfaction teutonne.

Nous avons exécuté notre numéro, naturellement, et pendant une joyeuse minute ou deux Provis et moi, dos à dos, avons étendu quelques ennemis. Mais la vie, hélas, n'est pas faite de cow-boys et d'Indiens, et à la troisième minute nous étions à terre et quand les uniformes noirs ont fait entrer les godillots dans la danse, nous étions liquidés. J'ai commencé à me désintéresser des événements.

29

QUAND je me suis réveillé, tout était noir. J'étais couché sur le dos, sur un sol mouvant et dur, et je roulais douloureusement contre un godillot. Il me flanqua un coup.

— *Gestookenderangslischerunffastenheimen,* fit une voix, je crois.

Puis une lumière jaillit et pendant qu'on allumait une écœurante cigarette étrangère, j'aperçus, entre d'épaisses jambes noires, un cercle d'épaisses figures nordiques. Avant que la flamme s'éteigne, l'une d'elles se pencha et me regarda. Je fus heureux de voir qu'elle était fraîchement meurtrie et enflait rapidement. Elle dit quelque chose de déplaisant en allemand.

— *God save the queen,* répondis-je.

Le même godillot entra en action, cette fois plus personnellement, aussi jugeai-je plus sage de me taire; je fermai les yeux et j'écoutai le vrombissement du moteur. Si on se trouve aveuglé, à l'arrière d'un camion, ça passe le temps d'essayer de deviner le trajet, aux changements de régime du moteur, aux changements de vitesse et de direction que l'on sent à travers le plancher. Si on sait d'où on est parti, bien sûr.

Pendant un moment, nous sommes montés et descendus, nous avons viré dans des tournants assez larges. Nous aurions pu nous trouver n'importe où dans ce vicieux pays de Galles du Sud. Et puis nous avons ralenti et le camion s'est mis à serpenter dans un tas de petits dégagements et j'ai compris que nous traversions Barry. Ce n'était qu'un jeu, naturellement, et j'aurais pu deviner juste en deux réponses. Où bien on nous ramenait aux Bendricks ou bien on nous livrait tout droit dans la gueule du lion à Castell Coch. Et puis je me suis rappelé que je n'étais pas seul.

— Provis? soufflai-je.

— Aïe! fit-il, et moi aussi.

Les pieds allemands sont durs.

Enfin des grilles claquèrent, des voix marmonnèrent, des changements de vitesse grincèrent. Nous nous sommes arrêtés brusquement devant le ridicule repaire gothique de Llewellyn. Des mains dures m'empoignèrent et me jetèrent sur le gravier. Provis atterrit sur mon dos. Il roula à terre et je voulus me relever mais une botte posée sur ma nuque m'en empêchait. D'autres mains me saisirent et me mirent debout. Une volée de crachats allemands m'apprit que j'allais être passé à tabac. Deux des types me maintenaient debout et celui à la figure meurtrie reculait pour prendre son élan et se pourléchait.

— Allons, allons, fridolin, fit une voix. Fais ça gentiment.

Fridolin claqua les talons et recula, déçu.

— Gentiment, répéta Tonypandy Williams. Comme ça.

Et d'un revers de main il faillit me décapiter.

— *Yakee da*, dis-je quand les harpes eurent cessé de jouer.

— Ça, c'est un garçon costaud, dit Tonypandy. Faut

toujours qu'il réponde, pas vrai? On verra ça plus tard.

Il fit signe aux affreux qui me tenaient debout et aux autres qui maintenaient Provis, et ils nous firent gravir le perron et franchir la grande porte cloutée du hall. Les armures brandissaient toujours leurs torchères électriques et les étendards poussiéreux pendaient toujours dans les ténèbres du plafond voûté. Je songeai qu'il y avait tout juste vingt-quatre heures que je m'étais glissé là-dedans pour écouter aux portes. Il me semblait qu'il y avait des semaines.

— Cinq années sans toi, dis-je à Tonypandy, passent comme cinq minutes.

— Qu'est-ce que tu racontes là, boyo? gronda-t-il.

— Cinq minutes sans toi, c'est long comme cinq années.

— Nelson Eddy, lança Provis de l'autre bout du hall. A Jeannette MacDonald.

— Bitter Sweet? demandai-je.

— Rosalie plutôt, dit Provis. Je crois.

— Nom de Dieu, tonna Tonypandy, je m'en vais vous avoir tous les deux. Bon Dieu, oui!

Mais il ne frappa point. Il y avait peut-être un règlement intérieur interdisant la bagarre.

S'il y en avait un, Provis n'y songea pas. Tonypandy aurait dû mettre plus de deux malfrats pour le maintenir. Soudain, l'un d'eux vola dans les airs et alla piquer du nez dans une armure. L'autre prit le coude de Provis dans le ventre et le pied de Provis dans la figure.

— La porte est ouverte, me dit-il. Servez-vous.

— Bonne idée, dis-je et je me cassai brusquement en deux pour me libérer de mes deux gardiens.

Je me redressai derrière eux et leur cognai leurs deux crânes l'un contre l'autre. Mais les têtes allemandes sont dures aussi. L'un d'eux s'écroula mais l'autre resta debout, claqua des talons et avança. Alors je lui fis un pas de l'oie bien proprement dans l'entrejambe et il n'en resta plus qu'un. Mais cet un était Tonypandy Williams et il avait eu tout le temps de pointer son index, et avec lui, naturellement, son petit pétard argenté à aiguilles.

— Je m'en occupe, dit Provis. Tirez-vous de là.

Je sortis donc d'un bond qui m'amena dans les bras du reste de la troupe qui attendait sagement en formation par quatre, sur le gravier.

Quand ils m'ont ramené dans la maison, Provis était couché par terre et les deux gros-bras qu'il avait malmenés lui bavaient dessus.

— Emporte-le, fridolin, dit Williams. Laisse-moi celui-là.

Les Allemands hissèrent Provis sur ses pieds. L'un deux vociféra un flot de baragouin méchant et râpeux.

— Non, non, non, fridolin, protesta Williams. Parle correctement, tu veux?

— Nous tuerons cet Anglais porc, dit l'Allemand dans un anglais approximatif mais sincère.

— Non pas question, *boyo,* répliqua Williams. Faites ce que vous voulez, mais ne le tuez pas, pas tant que je vous en donne pas l'ordre.

L'Allemand grogna. Mais il claqua les talons, essuya le sang sur ses yeux et traîna Provis par la porte et loin de moi.

Je commençais à me rendre compte qu'il y avait un peu plus de monde dans le secteur. Au fond du hall, une porte s'était ouverte et la vive lumière de l'autre pièce dessinait en contre-jour une foule de têtes, qui se tendaient pour voir d'où venait tout ce bruit. Un des malfrats remettait une armure sur ses pieds et nettoyait les dégâts que nous avions causés. Du fond du hall montaient des murmures interrogateurs. Et puis la silhouette gracieuse et efflanquée de Ball le génie avança nonchalamment.

— Que se passe-t-il, Williams? dit-il. J'avais donné

des ordres pour qu'aucun bruit ne vienne troubler ma conférence et voilà que vous faites autant de fracas qu'un distributeur isotonique dont l'amortisseur est déphasé.

— Mande pardon, monsieur, dit Williams. Nous avons eu des ennuis, vous voyez, avec ces mouchards que vous aviez en bas.

Ball s'avança et m'examina de plus près.

— Où est l'autre? demanda-t-il.

— Je l'ai donné aux fridolins, dit Williams. Ils le ramènent aux Bendricks.

— Pourront-ils le garder, cette fois?

— Oh oui. Cette fois, ils le garderont. Il va pas se sentir si gaillard à présent, que non.

— Bien, dit Ball. Vous feriez bien de garder celui-là en bon état pour lord Llewellyn.

— Pour le moment seulement, j'espère, monsieur, dit Williams. Après, j'aimerais bien l'avoir pour moi, si c'était possible.

— Nous verrons ça. Pour le moment, en attendant l'arrivée de M. Fluck, je vous conseille de l'amener à M. Sullivan.

Ball se tourna vers le groupe au fond du hall. Il y avait six à huit personnes, presque toutes avec un verre à la main.

— Je suis navré de cet incident, dit Ball. Il semblerait que Williams a surpris deux maraudeurs. C'est tout à fait désolant que chez nous, ici dans notre fief si j'ose dire, nous ne soyons pas à l'abri de l'élément criminel anglais. Et nous ne saurions être trop prudents, bien entendu. La collection de lord Llewellyn comme vous le savez est inestimable, inestimable. Mais maintenant, pendant que Williams va remettre ces individus entre les mains de la police, nous allons pouvoir poursuivre nos affaires.

Il se mit à pousser son troupeau dans la pièce du fond et, sur un signe de tête de Williams, mes gros-bras me poussèrent dans le hall vers l'escalier. Ball émettait des caquettements rassurants et ses ouailles se retournèrent pour me dévisager. La silhouette aux longues jambes et à la taille fine qui m'irritait la mémoire depuis quelques instants devint Angie Thomas, la belle secrétaire de Schneider au siège d'Allelec. J'aurais dû m'attendre à la voir là, naturellement, mais j'eus quand même un choc de la trouver soudain en plein milieu du nœud de vipères. Peut-être faisait-elle partie de la bande. Je touchais mentalement du bois en espérant que non.

Elle sursauta en me reconnaissant et s'apprêta, je crois, à dire quelque chose. Je me détournai vivement. Quand je risquai un coup d'œil par-dessus mon épaule, elle s'était ressaisie et me considérait avec une curiosité froide et indifférente que j'espérais feinte.

En montant au premier, je n'ai pas arrêté de discuter avec moi-même. Et j'ai gagné. Elle était bien trop sensationnelle pour être mêlée à quoi que ce soit dans les sombres affaires de Llewellyn. Elle avait les jambes trop longues et les cheveux trop brillants, pour être dans le camp des méchants. J'espérais...

30

WILLIAMS nous guida, moi et mes ombres, tout autour de la galerie du premier étage. Elle était large et luxueusement meublée, le gothique de fantaisie ayant été réservé au hall, pour créer une première impression. Les murs étaient ornés de quelques millions de livres de l'inestimable collection de Llewellyn, et il y avait là tous les tableaux que je m'étais attendu à voir au siège d'Allelec l'avant-veille, toutes les chairs merveilleuses du grand maître gallois Rubens, des pommes galloises bien rondes par ce bon vieux Dai Cezanne, et les sombres forêts étrangères de Dewi Breughel.

Puis ils me poussèrent par une porte et dans un fauteuil. Williams se posta derrière moi, le petit museau froid de son pistolet me piquant la nuque.

— Vous pouvez ranger ça, lui dis-je. Après avoir tabassé depuis Cowbridge jusqu'ici, j'ai besoin de me reposer un brin, et je veux faire ça gentiment.

— C'est-y que vous vous moquez de moi, hein? cria-t-il en s'apprêtant à contourner mon siège.

— Laissez-le donc pour le moment, Williams, fit une voix au fond de la pièce.

C'était Sullivan, assis derrière un grand bureau nu.
Il se leva et s'approcha.

— Brock, n'est-ce pas? dit-il.

— C'est ça. Nous avons fait connaissance cet après-
midi, quand vous m'avez arrêté.

— Je me souviens... Je vous attendais. (Il me paraissait affable.) Que diable alliez-vous faire à Cowbridge?

— Manger du pain et du fromage. Et boire un grand
coup.

— Je vois. Nous nous posions la question. Nous vous
avons suivis à la trace, naturellement, sans vous quitter
un seul instant. Toutes nos voitures sont équipées de
blips, de signaux électroniques.

— Suis-je sot, dis-je.

— Ce n'est pas grave, petit. Ce sera la dernière fois.
Et maintenant, venons-en au fait, hein? Que faisiez-vous
au juste aux Bendricks, ce grand gorille et vous?

— Nous vous l'avons dit, répondis-je histoire de dire
quelque chose. Nous cherchions un bon sujet de reportage photographique.

— De la couille, dit aimablement Sullivan. Entre nous,
je vous avoue que depuis l'heure du thé vous vous êtes
payé une belle débauche d'hommes et de mécaniques.
Pour moi, ça représente un tas de paperasseries, et vous
allez naturellement être puni.

Il sourit joyeusement, à moi d'abord puis à Williams
derrière moi, puis il se dirigea vers une haute armoire
élancée, encore une pièce de collection inestimable. Il
tourna la clef, ouvrit la porte et resta devant un moment,
à contempler ce que le meuble pouvait contenir.

— M. Ball a dit de le garder en bon état, monsieur,
intervint Williams. Pour lord Llewellyn qui veut lui parler.

— Très bien, Williams. Et j'imagine que vous vou-
driez aussi l'avoir en état pour vous, hein?

— Si c'était possible, monsieur.

— Très bien. Il vous intéresse personnellement, je suppose?

— Oui, monsieur. Il a bien failli me tuer hier.

— Il paraît. Dans un pub de Londres, n'est-ce pas? Voilà ce que c'est que de fréquenter les mauvais lieux, Williams.

Sullivan parut prendre une décision; il prit quelque chose dans l'armoire et revint se planter devant moi, les mains derrière le dos.

— Avant la guerre, dit-il, j'étais maître d'école. J'ai dû abandonner. Même dans un grand collège, voyez-vous, au bout de trois ou quatre ans on a vu défiler tous les types de garçons possibles. Plus de nouveauté ensuite, comprenez-vous. Alors je suis entré dans la sécurité. On est mieux payé, bien sûr, et à la longue les horizons deviennent plus vastes, mais on garde tout de même la nostalgie du bon vieux temps. (Il se balançait légèrement, l'air rêveur.) Oui, je songe bien souvent à ces jours d'autrefois.

Il ramena ses mains de derrière son dos, et avec elles une fine verge de maître d'école. Il resta là un moment, à se balancer en souriant, pris par ses souvenirs et courbant la mince canne entre ses mains.

— Allons-y, Williams, dit-il enfin.

Williams fit signe aux deux costauds qui se tenaient silencieusement au garde-à-vous près de la porte. Ils m'empoignèrent et me jetèrent en travers du grand bureau de Sullivan. Ce dernier fronça les sourcils.

— Allons, allons. Baissez le pantalon de ce garçon, voyons.

Ils me remirent debout et me tirèrent le pantalon jusqu'aux chevilles.

— Et alors? s'impatienta Sullivan. Son joli petit caleçon aussi, je vous prie.

Ils me remirent à plat ventre sur le bureau. L'un d'eux me tenait les bras, l'autre les jambes.

— Ça va vous faire plus de mal à vous qu'à moi, dis-je au bureau gainé de cuir vert sous mon nez.

— C'est amusant, cela, me répliqua Sullivan. Je n'en ai jamais souffert. C'est peut-être pour ça que je ne suis jamais devenu un bon professeur.

Sur quoi la canne siffla et s'abattit. Et je la retrouvais, la vieille sensation, encore toute fraîche après un quart de siècle en cale sèche. La longue, longue seconde où l'on commence à penser que ça ne va pas faire mal du tout. Et puis la brusque douleur intolérable qui vous arrache les intestins. Et le grondement dans la tête.

Je fis alors ce que je faisais dans le temps. Je me mordis la lèvre jusqu'au sang et aplatis ma figure sur la surface dure du bureau. Mais ça n'arrangeait rien. Il me gratifia d'une bonne douzaine de coups espacés, adroitement entrecroisés. Je pris la résolution de le tuer.

— Mettez-le debout, dit-il.

Les brutes me mirent debout. J'essayai de cligner des yeux pour chasser les larmes. J'essayai aussi de sauter sur Sullivan mais mon pantalon me ligotait les chevilles et les costauds me tordaient les bras dans le dos. Sullivan souriait toujours; il y avait un soupçon de bave sur sa lèvre inférieure.

— Vous êtes un garçon courageux, dit-il. Et maintenant vous allez être bien sage et me dire ce que je veux savoir.

— Allez vous faire mettre, dis-je entre mes larmes.

— Williams, remettez-le en place, ordonna-t-il joyeusement. Voilà qui est bien. Je crains d'être obligé de lui en donner encore une douzaine.

— M. Ball a dit...

— Pardon? Ah oui. Oui, oui. Ma foi, vous avez peut-être raison. Nous devons le laisser en bon état pour le directeur. (Il se tourna vers moi.) Tâchez de profiter de la leçon, mon garçon. Et maintenant, remontez immédiatement votre pantalon.

Il me regarda faire, puis il remit à regret sa canne à Williams. Dès qu'elle ne fut plus dans sa main, il revint brusquement et très visiblement des heureux jours du joyeux passé fouetteur dans le présent pénible des claquements de talon.

— Très bien, Williams. Arrangez-le un peu et rangez-le en haut jusqu'à ce qu'on le demande. Et dites à Keiller et à cette autre ordure de se tenir prêts. Le chef voudra peut-être le faire adoucir. (Williams ouvrit la bouche.) Non, j'ai besoin de vous aux Bendricks avec moi. Ils vous en laisseront un morceau, n'ayez crainte. (Il me regarda et sourit.) A moins qu'ils ne soient plus en forme.

Williams se tourna vers les deux Allemands.

— Alors, vous deux? Vous avez entendu M. Sullivan. Et que ça saute, foutus fridolins!

Il suivit Sullivan dans le couloir. Les deux Allemands avaient dégainé leur pistolet. Ils me firent signe de sortir et me poussèrent dans la galerie et dans un autre escalier. De la musique montait du rez-de-chaussée, mais il n'y avait pas d'autre signe de vie.

Dans la seconde galerie, ils ouvrirent une lourde porte et me poussèrent à coups de pied. Puis ils claquèrent la porte et la fermèrent à clef. Il faisait très sombre, mais bien qu'ils m'aient tâté pour voir si j'étais armé ils m'avaient laissé mon briquet. C'était un briquet ordinaire, pas un des Ronson magiques de films d'espionnage, mais il me permit tout de même de trouver le bouton de l'électricité. Je contemplai ma prison. Llewellyn traitait admirablement ses prisonniers, pas de doute. Il n'y avait pas de robinet à eau glacée, et pas de fenêtres du tout, mais à part ça j'aurais pu être enfermé dans une chambre du London Hilton avec vue sur Buckingham.

Le matelas était un bon Dunlopillo anglais et il y avait un grand lavabo aérodynamique bleu. Puis je rendis grâces au Seigneur, car là devant moi, le goulot à portée de ma main, se trouvait une bouteille de whisky pleine, un siphon et deux beaux verres en cristal taillé. Je procédai alors par ordre. Je me déshabillai et rangeai soigneusement mes vêtements dans la grande penderie de bois blond. J'étalai une serviette par terre et m'aspergeai soigneusement d'eau froide. Puis je versai une très solide rasade de whisky, que je posai à côté du lit. Et je m'allongeai avec précaution, mais sans pouvoir réprimer un cri de douleur en posant mes fesses.

Je bus mon whisky, je m'en versai un autre, je le bus aussi et tombai aussitôt dans un profond sommeil.

Et puis je me réveillai. J'avais dormi quelques secondes ou plusieurs heures, mais en tout cas assez pour avoir fait de doux rêves. En ouvrant les yeux, je me dis que ce que l'on raconte des rêves est sans doute vrai. Ils se déroulent tous dans la fraction de seconde avant le réveil.

Angie était dans la chambre. Ce qui m'avait réveillé, c'était le frôlement de sa main sur mon corps nu quand elle m'avait recouvert avec la courtepointe.

31

ELLE était vêtue d'une chemise de nuit blanche et d'un déshabillé drapé, tout ce qu'il y a de plus grec.

— Il va vous arriver de drôles de choses sur le chemin de l'Acropole, lui dis-je.

Elle posa un doigt sur mes lèvres. Mais elle ne sourit pas. Elle me regarda, simplement. Et au bout d'un moment, elle chuchota :

— C'est vrai?

— C'est vrai, quoi?

— Que vous êtes venu ici pour voler le Giotto de Llewellyn pour le compte d'un collectionneur américain?

— C'est ça qu'on vous a raconté?

— Oui. Ils ont dit que vous aviez déjà essayé et que cette fois ils vous attendaient.

— Non, dis-je. Ce n'est pas vrai.

— Mais ils savent votre nom!

— Je le leur ai dit.

— Vous fouiniez partout, à Londres.

— Vous leur avez dit que vous me connaissiez?

— Non, dit-elle. Pas encore.

Elle continuait de m'examiner, comme si elle hésitait. Je commençais à me sentir mal à l'aise. Son regard droit était aussi troublant que ses longues jambes. Je remontai la courtepointe un peu plus haut sur ma poitrine nue, mais ça ne me rendit pas mon assurance.

— Vous êtes un voleur? demanda encore une fois Angie.

— Non.

Elle se décida enfin.

— Bon, très bien. Dites-moi de quoi il s'agit.

— Je ne peux pas.

— Je vous le conseille pourtant!

— Non. D'abord parce que je n'en sais trop rien moi-même, et ensuite, enfin, peu importe.

— Ensuite quoi?

— Pour l'amour de Dieu! Vous pourriez faire partie de la bande. Comment diable voulez-vous que je le sache?

Cela la mit en colère.

— Vous feriez bien de prendre une décision dans votre petite tête publicitaire, me déclara-t-elle dans un chuchotement destiné à me figer sur place.

Mais j'étais un homme ordinaire, et je brûlais comme un homme ordinaire devant un si magnifique brin de fille en colère.

— Tudieu! dis-je dans l'espoir de retrouver mon équilibre. L'ire sied à votre chaste beauté.

— Quoi?

— C'est du Charlston Heston signifiant : mince vous êtes drôlement mignonne quand vous êtes en colère.

— Cessez de faire l'idiot, et dites-moi ce que c'est que cette histoire. Je ne crois pas que vous soyez un voleur et je ne me suis pas faufilée ici en séduisant cet affreux Allemand pour jouer à des petits jeux. Et dépêchez-vous. Il va revenir d'une minute à l'autre.

— Bien.

176

C'était à mon tour de me décider. Dans les limites de la sagesse, cependant. Je passai rapidement sur les raisons que j'avais de fouiner un peu partout et insistai plutôt sur le traitement qu'on m'avait fait subir à Londres et l'étrange contenu du centre des Bendricks.

Elle parut me croire. Mais si je me trompais, et si elle n'était qu'un ravissant sujet du cheptel orgiaque de Llewellyn, je ne lui avais rien révélé que le noble lord ne savait pas. Elle fut d'accord avec moi pour trouver tout cela bizarre. Mais son opinion générale de la situation était qu'il y avait certainement une explication très simple de tout ça, et que j'étais un fieffé imbécile qui s'était fourré dans un pétrin idiot par amour-propre masculin ridicule.

De fait, elle était de nouveau très fâchée contre moi, le tout à voix basse naturellement, quand je changeai de position dans le lit pour me verser encore un whisky. Ma fessée se rappela à mon bon souvenir et me fit grimacer.

— Qu'est-ce que vous avez? chuchota-t-elle.

— Rien. Je suis ankylosé, c'est tout.

Mais elle me retourna busquement et rabattit la courtepointe sur mes fesses. Les femmes ne sont pas du tout comme nous, c'est un fait. Toute mon abominable histoire de retraite mystérieuse et d'armée secrète allemande et de voitures blindées et de passages à tabac l'avait laissée froide. Mais le spectacle de mes douze coups de canne au bas des reins lui fit aussitôt renverser la vapeur et elle crut tout ce que j'avais raconté.

— En quoi est-ce que cela prouve quoi que ce soit? lui demandai-je.

— J'ai horreur des sadiques. Qui a fait ça?

— Sullivan. C'est le chef des services de sécurité, ici.

— Je le connais. Il veut m'emmener à Cardiff demain.

— Eh bien, je vous conseille de glisser un livre d'école dans votre fond de culotte.

— J'ai horreur de la vulgarité, aussi. Comment puis-je vous aider?

Elle me prenait un peu de court. J'avais besoin d'aide comme un type perdu dans le Sahara a besoin d'eau, mais je n'étais pas encore sûr d'elle. Alors au lieu de lui donner le numéro du Gros à Addison Road, je lui ai dit d'essayer de joindre le commissaire Reece, le petit bourdon gallois de Cardiff. Si elle faisait partie de la bande à Llewellyn, ils n'obtiendraient rien de ce côté-là, mais Reece devait pouvoir piger au moins suffisamment pour avertir au moins le central du S. X. Elle m'a promis d'essayer, puis elle a serré sa toge de luxe sur ses rondeurs délectables.

— Buvez quelque chose avant de partir, lui dis-je en tendant la main vers la bouteille.

— Non. Et vous non plus. Vous n'avez pas arrêté de me souffler au nez d'horribles vapeurs de whisky depuis que je suis là.

Mais elle m'embrassa légèrement avant de partir, en plissant délicatement le nez à cause de l'odeur. Je me rappelai alors qu'elle préférait le gin.

Elle glissa vers la porte, la tira sans bruit et passa son joli nez dans l'entrebâillement. Puis elle se tourna vers moi, me sourit et disparut. Quelle merveilleuse fille! Je me rallongeai et m'accordai quelques instants de douce rêverie.

Mais les meilleures choses ont une fin, et je me souvins de Provis, et de ce que les salauds pouvaient être en train de lui faire là-bas. Tout de même, il n'était pas un petit garçon et, comme il me l'avait dit lui-même, il avait trouvé la vie monotone à Cardiff. Et Williams leur avait dit de ne pas le tuer. Alors je le chassai de mon esprit en attendant de pouvoir faire quelque chose pour lui et cherchai à me distraire.

Je me levai et allai essayer la porte. Elle était bien huilée et silencieuse mais dès que je l'eus entrebâillée une grosse main velue jaillit par l'ouverture et me repoussa dans la chambre. Je ne sais pas où j'avais espérer aller, d'ailleurs. Je n'avais rien sur le dos. Alors j'éteignis et me recouchai, et au bout d'un moment je m'endormis.

Un bruit soudain dans le corridor me réveilla. Je m'assis sur mon lit, dans le noir. La porte s'ouvrit brusquement, de la lumière en jaillit et une silhouette vola dans la pièce et vint m'atterrir dessus. Je me tortillai, pris le dessus et la gorge de l'intrus. Je levai une main pour assommer. La porte claqua, et je me retrouvai dans le noir.

Comme ma main descendait de son propre chef, je me rendis compte que la gorge que je serrais était trop douce, ainsi que le corps que j'écrasais de tout mon poids.

— Allumez, fit une voix.

Sans lâcher le corps — mais un certain plaisir se mêlait aux précautions — j'allumai. Et je découvris que j'étais couché sur Angie. Je tendis le bras pour éteindre, mais je m'aperçus qu'elle portait des traces de coups et que le joli péplum était déchiré. Je la libérai aussitôt.

— Qu'est-il arrivé? demandai-je.

Elle se frotta le cou.

— Ils m'ont vue sortir d'ici et ils ont attendu le moment où je commençais à téléphoner à Cardiff.

— Ils vous ont fait mal?

— Pas trop. Je me suis débattue. Sullivan leur a dit de me porter dans sa chambre mais un autre individu, un nouveau, aux cheveux dorés, leur a donné l'ordre de m'enfermer avec vous. Le gardien a été un peu brutal en chemin, c'est tout.

— Il est là, dehors, en ce moment?

— Je suppose.

Je regardai la longue meurtrissure sur son cou et l'égratignure rouge qui suivait la déchirure de son déshabillé jusqu'à la poitrine. J'allai à la porte et tambourinai du poing.

Au bout d'un moment elle s'ouvrit et une grande brute se planta devant moi. Je lui débitai mes grossièretés. Et puis je réitérai en allemand. Son pistolet se braqua. Je fis un pas de côté, fis tomber l'arme d'un coup de tranchant de la main et envoyai mon poing dans la gueule du type. Mais il y en avait deux autres. L'un deux posa son pied sur mon estomac et, avec une indifférence humiliante, me repoussa jusqu'au milieu de la chambre. La porte claqua derechef et la clef tourna dans la serrure avec un bruit de point final.

— Espèce de fou furieux grotesque, me dit Angie, du lit. A quoi ça vous a servi?

— Simple satisfaction personnelle, dis-je, et je mouillai un coin de la serviette pour aller bassiner ses bleus.

Ses cheveux étaient décoiffés, aussi, et j'allai chercher mon peigne dans le placard. Il était dans ma veste, ce qui me rappela que j'étais nu comme un ver. Et cela me rappela autre chose; ce n'est pas vrai ce qu'on dit des nudistes. Alors je couvris mon embarras avec la serviette et nouai le coin mouillé à ma taille.

Elle m'observait avec une lueur d'amusement dans ses yeux qui tempérait l'inquiétude. Il n'y avait pas de panique, là, ni de crainte. Quelle fille merveilleuse! Elle avait arrangé ses beaux cheveux noirs lustrés et, en dépit des plaies et bosses, elle était maintenant aussi fraîche et pulpeuse qu'une pin up de bonne famille. La déchirure de son déshabillé avait même du chic.

— Et maintenant? dit-elle.

— Rien. Nous attendons. Nous marcherons au pifomètre quand il y aura un chemin à faire. Quelle heure est-il?

— Quatre heures, par là.

— Alors nous essayons de dormir. Il ne se passera rien avant le matin.

— Très bien, dit-elle. Je vais essayer. Bonne nuit.

Elle se tourna et se glissa entre les draps.

— Eteignez, voulez-vous? demanda-t-elle.

— Il n'y a qu'un lit, fis-je observer.

— Fauteuil.

— Trop petit.

— Tapis.

— Trop gratouilleux.

— Ah, et puis après tout...

Mais elle le dit seulement une fois que je m'étais glissé entre les draps moi aussi.

Je m'étendis, ne bougeai plus et respirai régulièrement, et au bout d'un moment je crus qu'elle dormait. Mais elle murmura :

— Cette serviette est humide. Otez-la. Vous allez attraper du rhumatisme.

Et ce furent les dernières paroles intelligibles de la nuit.

32

CELA arrive peut-être souvent. Mais j'en doute. On s'endort nouveaux amants et on se réveille vieux amis. Quoi qu'il en soit, les choses étant ce qu'elles sont, toutes choses égales d'ailleurs et tout bien pesé, l'un dans l'autre, les cheveux coupés en quatre et les points mis sur les i, voici comment nous nous sommes réveillés. J'ai allumé, je l'ai regardée et je l'ai embrassée. Ma montre était dans ma poche dans la penderie et il n'y avait pas de fenêtres mais j'avais la sensation que le soleil matinal inondait la chambre et que des rideaux de tulle voletaient à la brise. Elle ouvrit les yeux et me sourit.

— Bonjour, souffla-t-elle.

Nous avons passé un long moment délicieux à faire notre toilette.

Et puis une clef tourna dans la serrure et la porte s'ouvrit. Angie se drapa dans son déshabillé et je me postai, mouillé et ruisselant, comme un pingouin roi résolu à protéger sa moitié. Et pour la première fois de ma vie, ma résolution était parfaitement sincère. Tout cela en vain.

Tonypandy Williams, entra, une espèce de sourire dérangeant les vallonnements de sa figure. Il resta près de la porte tandis qu'un de ses séides posait bruyamment un plateau chargé sur la coiffeuse, et que l'autre jetait une valise sur le lit. Il y avait deux autres brutes dans le couloir, braquant les petits pistolets pointus et, en dépit du sourire illuminant sa sale gueule, Williams caressait tendrement une grosse matraque noire.

Il avait de petits yeux en boutons de bottine, deux petits éclats de ces cailloux qu'on mélangeait au charbon, dans le temps. Quand ils se posèrent sur Angie, ils rougeoyèrent. Quand ils me regardèrent, ils ricanèrent.

— Eh bien, donc, vous voilà tout comme un grand, dit-il. J'espère que vous avez profité de la situation. La dernière chance, pas vrai?

Il attendit, dans l'espoir que je ferais un geste. Mais je ne pouvais rien faire. Je suis resté planté là, l'air passablement idiot. Il désigna le plateau.

— Un solide petit déjeuner. Pareil comme ils ont en bas, tout ça, avec les compliments de notre maître.

Je ramassai la serviette par terre et l'enroulai autour de moi.

— C'est quand même mieux, dit Williams. Plus respectable, vous avez l'air, comme ça. Faut pas faire peur aux dames, hein?

Il fit signe à ses hommes de sortir et les suivit. Mais sur le seuil il se retourna.

— Profitez-en bien tous les deux. Il est plus tard que vous le pensez, c'est sûr. Lord Llewellyn en personne va vouloir vous voir quand il sera prêt, alors arrangez-vous un peu, quand même.

Et la porte se referma.

Angie se redressa sur le lit.

— Pouah, dit-elle. Il me fait peur.

— Vous connaissez Llewellyn?

— Je ne l'ai jamais vu que de loin. Et sa photo dans les journaux, naturellement. On dit qu'il ne veut pas de femmes autour de lui.

— C'est loin d'être vrai.

— Quand il travaille, je veux dire. A votre idée, que se passe-t-il ici?

— Dieu seul le sait. Ou sa grosse tête de Gallois ne tourne pas rond du tout, ou il joue un très, très gros jeu.

— Ou les deux à la fois.

— Oui. Ou les deux. Et s'il est devenu fou, il peut provoquer un sacré foutu chaos.

— Allez! Je sais qu'Allelec est important mais tout ne dépend pas que de lui. Comme le dit tout le temps Schneider, personne n'est indispensable. Ça ne tombera pas en morceaux, vous savez. Et quand bien même. Il ne fabrique jamais que des séchoirs à cheveux, des trucs comme ça.

— Il fabrique beaucoup d'autres choses. Et il est incontestable que les gens ont la fâcheuse habitude de se faire tuer autour de lui.

— Ridicule! Ça se saurait.

— Moi, je le sais.

— Comment?

Alors je lui dis tout, le Gros, le groupe d'Addison Road, et comment j'avais été lancé sur les traces de Llewellyn.

— Eh bien! Un agent secret! Vous vous moquez de moi?

— Ecoutez, vous êtes la fille la plus sensationnelle que j'ai jamais connue, et je suis amoureux de vous comme je ne l'ai jamais été.

— Ça, je veux bien l'accepter.

— Bien. Mais je vous en prie, n'allez pas trop loin dans la froideur. Vous risquez d'avoir des engelures. Et croyez-moi sur parole, parce que maintenant je commence à le croire moi-même. Llewellyn, fou ou pas, est en train de faire quelque chose d'énorme et d'horrible.

— Quoi, par exemple? Il va appuyer sur un bouton et mettre en panne tous ces séchoirs?

— Ça se peut. Et il en est bien capable. Mais il a dans sa manche bien autre chose qu'Allelec.

Je lui racontai ce que le dossier de Greene m'avait appris, à Addison Road.

— Alors qu'est-ce qu'on fait? demanda-t-elle.

— On s'habille. Et on mange ce solide petit déjeuner. Rectification. On mange ce solide petit déjeuner, et puis on s'habille.

Nous avons donc mangé et bu comme si nous passions un week-end clandestin et adultère au Grand Hôtel de Brighton, avec toute une longue journée de soleil et de plage devant nous.

— Prenez-vous du sucre, madame Smith?

— Non, monsieur Smith, je veux maigrir.

— Je n'en crois pas mes yeux, dis-je.

Elle serra son peignoir autour d'elle pour me démentir, en vain.

La valise jetée sur le lit était la sienne et pendant que je me rasais avec son rasoir miniature elle tripotait des flacons et des boîtes. Il y en avait beaucoup moins que n'en trimbalent la plupart des filles, je fus heureux de le constater, et le résultat était beaucoup plus sensationnel. Mon pantalon était un peu froissé, avec tout ce qu'il avait eu à subir, alors je l'ai étalé bien à plat sous le Dunlopillo et je me suis couché dessus pendant qu'elle brossait ses cheveux et se coiffait soigneusement avec son propre peigne et une bombe de laque parfumée.

C'était un charmant petit tableau domestique, et par là je ne veux pas dire que, tandis qu'elle allait et venait, jambes longues et culotte courte, j'avais l'impression que nous étions mariés depuis des années. Je me sentais simplement d'humeur conjugale.

— Je me demande quand ils viendront nous chercher, dit-elle.

— Llewellyn va peut-être nous inviter à déjeuner. Ou à une réception. Il doit y en avoir une vendredi.

— C'est aujourd'hui.

— C'est vrai. Comme le temps passe.

— Il se traîne un peu, en ce moment.

— Viens là, murmurai-je.

Et elle vint. Quelle fille.

Puis elle acheva de se coiffer et fouilla dans sa valise.

— J'ai un truc blanc, là, dit-elle. Ou du noir.

— Le noir. Nous aurons l'occasion de nous salir avant la fin de la journée. Avec un peu de chance.

Elle enfila donc un chandail de soie noire à col roulé qui la moulait comme une peau, une étroite jupe noire, des bas et de délicats souliers noirs.

— Habillez-vous, dit-elle. Je suis prête à suivre votre pifomètre.

— Faudrait pour ça que vous soyez la môme Caoutchouc...

Mais je me suis habillé et nous nous sommes efforcés de faire passer le temps. Je jouais l'insouciance pour qu'elle ne s'inquiète pas. Ou bien elle jouait l'insouciance pour m'empêcher de m'inquiéter. Quoi qu'il en soit, ça marchait.

Enfin la porte s'ouvrit. Williams et ses tueurs venaient nous chercher. Une horloge sonna douze coups quelque part dans la maison, au moment où ils nous poussaient dans le couloir.

— Par là, dit Williams. Lord Llewellyn vous demande maintenant, n'est-ce pas?

33

J'AI pris la main d'Angie et l'ai serrée, et nous avons marché entre Williams et son équipe. Williams souriait toujours. Je crois. Comme nous longions la galerie, j'ai regardé par-dessus la balustrade. Il n'y avait personne dans le hall. J'aurais pu sauter sans doute, mais aucun cheval ne m'attendait sur les dalles, et d'ailleurs j'étais sans parachute. Alors je me suis contenté de serrer bien fort la main ferme et sèche d'Angie en sifflotant *Bells of Aberdovey*. Le Gallois, comme la vérole, est contagieux.

Nous avons tous descendu l'escalier au pas et en bon ordre, nous avons fait un demi-tour gauche et nous avons marqué le pas devant une porte de cuir rouge, tout comme celle du siège d'Allelec. Celle de Llewellyn, manifestement. Ou alors un ascenseur pour le sein charbonneux d'un paradis gallois méthodiste tout en haut au-dessus des montagnes.

Williams poussa timidement la porte et entra en faisant des courbettes. Puis il revint, dégaina son pistolet, renvoya les sbires et nous poussa par la porte.

Il nous planta au beau milieu d'une immense pièce et se retira dans le fond où il se posta discrètement dans une niche artistique creusée dans le mur.

La pièce était vaste et luxuriante comme le vallon de Llangollen. Nous écrasions la haute laine d'un tapis, face à une longue fenêtre basse qui occupait toute la largeur du mur et mettait à nos pieds toute la ville, avec la frise en dents de scie des formes étranges des Bendricks, les grues et les jetées des docks au-delà et les collines de staff du scenic-railway dans le parc d'attractions de la plage. La fenêtre était ouverte et la brise de mer nous apportait le colossal chuchotement de juke-box de Nat King Cole. Le soleil brillait sur le canal de Bristol, une mouette criait et Llewellyn parla.

— Bonjour, monsieur Brock, dit-il.

Je me détournai de la fenêtre. Llewellyn était assis dans un grand fauteuil sculpté qui avait l'air trop beau pour être vrai, tout au fond de la pièce. Il s'y vautrait avec une admirable aisance, une jambe repliée, le poids portant sur un coude, l'autre poing cramponné au bras du trône faisant remonter comme une colline son épaule massive. Il était aussi colossal que le pauvre Provis.

— Bonjour, dis-je.

— Monsieur, rectifia-t-il. Appelez-moi « monsieur ». Pour le moment.

— Pourquoi pour le moment? Vous vous attendez à monter en grade?

— Et si cela se présentait, mmm? Je doute que vous soyez alors présent pour l'apprécier. Et le conseil que je vous donne, mmm? qui vaut d'être suivi comme tous mes conseils, mmm? est de commencer comme vous serez contraint de continuer. Respectueusement.

Il fit passer son poids formidable sur un autre coude. Cela devait faire à mon avis un transfert de quelque cent quinze kilos mais le trône ne grinça pas. Llewellyn posa son menton sur son poing, à la manière des Césars de Hollywood, et entama un long examen de ma personne. Il paraissait ignorer complètement la présence d'Angie. Ça m'irritait.

J'ai horreur d'être dévisagé, d'abord. Non que cela me déconcerte, je ne pense pas. C'est simplement que si je me suis habitué à vivre avec ma figure burinée, plus ou moins cassée et sous-privilégiée, j'ai aussi appris que, comme presque tout ce que je dois supporter, elle ne tient pas à un examen approfondi. Pas plus d'ailleurs que la figure lisse, soignée et privilégiée de Llewellyn, et mon regard commença de s'égarer, respectueusement.

Derrière lui, occupant toute la hauteur du mur, il y avait un éblouissement, grand comme une affiche de métro. En lettres d'or flamboyantes sur fond vert hurleur on pouvait lire l'impérissable maxime galloise suivante : *Beware of Walys, Criste Jhesu mutt us kepe That it make not our childes childe to wepe.* Ou, plus simplement, comme diraient les Allemands, *Gott mit uns,* Dieu avec nous.

Llewellyn me regarda lire les grands mots dorés. Puis il se retourna pour les admirer lui-même.

— Encore un petit conseil, monsieur Brock, mmm? Mais je crains que vous en preniez connaissance trop tard pour en profiter.

La voix était forte, profonde et musicale, une voix d'un milliard de volts. Tout cela était tout de même plus civilisé que la chambre d'en haut avec Sullivan. Llewellyn poursuivit :

— Comme beaucoup de vos compatriotes insouciants à la vue courte, mmm? vous n'aviez sans doute pas connaissance de ces lignes. Attention aux Galles, le Christ Jésus nous garde afin que les enfants de nos enfants ne pleurent point. Elles ont été écrites il y a plus de cinq cents ans, monsieur Brock, après les victoires d'un de mes grands ancêtres. Owen Glendower, mmm?

Le texte continue, monsieur Brock, par d'autres conseils qui ne furent jamais écoutés!

Il se leva. Je m'étais trompé. Il était plus colossal que le pauvre Provis. Et par-dessus le marché son ridicule trône sculpté était surélevé, et il nous dominait de sa masse comme un Messie bien nourri.

— Des hommes ont eu crainte de cette révolte, tonna-t-il. Prenez garde, car ce que Dieu nous a donné, nous le réclamons.

Pendant quelques instants, il se dressa devant nous, le regard perdu dans le vague, puis il se détendit et se laissa retomber sur son trône. Ça me paraissait moins ridicule, chose curieuse, avec la voix d'airain qui résonnait à mes oreilles. Il retrouva l'arrogance normale du magnat avec laquelle il nous avait accueillis.

— Allons, ces conseils sont pour d'autres, mmm? Vous êtes hors de course.

Je me surpris à hocher la tête affirmativement. Sa curieuse façon de parler, avec ce grognement interrogatif rauque, faisait son effet. C'est un simple truc hypnotique destiné à emporter un auditoire, mais ajouté à la présence physique gigantesque et au regard en rayon de laser, cela faisait un homme réellement formidable. Llewellyn était le prototype du chef avec toutes les vertus du manuel du chef, sans oublier, mes souvenirs du dossier d'Addison Road me le rappelaient, cette faculté d'égoïsme et de confiance en soi fanatique qui séparent les chefs du troupeau. Je me fis une promesse. Plus de hochements de tête.

Je regardai alors autour de moi. Sous la longue fenêtre d'où l'on voyait les toits de Barry, une table cirée était couverte d'objets, de manuscrits et de vieux bouquins de cuir. Llewellyn descendit de son trône et alla à la fenêtre.

— Oui, monsieur Brock. Venez donc voir. Pourquoi pas, mmm? Venez voir l'histoire du pays de Galles.

Je m'approchai de la table. Williams surgit de sa niche mais Llewellyn l'y renvoya aussitôt d'un claquement de doigts et prit un ancien arc, effilé par les siècles. Il le tint délicatement en équilibre, dans une seule main énorme.

— Cet arc, dit-il, a dormi pendant six cents ans dans le mur de pierre d'un cottage du Carmathenshire, déposé là par un archer gallois au retour de Crécy. Et les Gallois ne dormaient pas non plus au jour de Crespin, monsieur Brock. Fluellen, mmm? n'était pas seul.

Je hochai la tête avant de me rappeler que je ne devais pas.

— L'arc était une bonne arme anglaise, dis-je. Il est possible que quelques Gallois aient appris à s'en servir.

— Non, monsieur Brock. Vous vous trompez. L'arc était une arme galloise. Les prétendus yeomen de la vieille Angleterre, mmm? étaient des Gallois. Des Gallois ont combattu à Falkirk et à Bannockburn, en Allemagne et en France. Les Gallois étaient soldats de métier au temps où vos pauvres paysans anglais grattaient la terre pour vous nourrir. Votre Prince Noir, monsieur Brock, votre prince de Galles, mmm? vous l'avez couronné afin qu'il livre vos batailles anglaises. (Il reposa avec douceur l'arc, à sa place dans l'histoire galloise, et contempla la ville.) Mais les Gallois ne s'y sont pas tous trompés. Il y eut des hommes comme Owain de Galles qui revint de France en rêvant de l'indépendance galloise, mmm?

Cette fois ma tête ne bougea pas. Moi aussi, je connaissais un peu mon histoire.

— Ses rêves ne sont jamais allés plus loin que les plages de Guernesey.Vous appelez ça un rêveur?

— Un homme doit échouer afin qu'un autre réussisse.

Il longea la table, passa devant les armes, les vieux grimoires et les manuscrits dans des vitrines, les caressant au passage, avec une espèce de dévotion de propriétaire.

— Regardez, monsieur Brock. Ce manuscrit est le Gododdin d'Aneirin, de sa propre main. L'histoire du grand Mynyddawg de Mwynfawr qui a pénétré en Angleterre pour conquérir Catraeth. Et ceci, l'écriture de saint Illtyd qui enseigna Dewi Sant lui-même, avant que les églises d'Angleterre soient bâties. L'époque héroïque, mmm? des saints gallois.

Là je pouvais hocher la tête et je le fis. Il continua sa promenade touristique et ouvrit un grand volume relié pour me montrer d'éclatantes enluminures et de la calligraphie dorée galloise.

— Voici les vieux chants gallois, dit-il, ceux de Hywel le Bon, d'Owain Gwynned, et la construction de la grande digue, Clawdd Offa. La digue d'Offa, monsieur Brock, bâtie par les rois d'Angleterre, mmm? non pour nous enfermer, mais pour nous rejeter au-dehors!

Il ferma le livre avec respect.

— Et tous les chants de mes puissants ancêtres, murmura-t-il, Llewellyn, le premier prince de Galles, et Gyndwyr lui-même.

Il prit une petite pierre gravée d'un profil et si fruste d'être passée entre tant de mains qu'elle était presque redevenue le caillou qu'elle avait été.

— Voici le profil de Giraldus Cambrensis, dit-il. Gerald de Barry, le grand érudit gallois, de l'antique famille de Tewdwr, comme moi. Et je dis maintenant ce qu'il écrivait alors, que je ne doute pas un instant que cette race qui est la mienne a été abaissée par les armes anglaises. Mais la colère de l'homme ne la détruira jamais. Aucune autre race que celle-ci, aucune autre langue que celle des Gallois ne répondra au jour du jugement dernier de ce petit coin de terre.

La ville me jouait des tours. Je savais très bien que les mots qu'il prononçait avaient huit cents ans, mais Llewellyn semblait grandir encore en les énonçant, et quand il se tut il laissa un silence colossal.

Et puis, tout comme il l'avait fait après avoir cité les mots de l'étendard éclatant derrière lui, il retomba dans le présent. Il avança le long de la table.

— Venez. Venez voir encore de l'histoire galloise.

Il me montra les reliques des Rebecca Riots, les émeutes du xixᵉ siècle, les boîtes d'allumettes et les couteaux des incendiaires, un jupon sauvé d'une perquisition, et même une lettre de Rebecca dont il me lut un passage à haute voix :

— C'est une chose honteuse pour nous les Gallois, que les fils de Hengest nous oppriment.

— Rebecca n'est pas une fière figure de votre passé, protestai-je avant qu'il recommence ses discours. Pourquoi a-t-il éprouvé le besoin de se cacher derrière les jupons des femmes?

— Nous aimons la plaisanterie, monsieur Brock. Nous pourrons même peut-être vous persuader, vous, de nous faire rire un peu avant la fin du jour, mmm?

— Comment cela? demandai-je.

— Nous aurons bien une idée, dit-il en prenant sur la table une petite sculpture en bois. Ceci marque la fin de votre leçon d'histoire galloise.

Il tenait l'objet au creux de sa paume. C'était grossièrement sculpté et colorié, et je l'avais déjà vu, tant à Castell Coch qu'aux Bendricks sur le bateau. C'était une tête de taureau rouge. Des cœurs saignants étaient empalés sur chaque corne.

— Qu'est-ce que c'est? lui demandai-je.

— Encore une de nos petites plaisanteries. C'était la marque, mmm? du bétail écossais, qui n'était pas du tout écossais, naturellement, mais des bandes de bons et loyaux Gallois qui ont combattu il y a cent ans pour chasser les propriétaires anglais et les briseurs de grève irlandais.

Il soupesa le bois sculpté dans sa main.

— Maintenant, c'est mon emblème, dit-il.

34

L LEWELLYN se mit à rire.
— Je ne vous présenterai pas d'excuses pour la
conférence, monsieur Brock. D'après les rapports vous
êtes un homme patient, mmm? et, naturellement, vous
avez tout votre temps, hein?

Il posa son emblème de bois sur la table et plongea
son regard le long de mille ans d'histoire galloise.

— Au cours de vos pérégrinations inexpliquées dans
mes diverses propriétés, dit-il, vous aurez pu voir le type
d'individu que je suis contraint d'employer. Vous
comprendrez aisément que je recherche rarement la
compagnie de mon personnel. (Il rit encore et regarda sa
montre.) Eh bien, monsieur Brock, puisque tout le temps
qu'il vous reste est à ma disposition, cela ne vous déran-
gera pas d'attendre pendant que je déjeune.

Il claqua de nouveau des doigts et Williams se mit
à préparer une petite table dans une alcôve. Llewellyn avait voulu ignorer la présence d'Angie, immobile et
silencieuse à côté de moi, et il continuait. La porte s'ouvrit et le repas arriva. Llewellyn s'installa à table. Je
restais planté au milieu du tapis, l'air idiot.

— Un simple repas gallois, dit-il. Un bouillon de poireaux, tel qu'en prenaient les Tudors. Et puis de la truite de Carmarthenshire pêchée dans le Yaru, suivie d'un bon gigot de Cardigan, mmm?

Le simple repas gallois était servi dans de la simple vaisselle plate italienne et le bouillon était aussi clair qu'un vin d'Alsace. Il fumait et j'en avais l'eau à la bouche. Llewellyn vida son bol, disséqua adroitement sa truite et la mangea avant de consacrer son attention à d'épaisses tranches de gigot presque cru.

— Je ne sais pas encore, monsieur Brock, ce que vous faites ici, dit-il entre deux bouchées. Mais permettez-moi de vous donner un conseil. Ne me dites pas que vous êtes venu ici pour voler. Vous êtes un homme violent, mmm? un mercenaire cupide, mmm? et, j'en suis sûr, un imbécile, mmm? mais je ne crois pas que vous soyez un voleur.

J'aspirai profondément.

— Très bien, dis-je. Ça va vous paraître bien trop simple, sans doute, mais c'est comme ça. Voilà. Je suis agent de publicité et je cherche un emploi. Quand j'ai vu votre collaborateur Schneider, vos gorilles m'ont cassé la figure, ce qui m'a mis en colère. Je marche simplement au pifomètre depuis.

— Oui, j'ai eu connaissance de cet incident. Vous dites que vous voulez vous venger, puérilement? Si c'est le cas, vous en avez eu pour votre argent. On me dit que vous avez déjà réglé leur compte à huit de mes hommes, sans parler de tous ceux que vous avez blessés ni de tous les dégâts matériels que vous avez causés.

— Bon, je suis entre vos mains, maintenant. Alors faites venir la police et qu'on n'en parle plus.

— Non, dit Llewellyn. Bien entendu, vous mentez. Vous êtes peut-être l'agent de publicité que vous prétendez. Mais le voyage qui vient s'achever ici, vous l'avez commencé dans une certaine maison d'Addison Road.

— Et puisque vous savez cela, vous savez aussi que bientôt on s'inquiétera. Mes amis me suivront ici. A moins, naturellement, que vous me libériez, ainsi que la jeune fille, avant que ce jeu stupide aille plus loin.

Llewellyn était aussi ennuyé et désintéressé qu'un employé de banque.

— Les hommes qui vous ont envoyé et les raisons de votre intrusion me sont complètement indifférents. Il se peut que vous viviez assez longtemps pour comprendre pourquoi. La jeune fille, cependant, m'affecte davantage. Vous, monsieur Brock, vous n'êtes qu'une vague espèce d'espion, officiel ou privé, et ce que vous avez pu apprendre au cours de ces derniers jours n'est pas allé plus loin. La jeune fille a été mon employée depuis quelque temps. Et j'ai appris qu'elle s'était faussement targuée de la nationalité galloise.

— Ce n'est pas vrai, protesta Angie, parlant pour la première fois.

Llewellyn la regarda, aussi pour la première fois.

— La jeune fille devrait savoir que mes rapports avec les femmes sont invariablement réservés à un type unique. Je ne désire pas l'entendre parler.

— La jeune fille n'a rien à voir dans cette histoire. Je l'ai vue pour la première fois à Londres et quand elle a vu comment on me maltraitait hier soir elle a voulu m'aider. Rien de plus. Je vous en donne ma parole.

— Votre parole, bien sûr, est absolument dénuée de valeur pour moi, déclara Llewellyn. La jeune fille a tenté de téléphoner à la police. Je dois me débarrasser d'elle.

— Si vous la touchez...

Mais Llewellyn interrompit la menace vaine que j'allais sans doute formuler.

— Elle souffrira sans doute, avant de mourir, dit-il. Chassez-la de votre esprit, monsieur Brock.

— Je ne peux pas faire ça, espèce de foutu cinglé de Gallois bafouilleux !

Williams commença à lever le bras mais Llewellyn fit un signe négatif de la tête.

— Vous me décevez. Je comprends, naturellement, que vous ayez usé, mmm? de la jeune fille pendant la nuit. Mais j'avais espéré vous voir plus réaliste au sujet de ces choses-là.

Il acheva son gigot et se renversa contre son dossier.

— C'est une assez jolie amusette, mais vous devez la chasser de votre esprit. Non seulement elle n'est pas indispensable, elle est déjà finie. Vous non plus, naturellement, vous n'êtes pas indispensable, mais il se peut que votre fin soit moins proche. C'est à vous de décider.

Il regarda Williams, qui se raidit au garde-à-vous en claquant des talons.

— Dehors, Williams, et emmenez la jeune fille. Si j'appelle, vous saurez ce que vous avez à faire.

Williams sortit, entraînant Angie.

— Nom de Dieu, qu'est-ce que vous racontez? criai-je.

Llewellyn me regarda.

— Bientôt, vous apprendrez à vous adresser à moi ainsi que je le désire. Ce sera une douloureuse leçon, je le crains, mais durable. Ce que je raconte, cependant, c'est qu'il y a pour vous un mince rayon d'espoir, peut-être provisoire, peut-être définitif. Le fait est, monsieur Brock, vous me plaisez assez.

— Bon Dieu!

— Vous êtes une marguerite des prés. Les rapports que j'ai eus en main n'apportent aucune preuve d'intelligence, bien sûr. Mais l'intelligence est une chose que je puis acheter où et quand j'en ai besoin. Vos qualités sont plus rares. Comme l'humble marguerite des prés qui vient d'être foulée par le taureau, vous vous redressez aussitôt. Comme le mince bambou, monsieur Brock, vous pliez sous le vent. Mais vous ne vous brisez point.

197

— Les vents me sont moins qu'à vous redoutables.
Je plie, et ne romps pas. Eh oui !

— Plaît-il ?

— La Fontaine. Le Chêne et le Roseau. Voyez, je me
redresse douloureusement comme le roseau courbé par
l'aquilon.

— Ce genre de facéties puériles me déplaît intensé-
ment. Je vous ferai fesser pour cela.

— Vous parliez comme si vous vouliez me faire une
proposition, dis-je.

— C'est exact.

Mon père m'a appris dans mon jeune âge à ne jamais
dire non, car un refus risquait d'offenser. « Quoi qu'on
t'offre, disait le brave homme, accepte immédiatement
quitte, si nécessaire, à refuser tout à loisir. » J'ai toujours
essayé de suivre ce ridicule conseil et de l'enseigner aux
femmes de tous mes amis. Ça ne m'a jamais mené nulle
part, naturellement, mais l'effort accompli m'a toujours
réjoui.

— J'accepte, dis-je. Qu'est-ce que c'est ?

Llewellyn changea de position dans son fauteuil.

— Je vous ai dit que je n'étais pas particulièrement
fier, dans l'ensemble, du genre d'individus que je dois
employer. Ils sont nécessaires à mes projets, mais c'est
tout. Je vous emploierai. Je vous ai observé pendant une
heure. Vous n'êtes pas un cerveau, c'est vrai, mais vous
avez du ressort, de l'énergie, de l'agressivité, de la
patience, de l'obstination. Vous êtes apparemment bien
entraîné à la violence et vous êtes probablement vénal.

— J'aurais tendance à être d'accord avec vous.

— Bien. Williams vous surveillera, vous êtes donc
averti. Je me suis laissé dire que le rêve de sa vie se
résume à l'espoir de vous avoir tout à lui pendant une
heure. Mais il ne vous fera aucun mal tant que je ne
l'y autoriserai pas. Souvenez-vous-en. Ses talents innés,
mmm ? ont été considérablement sophistiqués par les rap-

ports avec quelques-uns des Allemands les plus experts
que nous avons importés.

— De quoi s'agit-il? demandai-je.

Llewellyn délogea un brin de mouton gallois d'entre
ses larges dents aiguës.

— Vous devez savoir que je m'occupe d'électricité?

— Il n'y a pas un être au monde qui l'ignore, maintenant.

— Oui. Ce Schneider a bien travaillé. Je suis content
de lui.

— Bon, et alors? De quoi s'agit-il?

— C'est tout à fait simple. Je suis gallois. J'ai l'intention de couper tout courant à l'Angleterre et de la
laisser mourir dans le noir.

35

IL n'avait certainement pas l'air d'un fou. Son trône était peut-être un brin exagéré, mais son physique le supportait. Il avait bien un peu enflé la voix au cours de sa leçon d'histoire, mais ce n'était guère plus que la tendance à l'idée fixe commune à n'importe quel Taffy boutonneux du côté de Fulham Road dans la nuit de Twichenham. « Sûrement pas paranoïaque », pensais-je. Mais il faut dire que tout ce que je sais en psychologie c'est ce que je peux glaner à la lecture des quotidiens, et ce n'est peut-être pas beaucoup.

— Vous devez avoir complètement perdu votre foutue petite tête de Gallois, lui dis-je.

Il a hoché la tête d'un air pénétré, en me considérant comme si j'étais quelque carpette d'occasion qu'il venait de se faire refiler, et puis il a murmuré :

— Oui, il faudra vous extirper cet humour d'écolier à coups de fouet.

— Votre Sullivan a essayé. Je vais le tuer.

Une expression de léger dégoût erra sur la large figure de Llewellyn.

— Il se peut que je vous y autorise. Cet homme a été une erreur. Je me suis laissé dire que sa perversité devient lassante.

Il s'est extirpé de son fauteuil et a traversé la vaste pièce pour aller se planter sous l'avertissement flamboyant inscrit sur le mur.

— Parce que je sais que, d'une façon — mmm? — ou d'une autre, vous serez obligé de vous taire, je vais éclairer votre lanterne.

Il a levé une énorme patte soignée et a poussé un bouton. La bannière a glissé de côté, silencieusement. Par-derrière, il y avait une grande carte en relief de la Grande-Bretagne. Il a tiré une espèce de clavier, en dessous, et a appuyé sur un autre bouton. Un million de lumières multicolores se sont allumées sur la carte.

— Savez-vous ce que c'est? m'a-t-il demandé.

— Oui. J'en ai vu une version réduite en bas, dans une espèce de salle de conférences, je crois.

— Ah. Ainsi, c'est vous qui avez tué le chien.

— Oui. Mais ça aurait aussi bien pu être le seigneur de ces lieux.

— Quoi?

— Passons. Quoi qu'il en soit, ce que vous avez là, je suppose que c'est l'anatomie électrique du pays.

— Exactement. Une carte de l'électricité. Celle que vous avez vue en bas n'est qu'une simple maquette de travail. Celle-ci est la vraie. Au moment opportun, elle sera reliée au tableau de commandes.

— Qui serait où?

— Dans ma salle d'ordonnance, enfouie profondément sous les Bendricks. Il m'a fallu vingt ans pour y arriver, Brock, et maintenant c'est fait. Regardez.

Sa main a hésité au-dessus du clavier et s'est finalement posée sur un bouton rouge.

— Battersea, dit-il.

J'ai regardé Londres. Une des plus grosses lumières rouges a clignoté et s'est éteinte.

— Là, Battersea serait plongé dans le noir. Dans l'instant, si je le désirais. Mais ne craignez rien. Nous ne sommes pas reliés au tableau des commandes. Ils ont encore un peu de temps devant eux, ces petites gens aux petites vies. Mais regardez un peu ce que ça signifie, de couper une seule source de courant.

Tandis qu'il parlait, d'autres lumières clignotaient et mouraient. D'abord les petites lumières rouges dans tout le sud-est de l'Angleterre, et ensuite un millier de satellites blancs se sont éteints selon un ordre sans doute prévu.

— Battersea est en quelque sorte le fusible central de tout le sud-est. (Il regardait le Kent qui venait de s'éteindre entièrement.) Ce n'est pas si simple, vous savez, et il ne suffit pas de faire sauter un câble. C'est beaucoup trop compliqué pour que vous le compreniez, une question délicate, une surcharge surveillée et une surcompensation calculée. Ce Ball, en dépit de sa regrettable faiblesse, est le physicien de l'électricité le plus brillant du monde.

— Je parie qu'il sait pas siffler entre ses doigts, dis-je, mais Llewellyn maîtrisa son hurlement.

Ses doigts charnus planaient au-dessus du clavier comme une escadrille de bombardiers espions.

— Les chemins de fer, dit-il. J'arrêterai les chemins de fer.

L'escadrille descendit en piqué sur un bouquet de boutons verts et les grosses lumières vertes de Londres, Manchester, Birmingham et Edimbourg clignotèrent et moururent. Puis les petits points verts entre elles, qui dessinaient le réseau ferroviaire d'Angleterre, s'éteignirent à leur tour. Llewellyn se tourna vers moi. Il avait l'esprit nettement dérangé, je le voyais maintenant, mais je voyais aussi qu'il était absolument sincère.

— Vous commencez à comprendre? Maintenant, regardez ceci. Observez les lumières blanches. Ce sont les boutiques et les foyers, les rues et les usines d'Angleterre. Là où sont les hommes, Brock. Là où est le pouvoir.

Sa main s'abattit encore une fois sur le clavier. Et dans toute l'Angleterre, partout, jusqu'au nord de l'Ecosse, les millions de lumières blanches s'éteignirent.

— Pensez à ce que représentent ces petites lumières. A l'extrémité de tous les câbles du pays se trouvent les machines que j'ai fabriquées, les accessoires du progrès que je vous ai vendus, toute ma vie, mmm? Les grille-pain électriques et les postes de télévision, les réfrigérateurs et les mixers, les séchoirs à cheveux et les aspirateurs, tous les instruments que vos affreuses ménagères anglaises vous font acheter. Et pensez à toutes les chaînes de montage, les scies et la lumière et les ascenseurs. Et les pompes à essence. Vos moyens de transport, Brock. Tout ce qui vous permet de vivre. Tout ce qui est votre vie. Tout avec la garantie Allelec, mmm? Vous comprenez ce que c'est que la puissance, maintenant?

Il s'est retourné vers le clavier. Il a appuyé sur d'autres boutons, et les grands points rouges des centrales du Sud-Ouest et des Midlands, du Nord et de l'Ecosse se sont éteints. Et il continuait de jouer comme un pianiste fou. Toute l'immense carte devint noire et morte, à part, naturellement, le scintillant œuf vert du Glamorganshire, de Swansea à Newport et de Llantrisant à la mer. Il se redressait fièrement, le souffle court. Je commençais à me sentir emporté par sa folie.

Au bout d'un moment, il a repris :

— Qu'ils meurent! Ou qu'ils fassent leur choix.

— Et quel est ce choix?

— Les travaux forcés, que croyez-vous donc? Les Britanniques ne seront jamais, jamais esclaves. Quel rire! Mais ce ne sont pas des Britanniques. Ce sont de foutus bâtards, les bâtards de Hengest et des souteneurs français. Les véritables Britanniques sont les Bretons, les Bretons du pays de Galles. La terre de nos pères, Brock, c'est ici. Vous devez nous avoir entendus chanter de façon si émouvante aux grands matches de football. Et l'Angleterre aussi est la terre de nos pères; et maintenant nos aïeux attendent que je la reconquière.

— Vous ne pouvez pas faire ça, ai-je murmuré en me demandant si j'avais raison.

— Si, Brock, si, je le peux. J'ai travaillé à cela pendant vingt ans. Non, plus longtemps, je crois. Toute la vie. Et maintenant, je suis prêt.

— Pourquoi vous? Pourquoi un gros tas de graisse galloise comme vous?

A voir son expression, j'allais un peu loin, mais je pensais pouvoir le manœuvrer avant qu'il appelle Williams. Je me trompais. Il était plus grand et plus fort que moi, et plus rapide. D'un bond il était sur moi et me prenait à la gorge en grondant :

— Surveillez vos paroles, mmm?

Il m'a projeté presque à l'autre bout de la pièce en criant :

— Déroulez ce parchemin!

Je me suis relevé et j'ai attrapé au vol le rouleau qu'il me lançait. Je l'ai déroulé sur la table. C'était un monumental arbre généalogique. Un pouce énorme s'est abattu dessus.

— Là, dit-il. Les premiers Tewdwrs, descendant de Hywel le Bon jusqu'à Giraldus Cambrensis et au-delà. Et là, voyez où le grand Glendower, dont je porte le nom, apporte son sang. Et là, Owen Tudor qui épousa secrètement Catherine, veuve d'Henry V d'Angleterre. Tous de mon sang, tous. Voyez les deux fils d'Owen, Edmund et Jasper, les demi-frères d'Henri VI. Voyez

Henry, le fils d'Edmund, né au château de Pembroke et couronné roi d'Angleterre. Henry VII, le roi gallois! Et puis regardez encore...

Je l'ai fait. Et à en croire le généalogiste qui avait tracé cet arbre, la lignée descendait d'Henry VII et, vraie ou fausse, aboutissait au dernier nom écrit en rouge vermillon au bas du parchemin, Tudor Owen Glendower Llewellyn.

— Et Henry VIII? ai-je demandé. Il avait des droits.

J'ai secoué la tête pour m'éclaircir un peu les idées. Cet homme était si massif, si puissant et si sûr de lui que je commençais à croire à ses folies.

— Henry VIII? grinça-t-il. Henry VIII? Un bâtard criminel couvert de sang!

Il a roulé son incroyable arbre généalogique et l'a déposé religieusement entre sa tête de taureau et son Histoire de Galles. La pièce était silencieuse. Il était debout devant moi, un peu haletant, et avait du mal à revenir des sombres profondeurs de sa vision d'aliéné.

— Maintenant, vous savez, m'a-t-il dit.

Ses mains puissantes ont serré mes épaules, et ses yeux bleus et froids se sont plantés dans les miens.

— Et croyez-le. Bientôt, très bientôt, toute l'Angleterre le saura. Et toute l'Angleterre le croira ou mourra. Mais aujourd'hui, Brock, vous n'êtes que dix à savoir. Et cela vous place, vous, très près de la mort.

Moi aussi, j'avais le souffle plutôt court. Comme le disait mon père, on peut refuser à loisir, mais tout portait à croire qu'il ne me restait guère de loisirs. Je me demandais si je pourrais lui sauter dessus avant que Williams s'élance. Provis aurait essayé. Mais Llewellyn me paraissait aussi costaud que trois de ses colosses et ses mains pesaient lourd sur mes épaules. Dans le doute, abstiens-toi. Je me suis donc abstenu.

36

ET puis l'interphone a bourdonné. Llewellyn a baissé la manette et grogné. La boîte lui a annoncé, en un trémolo gallois métallique, que le conseil était réuni. Llewellyn a grogné derechef et appelé Williams. Il a bondi droit sur moi, une lueur avide dans l'œil. Mais Llewellyn l'a retenu.

— Non, pas encore. Mais surveillez-le bien. Et amenez-le à la salle du conseil, après moi.

— Et Angie? ai-je demandé.

— Ah oui. La fille. Amenez-la aussi. Si vous vous êtes amusés avec elle, rendez-la présentable.

Sur quoi il nous a quittés.

Angie était assise dans un coin de la galerie. Elle était de nouveau décoiffée et un malfrat se penchait sur elle. Mais elle n'avait pas l'air d'avoir souffert. En me voyant, elle a souri. Je lui ai serré la main, bien fort.

Ils nous ont poussés dans l'escalier, dans le vaste hall lugubre et dans la salle du conseil. C'était la pièce dans laquelle j'étais entré, il y avait un siècle. Le grand drapeau à tête de taureau recouvrait toujours la table, autour de laquelle six chaises étaient maintenant disposées. Llewellyn était assis en haut de la table, légèrement en arrière. Près du mur, un uniforme noir se penchait sur une sténotype électrique.

J'ai examiné les dix hommes silencieusement assis et attendant que Llewellyn prenne la parole. J'en ai tout de suite reconnu deux. Ball le génie était à la droite de Llewellyn, et Schneider, qui m'a jeté un coup d'œil et s'est vite détourné, était au bout de la table, là où on met les agents de publicité. Et puis j'en ai reconnu un autre. C'était J. J. G., Growland, pandit de la télé. J'ai cherché les autres noms dans les fiches de ma mémoire. Breumann, Fluck et Silverstein.

J'ai facilement deviné qui était Breumann, une grosse araignée jaune à tête ronde, à la gauche de Llewellyn. Fluck devait être le beau blond en cravate de soie grise, à côté de Ball. Restait Silverstein, une caricature luisante de sueur, en bout de table avec Schneider.

Llewellyn a fait un signe de tête et, comme toujours, Williams s'est élancé. Il nous a poussés sur deux chaises dans un coin à l'écart et il est resté là, à nous souffler dans le cou. Il sentait le pain et le beurre.

— Soyez les bienvenus à Castell Coch, a commencé Llewellyn. A la fin de notre réunion, il y aura une présentation, et une élimination. Mais chaque chose en son temps. Herr Breumann est ici, naturellement, pour écouter nos rapports. Vous êtes priés de les faire simplement, et brièvement.

Il s'est renversé contre son dossier. Son fauteuil n'était ni aussi imposant ni aussi orné que son trône du premier, mais il était deux fois plus grand que les autres sièges. Ses pieds étaient plus hauts, aussi. Llewellyn, comme Alan Ladd, semblait toujours s'efforcer d'ajouter quelques centimètres à sa taille.

— Vos rapports, messieurs.

Il a légèrement levé un doigt. Schneider s'est dressé.

— Comme je vous le disais au téléphone, monsieur...

— Je vous ai ordonné de vous présenter au rapport. Je ne veux pas autre chose.

— Oui, monsieur.

Schneider s'est redressé, a toussoté et a recommencé :

— Schneider, monsieur. Relations publiques. (Il a pris une grande enveloppe jaune sur la table.) Voici mon rapport complet et détaillé, comprenant les résultats du dernier sondage effectué cette semaine. En un mot, je peux dire que ma tâche principale a été couronnée de succès. Exprimé en langage simple, cela veut dire que votre nom, monsieur, est à présent synonyme de richesse et de progrès de la nation, et cela dans le pays tout entier. Le sondage Kramer et deux Orientations sémantiques, la première basée sur notre propagande officielle et l'autre sur nos campagnes subliminales, donnent des résultats identiques. L'index moyen d'acceptance émotionnelle dépasse de loin les niveaux élevés établis et monte à plus de quatre-vingt-quinze. En fait, le chiffre le plus bas n'est pas loin de quatre-vingt-dix.

— Quelle région? demanda Llewellyn.

— La région londonienne, monsieur.

Llewellyn grogna et lui fit signe de continuer.

— Sur le plan privé, toutes les entreprises Allelec ont répondu favorablement aux mesures que j'ai prescrites. Le peuple-travail, monsieur, a maintenant atteint l'équilibre de haute-basse tension que je recherchais.

— Qu'est-ce que ça veut dire, ce charabia, bon Dieu? s'exclama Llewellyn.

— Ça veut dire, monsieur, que tous vos ouvriers sont, sans en être conscients, dans un état d'attente extrême. A un point tel que je ne saurais mieux le décrire que comme un organisme corporatif.

Breumann leva une grasse main jeune et la laissa tomber sur la table. Llewellyn hocha la tête. Breumann parla, dans un anglais hésitant, d'une voix qui gargouillait obscènement comme une source vaseuse.

— Cette pseudo-science. Que raconte cet homme?

Llewellyn s'est tourné vers Schneider.

— Expliquez.

— Ma mission, dit Schneider, était de préparer le pays. Je l'ai fait en me servant de sa prospérité croissante pour transmuter le sentiment national d'autosatisfaction en une sorte de complaisance molle, satisfaite et plus malléable. Mon autre tâche était d'associer dans tous les esprits le nom de lord Llewellyn à ce bien-être national.

— Pourquoi? demanda Breumann. Si j'ai bien compris les intentions de lord Llewellyn, dont il m'a fait part l'année dernière, il me semble que c'est un exercice inutile. Vous vous emparez bien de ce pays par la force, n'est-il pas vrai? Ou bien vous proposez-vous de le soumettre par la persuasion?

— Mon but, dit Schneider, était de provoquer un état d'euphorie sociale nous permettant en quelque sorte de tirer le pays de son lit de plume, par la peau du cou, pour le rejeter tout nu dans les ténèbres de la nuit glacée. J'ai suscité, Herr Breumann, les conditions optima pour un trauma national maximum.

— Assez de jargon, coupa Llewellyn. Poursuivez votre rapport.

— J'ai fini, monsieur. Le texte de votre allocution est devant vous, pour votre approbation, et les derniers films de télévision sont prêts à être visionnés. En fait, monsieur, mon rapport est des plus optimistes.

Llewellyn grogna.

— Au suivant.

Le beau blond fasciste s'est levé avec grâce.

— Fluck, monsieur. Opérations, dit-il d'une voix aussi précieuse que son pantalon de chantoung taille basse qui lui moulait les hanches. Moi aussi, je suis très en avance sur l'horaire prévu. Tous les chefs de groupe sont prêts à opérer. Le moral est excellent à tous les postes de contrôle. Sullivan a suivi mes instructions à la lettre et l'élément de choc des Bendricks est organisé et prêt à l'attaque. Les machines du professeur Ball ont été livrées et sont en état de marche, à tous les points de distribution.

Ses cheveux d'or ont accroché la lumière quand il s'est tourné pour poser un long regard de tendre admiration sur le génie efféminé.

— J'aimerais ajouter, monsieur, que l'aide et la collaboration du professeur Ball ont été inestimables.

Une nouvelle expression de mépris degoûté passa fugitivement sur la large figure de Llewellyn. Je me suis dit qu'il était peut-être cinglé, qu'il était certainement aussi dangereux qu'une bombe H amorcée, mais que si jamais il était roi, il ne serait jamais que roi, et non pas à moitié reine comme ses copains. Fou, mais pas folle.

— C'est tout? demanda Llewellyn.

— Non, répondit Fluck en arrachant avec peine son regard du visage de son ami. J'aimerais avoir l'autorisation, monsieur, de disposer du dénommé Sullivan. Il ne m'est plus d'aucune utilité.

Il regarda de nouveau Ball, et cette fois j'ai cru voir dans son œil une lueur de dépit. Je me suis demandé si par hasard Sullivan n'aurait pas tenté le génie en lui faisant miroiter les plaisirs sado-masochistes de la fessée.

— Accordé, déclara Llewellyn, et il se tourna vers Silverstein.

Le petit homme s'est dressé d'un bond, de grosses gouttes de sueur ruisselant sur ses joues grasses. Il ressemblait de plus en plus à la caricature d'un intellectuel de gauche, avec son costume fripé légèrement luisant. Il émanait de lui, en même temps que l'odeur de sueur, un mélange peu appétissant de vertu offensée, d'arrogance au nez crochu et de satisfaction d'ouvrier autodidacte. Il parlait très vite, dans un jargon incompréhensible, de rationalisme réussi.

Breumann éructa un point d'interrogation et Silverstein se hâta d'expliquer :

— Il existe plusieurs organisations nationalistes galloises. La mieux établie est la Plaid Cymru, la plus agressive la Mudiad Amddifyn Cymru, dont les activités se sont surtout bornées à des actes de violence commis au hasard. Faire sauter des pylônes, des choses comme ça. Il y a aussi des organisations plus culturelles, et naturellement un corps de législateurs d'origine galloise au Parlement. Je me suis occupé d'élaborer des plans en vue de rationaliser ces éléments et de les fondre en un seul groupe politique organisé, qui serait favorable à notre opération.

— Pourquoi vous êtes-vous donné cette peine? demanda Breumann.

— J'ai voulu créer un corps de politiciens et de projecteurs dont la pensée serait dirigée, peut-être pas vers une domination galloise telle que nous l'envisageons, mais certainement vers une indépendance galloise d'une forme plus orthodoxe. Dans un tel groupe, lord Llewellyn pourrait choisir ses futurs administrateurs. Les erreurs de notre propre chef regretté nous ont servi de leçon, Herr Breumann. Le nouveau gouvernement ne sera pas laissé aux mains d'un ramassis d'invertis et de gangsters.

L'œil chafouin de Silverstein s'est posé un instant sur Fluck, qui a ricané et haussé les épaules.

— Ça suffit, dit Llewellyn en se tournant vers Growland.

Growland s'est levé et a pris un air pénétré. En chair et en os il était, comme toutes les personnalités de la télévision, curieusement plus petit. Mais il avait une plus grosse tête. Il a fait sa grimace d'érudit, si souvent moquée, et il a caressé sa lavallière, si souvent ridiculisée. Les projecteurs des studios semblaient lui manquer.

Et peut-être aussi le souffleur. Mais il avait peu de choses à dire.

— Mon rapport sera très bref, monsieur.

— Dans ce cas, dit Llewellyn, peut-être aurez-vous la bonté de vous exprimer plus succinctement que de coutume, mmm?

— Oui, monsieur. Ma mission, ainsi que celle de mes collègues recrutés dans les plus grandes universités du monde, est présentement purement théorique. Après l'événement, cependant, quand la nouvelle société sera établie (là il s'est interrompu pour se permettre un de ses ricanements satisfaits, si souvent raillés), alors, monsieur, mes services seront entièrement prêts à exécuter mon plan en vue d'une productivité nationale maximum à une dépense nationale minimum. (La lavallière frémissait d'orgueil.) Si je puis me permettre, Herr Breumann, je dirais qu'à l'encontre de mon prédécesseur, nous avons appris, non par les erreurs mais par les succès de son chef regretté dont la place qu'il tient dans l'Histoire est à mon avis...

Mais Llewellyn leva la main.

— Vous n'êtes pas à la télévision en ce moment, professeur.

— Très juste, monsieur. Je m'excuse, et je poursuis. Mon projet est au point. Tous les sites d'évacuation sont choisis. L'évacuation et le relogement se feront dans les vingt-quatre heures après votre autorisation d'y procéder. En plus de mon plan initial, j'ai naturellement fourni au directeur opérationnel tous les renseignements pertinents concernant les précédents historiques. Et, de plus, je crois que le travail de M. Schneider a été rendu plus efficace par l'étude qu'il a faite de mes extrapolations sur le travail effectué en Afrique et en Amérique ainsi qu'en Allemagne, en vue d'engendrer des mouvements d'attitude de masse.

— Merci, trancha Llewellyn.

Il regarda Ball, qui se leva lentement, avec beaucoup de grâce, sous l'œil tendrement maternel de Fluck.

— Mon rapport, monsieur, est naturellement trop technique pour être compris par les membres du conseil autres que vous-même. En simplifiant jusqu'à l'absurdité, cependant, je puis dire que je suis maintenant prêt à supprimer tout courant électrique en dehors de notre domaine du Glamorganshire. Le réseau national a été, bien entendu, chose facile. Son contrôle aurait pu être pris n'importe quand par n'importe quel physicien compétent, pour peu qu'il ait ses entrées. Ce qui a demandé des années, et qui n'aurait jamais pu être accompli sans votre génie de l'organisation, monsieur, c'est l'installation des maîtres câbles d'Allelec dans toutes les centrales majeures n'appartenant pas au réseau. Cette tâche est à présent achevée et mon rapport se résume à ceci. J'ai besoin de quelques heures pour créer l'augmentation de puissance nécessaire maintenant que l'ordinateur est complètement programmé. Je suis donc prêt à déclencher l'opération à l'heure que vous choisirez, monsieur.

— Merci, professeur Ball, dit Llewellyn.

Il se tourna dans son grand fauteuil pour faire face à Breumann, et pendant une longue minute il fit peser sur l'Allemand tout le poids de sa monumentale personnalité.

— Vous avez entendu ces rapports, Herr Breumann. Et vous ne pouvez douter de leur véracité. Vous comprendrez donc que le projet que je vous ai esquissé, à vous et à vos collègues, l'année dernière à Dreichenburg, est à présent prêt à être mis en œuvre. Vous désirez sans doute faire quelques commentaires.

Breumann a hoché lentement la tête. Ses yeux ont fait encore une fois le tour des hommes assis à cette table. Ils étaient parfaitement inexpressifs, et sa grosse figure mafflue restait impassible. Ses yeux sont passés sur moi sans me voir, et sur Angie à côté de moi. Là, ils se sont attardés. J'ai senti le frémissement d'Angie, comme si des limaces rampaient sur sa peau.

Breumann continuait de la regarder, la détaillant des pieds à la tête. Elle frémissait de plus en plus, sans pouvoir maîtriser son dégoût. Tout en la contemplant, Breumann se caressait la panse et la poitrine. Sa main était si grasse qu'à la place des phalanges il avait des fossettes. Et puis deux gros doigts boudinés se sont glissés dans la poche de poitrine de sa veste ombrée de sueur. Ils ont tiré de là une grosse allumette de cuisine. Du bout de l'ongle, il l'a allumée. La pièce était silencieuse. Tous les regards étaient fascinés par la main jaune et la flamme de l'allumette. Llewellyn avait l'air plus dégoûté que jamais. Breumann ne quittait pas Angie des yeux.

Il a agité l'allumette pour l'éteindre, et puis il a porté le bout fumant à ses narines, pour respirer goulûment le soufre. Puis il a jeté l'allumette éteinte sur la table. Il s'est tourné vers Llewellyn.

— Je prendrai la fille.

— Bien, dit Llewellyn. Elle est à votre disposition.

— Parfait, dit Breumann et il regarda une dernière fois Angie avant d'abattre sa main sur la table. Maintenant, à nos affaires. Je suis impressionné, monsieur. Mes collègues de Zurich et d'ailleurs m'ont donné tous pouvoirs. Donc, je prends la décision. Nous nous arrangerons pour que la livre sterling demeure stable durant les six mois qui suivront votre opération. Vous comprenez bien que cela va demander toutes nos ressources.

Llewellyn opina.

— Bien, dit l'Allemand. Ce sera fait. Et le prix reste celui dont nous sommes convenus à Dreichenburg?

Llewellyn opina derechef.

— Bien, dit Breumann.

Il s'est mis debout péniblement. Sa panse débordait de son pantalon; c'était mou et jaune et luisant de sueur.

— Si quelqu'un voulait me montrer ma chambre, dit-il, je prendrais la fille tout de suite.

Il s'est dandiné vers nous en souriant. Il avait aussi les dents jaunes.

— Venez donc, Fräulein, susurra-t-il. J'ai dans ma valise bien des choses qui vous plairont.

Sa main s'est avancée pour prendre Angie par l'épaule et elle a gémi.

Et puis il s'est retrouvé par terre avec moi dessus. Mes mains lui serraient le kiki et son souffle s'écoulait dans une bouffée haletante et fétide.

Mais Fluck était rapide et son pied élégant m'a fait exploser un côté de la tête.

Quand j'ai ouvert les yeux, l'Allemand était parti et Angie aussi. J'étais debout, un des bras de Williams autour du cou et son autre main me tordant le bras dans le dos. Du temps avait passé et Ball avait la parole :

— Donc, il nous sera au moins de quelque utilité, monsieur. Et peut-être ajoutera-t-il un élément de distraction à ma démonstration.

Llewellyn leva une main indifférente.

— On peut disposer de lui, de quelque façon qui vous plaise.

— Merci, monsieur, dit Ball.

Llewellyn s'arrêta un instant devant moi, avant de quitter la pièce.

— Je suis déçu, Brock. Je croyais avoir décelé en vous une certaine valeur.

37

— **A**LLONS, dit Fluck à Williams. Amenez-le là-haut. Il est sorti nonchalamment, et Williams m'a fichu un sale coup dans les chevilles, puis, sans relâcher son étreinte autour de mon cou, il m'a fait marcher. Nous devions avoir l'air de ces petits soldats siamois de Hongkong qui descendent un plan incliné au pas cadencé. Mais pour moi, c'était plus douloureux.

Ils m'ont remonté dans ma chambre. Williams m'a jeté dans le fauteuil et son assistant m'a tiré les bras parderrière et les a enchaînés avec des menottes aux montants de bois blond du dossier. Le mobilier suédois est décidément tout ce qu'il y a de fonctionnel. Williams a poussé un profond soupir de joie anticipée, car il était sur le point de réaliser le rêve de sa vie. Je me suis préparé au pire.

Mais c'était Fluck le patron. Il a levé une main languide, parodiant avec élégance le lord soi-même.

— Vous avez entendu l'amusante suggestion du professeur Ball, Williams. Laissez-le donc se reposer une heure ou deux. Nous avons besoin de l'avoir en pleine forme pour notre soirée. Autrement il sera trop faible et tout sera terminé trop vite. Et nous n'en aurions pas pour notre argent, n'est-ce pas?

Ils m'ont donc laissé seul. La chambre embaumait le Gin-Fizz d'Angie. Un parfum rigolo, avait-elle dit. J'ai regardé le lit et j'y ai vu la face jaune grimaçante et obscène de Breumann, quand il avançait vers Angie. Là, j'ai un peu perdu la tête. Mais les chaînes et le fauteuil étaient trop solides. Je me suis retrouvé par terre avec les bras presque désarticulés.

Alors j'ai secoué la tête pour la débarrasser du brouillard rouge, et je me suis efforcé de raisonner et d'être pratique. J'ai fait mon inventaire. Mon portefeuille, avec tout l'argent du Gros, était allé depuis longtemps grossir la tirelire des malfrats, et mon canif avec. Mais ils avaient négligé mon vieux briquet et m'avaient laissé un peu de menue monnaie. Et ils avaient également oublié ma montre-bracelet, mais ce n'était qu'une montre ordinaire qui ne savait que donner l'heure, bêtement. Pas d'émetteur-récepteur miniaturisé dedans, branché sur la longueur d'ondes de détresse de la R. A. F. Pas de couteau à lancer télescopique. Même pas une capsule de cyanure pour faire fondre sur la langue chargée de Breumann.

J'ai donc fait faire le tour de la pièce à mon fauteuil, péniblement, pour chercher n'importe quoi. Le minuscule rasoir d'Angie était sur l'étagère, mais bien trop haut pour moi. Sa laque aussi. C'était dommage. Une bombe aérosol bien chauffée peut devenir une bombe explosive utile, si on n'a pas trop peur de se faire emporter la main par l'explosion. Tout ce que j'ai pu trouver à ma portée, c'est une poignée d'épingles à cheveux sur la coiffeuse. J'ai manœuvré tant bien que mal et je me suis emparé de ce que je pouvais. Je savais même pourquoi. Ce qu'ils avaient l'intention de me faire était certainement électrique. Du métal pouvait servir.

J'étais incapable de mettre les mains à mes poches

bien sûr, alors, en attendant qu'ils viennent me chercher, je suis resté assis là, les pauvres petites épingles à cheveux pathétiques serrées dans une main de plus en plus moite, en essayant de ne pas penser à Angie ni à ce qui lui arrivait peut-être. Les secondes passaient comme des escargots infirmes.

Enfin ils sont venus me chercher, sur leur trente et un et circonspects. Fluck était grand, svelte et superbe en tenue de soirée immaculée, Williams sentait maintenant la naphtaline en plus du pain-beurre, et il était boudiné dans un costume de serge bleue au pli aigu comme une lame de rasoir. Ils m'ont délivré du fauteuil et m'ont fait sortir.

Dans la galerie, ils se sont arrêtés pour m'épousseter un peu. Mon costume poids plume assez dans le vent avait supporté les épreuves avec une force d'âme remarquable, en fait. Un signe des temps, peut-être. Il est bien possible qu'Austin Reed ait à présent une clientèle moins délicate. Mais tout de même, mon tour de piste sur le dos et sur le tapis m'avait rendu difficilement présentable dans une soirée mondaine.

De la large galerie du premier montaient le brouhaha de la fête, le tintement des verres, le chuchotement rauque de Stan Gletz, plongé jusqu'au larynx dans la bossa nova, et la rhubarbe plus mélodieuse des banalités galloises civilisées. Mes acolytes m'ont retourné dans tous les sens pour bien m'épousseter le dos et j'ai pu voir un coin de la réception. Je cherchais Angie, mais je ne l'ai pas vue. Breumann non plus. J'en avais mal au cœur.

Tout le conseil de Llewellyn était là au complet, à part lui, ainsi qu'une poignée de cadres supérieurs, apparemment le gratin d'Allelec. Quelques gros-bras bien sapés, du calibre de Tonypandy Williams, erraient inconfortablement, leurs pattes calleuses tenant gauchement des verres de cristal. Et il y avait tout un lot de femmes assorties, décolletées jusqu'à l'os, exhibant des hectares de peau nue en voletant d'homme en homme avec l'assurance des papillons de nuit.

J'ai vu Silverstein, toujours en sueur, lever la main vers le sein à demi nu d'une Junon teinte au henné qui le dépassait de deux têtes. Il a pressé ce sein que je ne saurais voir, a émis un bruit qui voulait imiter un klaxon de papa, il a pouffé et il a laissé tomber un verre vide. Un gros-bras vêtu de noir s'est précipité illico avec un plateau chargé de boissons fortes, que Junon a contemplé de son haut, d'un air assoiffé.

Avant que mes anges gardiens m'entraînent, j'ai bien cherché Llewellyn mais il n'était pas en vue. Ce n'était pas son genre de soirée. On m'a fait descendre un étage et on m'a planté entre deux malfrats, dans un coin. Fluck m'a souri et il est allé retrouver Ball qui se tenait entre deux choutes pneumatiques, n'écoutait pas leur conversation et plongeait un regard curieux dans le corsage lâche et décolleté de la plus petite qui était aussi la plus dodue.

Fluck l'a arraché à sa contemplation et s'est mis à lui parler avec une vivacité irritée. Ball a haussé les épaules, il a souri et il lui a donné une petite tape affectueuse. Fluck en a frémi de soulagement. Puis il a fait un geste dans ma direction et Ball a opiné. Ils ont quitté la galerie tous les deux et ils sont descendus au rez-de-chaussée, plongés dans une conversation animée.

On commençait à me remarquer un peu. Deux des femmes se sont laissées glisser vers moi et m'ont examiné, en chuchotant et en pouffant entre elles. Et puis Schneider s'est dépêtré d'un lierre grimpant couleur café moulé dans du satin rouge sexy, et il s'est approché. Mes deux séides m'ont solidement empoigné les bras.

— Salut, Brock, m'a dit Schneider. Charmante soirée, non?

— Très chouette.

— Comme je vous disais, papa, heureux de vous avoir

à bord. Mais vous ne buvez pas. Vous devez avoir soif, hein?

Sur quoi il me jeta le contenu de son verre à la figure. C'était du champagne. C'était peut-être bien du Dom Pérignon 47, comme en boivent les gros pontes. Mais ça piquait.

— Ça, c'est pour vous être servi de ma secrétaire. On se reverra, papa. (Il a éclaté de rire.) Vous serez peut-être trop occupé pour me voir. Mais moi, je vous verrai.

Il a ri encore un coup. Le lierre a dressé les oreilles et s'est remis à grimper.

« Fi pouah », me suis-je dit, et j'ai essayé d'oublier Schneider. Le lierre grimpant en mettait un coup; on aurait dit une séquence censurée de *Désert vivant*. Schneider m'a oublié avant que je l'oublie et s'est mis à se trémousser.

— Cependant, là-bas, au chenil, ai-je murmuré.

Le lierre grimpant s'est interrompu le temps de me couler un regard. C'était Steve, de Tiger Bay, jouant les Lauren Bacall bronzées.

— Qu'est-ce que c'est que cette viande froide, chéri? a-t-elle demandé.

— Ah, laisse, a répondu Schneider, le nez dans son cou doré. C'est rien qu'un truc qu'on a trouvé dans la fosse septique.

— Qu'est-ce qu'il dit d'un chenil? a demandé Steve.

— J'ai un doberman à la maison, rudement chouette. De la même couleur que toi, ma chatte.

— Ouah ouah, a dit Steve.

Elle s'est désintégrée de la voix publicitaire et m'a bien examiné. Puis elle a levé les bras et ondulé des hanches. Le rouge sexy a scintillé.

— Qu'est-ce que t'as, Nicolas? a-t-elle dit en affectant un rauque ricanement gallo-jamaïquain. On n'a pas de petite amie ici, hein? On est tout seul tout seul?

Elle a ondulé encore un coup et les malfrats ont

resserré leur étreinte sur mes bras. Eux aussi, ils souffraient.

— Non, ai-je répondu. J'avais un bon petit copain pour jouer mais ils l'ont emmené aux Bendricks.

— Allez, ah, viens donc, a dit Schneider. Il ne va plus jamais avoir besoin de copains.

Et il l'a entraînée vers le buffet.

Et Ball est revenu, tendrement escorté par Fluck. La musique s'est tue, et le génie efféminé a fait tinter son verre de cristal avec un mosser doré. Le brouhaha de la réception s'est atténué peu à peu, et le silence est finalement tombé, après un dernier petit rire aigu de Silverstein.

38

— MESSIEURS, dit Ball, je ne vais pas m'excuser auprès de vous d'interrompre ainsi les réjouissances, car je suis persuadé que ce que j'ai à vous montrer sera aussi amusant qu'instructif.

Il s'interrompit pour boire une gorgée de champagne. Fluck, qui le couvait des yeux, claqua des doigts et un malfrat mafflu se précipita pour remplir le verre. Et Ball poursuivit :

— Quant à la présence des — euh — dames, je crois que vous avez tous eu connaissance des moyens de sécurité dont nous disposons et qui suffiront amplement pour le peu de temps qu'il nous reste.

Fluck approuva de la tête. Ball sirota un coup et reprit :

— Comme vous allez le savoir, j'ai consacré un temps considérable à l'élaboration du système de sécurité Allelec. C'est ce que je me propose de vous démontrer ce soir. Mais auparavant, je vais vous demander encore quelques instants d'attention pour vous remettre en mémoire combien sont faillibles les arrangements que ma machine doit remplacer.

Il fit signe à mes deux anges gardiens qui m'entraînèrent au trot dans l'escalier et me poussèrent au milieu du hall. J'étais tout seul sur le carrelage, les yeux levés vers les têtes curieuses penchées à la balustrade de la galerie. Et puis j'ai regardé autour de moi. Je me trouvais au centre d'un espace dégagé de sept à huit mètres de diamètre, brillamment illuminé, autour duquel une escouade de gros-bras érigeaient une haute barrière d'épais grillage. Les supports de ce grillage se plantaient dans des socles métalliques qui semblaient très lourds car ils devaient se mettre à quatre pour en fixer un en place. Là où le grillage traversait les supports, il était isolé par des anneaux de porcelaine. Je me suis dit que si j'étais vache ou veau, j'y réfléchirais à deux fois avant de franchir cette barrière pour voir si l'herbe était plus verte dans le pré du voisin.

Les malfrats ont fini leur petit boulot, et se sont retirés en passant une espèce de portail sur lequel il y avait une grosse boîte à fusibles, et traînant derrière eux un câble gros comme le bras. Sur un signe de tête de Ball, un des affreux abaissa une manette et recula vivement. Un curieux bourdonnement aigu emplit le hall.

Penché sur la balustrade, Ball s'est adressé à moi :

— Maintenant que le courant est branché, monsieur Brock, je vous conseille de ne pas trop vous approcher du grillage. (Il s'est redressé pour s'adresser aux spectateurs.) L'homme que vous voyez en bas est, comme certains d'entre vous le savent, entraîné à la violence. En fait, au cours des dernières vingt-quatre heures, il a éliminé un nombre étonnamment élevé de notre personnel de sécurité et le simple fait qu'il soit encore en vie est une preuve suffisante de la faillibilité de notre organisation de défense actuelle.

Il a bu délicatement dans sa flûte de cristal, puis il a souri à Fluck.

— Voilà pour les hommes. Mais vous pourriez penser que l'appoint d'une brigade de chiens féroces formidablement dressés seraient d'une aide précieuse? Nous allons voir.

Un signe de tête aux malfrats derrière le grillage. Ils ont introduit un énorme tube de caoutchouc dans une trappe du grillage.

J'attendais. Il y avait du mouvement, des grondements dans l'ombre de la galerie, et puis soudain un énorme berger allemand s'est mis à ramper dans le tuyau, pour surgir dans mon arène. Il est resté quelques instants ébloui, en grognant furieusement, le poil de la nuque et de l'épine dorsale tout hérissé. Il semblait pétrifié. Dieu, que je déteste les chiens!

La voix de Ball poursuivait son paisible commentaire de conférencier :

— Tous les chiens d'Allelec, bien entendu, sont dressés à tuer. Cette bête-ci a si bien retrouvé son naturel qu'elle tue comme les loups du Grand Nord pour manger, autant que par plaisir. Ce chien, messieurs, est, très littéralement, un mangeur d'hommes.

Le sale cabot grondait en levant la tête vers la lumière d'où tombait la voix monotone. Et puis il m'a vu. Ses yeux rouges m'ont en un instant réduit à l'état de bonne pâtée pour le chien-chien et, tout en grondant tout au fond de sa gorge, il a abaissé son torse de barrique sur les dalles et s'est mis à ramper vers moi. C'était le plus gros chien que j'avais vu de ma vie, et il émettait les sons les plus horribles que j'avais jamais entendus.

J'ai cherché désespérément une colère pour étouffer ma terreur. Elle était là, bien sûr, bien rangée au-dessus de toutes les autres, ces autres petites rages simples, comme le fisc, les employés de chemin de fer et Tom Jones. Elle marinait dans mon ventre depuis des heures. Breumann, en train de faire des choses innommables, dans un quelconque tréfonds de cette baraque de malheur. Ma colère a flambé juste à temps. L'énorme bête décollait des dalles comme une Caravelle pour me sauter à la gorge. Je me suis jeté de côté en décochant bien proprement un coup de savate à son bas-ventre tandis qu'il passait en vol plané. Il a couiné. Un murmure de surprise a couru autour de la galerie.

Les effrayantes mâchoires écumaient et la bête traçait des cercles, en s'éloignant pour prendre son élan. J'ai reculé, en m'efforçant de sentir le grillage électrifié derrière moi, et n'osant pas quitter des yeux le molosse au regard de feu d'enfer.

— Le grillage, monsieur Brock, me cria Ball d'en haut. N'allez pas griller, je vous en prie. Ne gâchez pas notre plaisir.

J'ai entendu le ricanement de Silverstein. Et ce bruit a aussi attiré l'attention du chien. Pendant une fraction de seconde, son regard s'est détourné de moi. J'ai bondi, et comme un joueur de rugby transformant le seul essai de son club à la dernière seconde, j'ai attrapé l'animal à la tête, si violemment que le choc m'a remonté le long de la jambe jusqu'à l'aine.

Aucun coup de pied de l'homme ne pouvait mettre une telle bestiole K. O. pendant longtemps, mais ses yeux se sont momentanément révulsés et il a fait un pénible et douloureux effort pour se lever. Mon élan m'avait fait bondir et atterrir derrière lui et je l'ai empoigné par la queue. Bon Dieu, qu'il était lourd, l'animal. Je l'ai traîné en rond sur le carrelage, comme si je m'apprêtais à lancer le marteau et il a fini par décoller, en se tordant frénétiquement et en claquant des crocs. Mais j'avais une bonne prise. Je l'ai fait tournoyer deux fois et puis j'ai tout lâché. L'énorme bête est partie voguer dans les airs pour aboutir en plein dans le grillage. Un grand cri de mort s'est élevé, coupé net par une explosion sourde et un jet de flamme. Et le chien est retombé tout fumant sur les dalles. Une horrible odeur de chair et de poil brûlés m'a saisi à la gorge.

Il y a eu un instant de silence. Et puis j'ai entendu un drôle de petit cliquetis. J'ai levé les yeux. Ball choquait les ongles de ses pouces l'un contre l'autre, comme on fait pour applaudir dans le gratin aux pommes de la Royal Society. Le reste du public continuait de contempler avec stupéfaction le cadavre fumant qui se consumait lentement sur les dalles.

— Bravo, dit Ball. Bravo, monsieur Brock. Vous avez fait une démonstration admirable du premier point.

Il a fait un nouveau signe de tête et les malfrats ont coupé le courant du grillage, puis toute l'équipe est entrée dans la lice. Deux sont venus me tenir ferme, et les autres se sont répandus un peu partout et se sont mis au garde-à-vous. Ball s'est retourné vers les invités :

— Comme vous le voyez, messieurs, la faillibilité n'est pas uniquement réservée à l'homme. Nous avions donc besoin de quelque chose de plus sûr. Si un seul homme, tel que celui-ci, peut aussi aisément mettre à mal tant nos gardes parfaitement entraînés que nos chiens dressés les plus féroces, imaginez, je vous prie, les difficultés auxquelles nous ne tarderions pas à nous heurter quand nous aurions à faire respecter le couvre-feu à une population entière.

Il a fait un geste, en direction de l'ombre au-delà du cercle de lumière, et a ajouté en souriant :

— Oui, messieurs, nous avons besoin de quelque chose de plus efficace. Quelque chose de plus fort que la férocité animale.

Nous attendions. Mes diables gardiens me maintenaient plus solidement que jamais et les autres se tenaient, raides et silencieux, au garde-à-vous. Au bout d'un moment, de l'extrémité béante du tunnel de caoutchouc j'ai vu rouler, presque une déception après l'angoisse, deux étranges disques de métal d'une soixantaine de centimètres de diamètre et huit à dix d'épaisseur. Sous chacune des carapaces argentées on voyait dépasser des bouts de roues caoutchoutées noires. A une extrémité de chaque espèce de coquille il y avait une petite lucarne, givrée et dépolie comme un viseur photographique, et à l'autre bout un petit rectum double, deux minuscules prises écartées de deux centimètres environ.

Les choses ont fait lentement le tour de l'arène, en contournant les malfrats en sentinelles dans une sorte de slalom au ralenti. Une de ces petites bêtes froides s'est approchée de moi, mais à moins d'un mètre elle a changé d'idée et s'en est allée renifler sur ma gauche. Elles ont continué de se promener comme ça dans la forêt de gros pieds noirs, et soudain j'ai compris ce qu'elles me rappelaient : les Miraculeux Machins Mécaniques du Dr Merveille, dans *Beanos,* quand j'étais petit. A moins que ce soit dans *Magnet.* Mais je n'étais pas du tout d'humeur à imiter les joyeux rires qui descendaient en cascade de la galerie, et que d'ailleurs Ball a fait taire brusquement :

— Ne riez pas si haut, messieurs. Ces jouets sont le résultat de longues et brillantes recherches dans le mécanisme du cerveau humain. Ce sont des reproductions des premières machines à penser créées par le professeur Grey Walter à l'université de Bristol. A vrai dire, ce ne sont pas des jouets, ni même des mécaniques. Ce sont des animaux créés par l'homme. Comme vous pouvez le voir, ils sont assez intelligents pour éviter les obstacles qui se trouvent sur leur chemin. Ainsi que vous et moi. Ils évitent les lumières trop vives et les ombres trop noires, tout comme nous le faisons nous-mêmes. Et ils répondent à l'appel de leur nom.

Il a fait un geste. D'une voix forte, nette, en articulant exagérément, un des malfrats a dit :

— Fi-do.

Aussitôt, une des tortues électroniques s'est docilement tournée et a trottiné vers lui. Elle s'est arrêtée à cinquante centimètres de ses pieds.

— Va-tan.

Et la bestiole infernale est repartie pour sa promenade sans but. De nouveaux rires là-haut sur la galerie, mais admiratifs, cette fois.

— Oui, dit Ball, ils connaissent leurs noms, tout comme nous. Et enfin, messieurs, ils se nourrissent, comme nous. Quand leurs batteries commencent à se décharger, ils retournent d'eux-mêmes se mettre en charge à leur niche.

Les petits animaux d'acier se baladaient à leur gré. Ils ne me paraissaient plus du tout ridicules. Une espèce de gémissement douloureusement aigu s'est élevé, un son dont les oscillations blessaient le tympan. J'ai regardé en haut. Ball tenait une petite boîte à la main, et quand il a ôté un doigt du bouton, le bruit a cessé. J'ai regardé les tortues. Elles avaient interrompu leur quête négative et s'étaient arrêtées comme le bruit. Ball s'est mis à rire.

— Tout comme les êtres humains, ils sont soumis à la puissance. Et les hommes qui appuient sur le bouton les manœuvrent totalement.

Il a appuyé sur le bouton. La petite boîte a sifflé dans sa main et les tortues se sont ranimées.

— Et maintenant, dit Ball, je vais vous montrer les machines à tuer que j'ai su dériver de ces expériences amusantes.

39

« SAINTE mère de Dieu, me suis-je dit en maudissant copieusement le Gros et toute l'équipe d'Addison Road, ils n'ont jamais pensé à m'apprendre le corps à corps, avec des bergers allemands électroniques ! Ils n'ont jamais mis Ray Bradbury sur la liste des auteurs du programme, même pas Brian Aldiss. » Ils m'avaient bien donné à étudier la moitié de tous leurs dossiers roses shocking, avec tout le baratin sur la façon de faire passer le mur de Berlin à mon bel argent et comment ne pas garer ma voiture en plein sur la place Rouge. Mais pour ce qui était de la culture générale, ils ne m'avaient balancé que les *Mémoires* de Schellenberg et les *Sept Piliers de la Sagesse*. Je n'avais plus qu'à me reporter à la règle n° 1. Toucher du bois et remettre son âme à Dieu.

Sur quoi, par bonheur, Ball donna le signal de la pause qui rafraîchit et fit circuler les bouteilles. Penché sur la balustrade, il m'a fourni mon verre pétillant en criant aux malfrats que j'avais droit à un dernier remontant. J'en avais besoin. J'ai levé les yeux, droit dans ceux de Steve. Elle avait toujours la figure hardie et maquillée d'une catin de Cardiff, mais je lui ai porté un toast.

— A ta santé, Milly. Tu ferais un massacre là-bas dans l'Ouest, avec ce que t'as. Essaye donc un peu d'aller le trimbaler du côté d'Addison Road, et demande Greene, après avoir frappé deux coups espacés.

Peut-être, me disais-je, se tirerait-elle de ce sirop noir et sauverait-elle le monde de la domination des Taffies. J'ai de nouveau touché mentalement du bois, j'ai vidé mon verre et je l'ai lancé par-dessus mon épaule. Je ne m'étais pas trompé. C'était bien du Dom Pérignon 47. Ça m'a réellement remonté. Le geste, veux-je dire, pas le vin. Trop sec pour moi, j'ai honte de l'avouer.

Et puis Ball a fait retinter son verre, a réclamé le silence absolu et s'est remis à s'amuser. Les malfrats ont quitté l'arène et branché de nouveau le gril vertical. Et nous avons tous attendu. J'ai remonté mon pantalon et resserré ma ceinture. J'ai tâté mes poches. La collection d'épingles à cheveux me paraissait strictement bonne à rien, et moi de même. Là-dessus la première des machines à sécurité de Ball s'est amenée en reniflant par le tunnel de caoutchouc. Je me suis figé, et j'ai même essayé de ne pas respirer.

Elle était plus grosse que les deux jouets qu'on nous avait montrés, et peinte d'un noir mat tout ce qu'il y a de fonctionnel. Elle avait le même œil de verre dépoli et le même double rectum. Mais il y avait des variantes. Sous l'œil une très fine lame acérée d'environ trente centimètres sortait d'un petit trou rond. Un renflement grillagé se dressait au centre de la carapace noire et à la place des petites roues caoutchoutées il y avait d'épaisses chenilles silencieuses.

La machine est sortie du tuyau, s'est dirigée vers la clôture de l'arène et a changé de direction. Elle a fait tranquillement tout le tour du périmètre et a fini par aller se poster à une vingtaine de centimètres du grillage entre deux des supports d'acier. J'ai deviné que la chose était prévue pour se tapir dans l'ombre d'un mur en s'accordant assez de place de chaque côté pour une action rapide.

Elle a pivoté sans bruit pour tourner le dos au grillage et elle est restée tapie comme une grosse araignée. Son seul mouvement était la lente rotation de la tourelle sur son dos et l'agitation scintillante de sa langue dardée.

L'œil, lui, était braqué droit sur moi et n'était apparemment pas là pour actionner la chose. Mais comme je me tenais pratiquement aussi immobile que les montants de la grille, peut-être le mécanisme était-il actionné par le mouvement. Après quelques siècles de secondes, j'en ai douté car l'œil était fixe et ne pouvait regarder que droit devant. J'ai bougé un doigt. La machine n'a pas fait attention. J'ai remué la tête. Même indifférence. J'ai respiré un tout petit peu mieux mais toujours en silence, car cette tourelle pivotante me faisait tout l'effet d'un microphone directionnel. Donc, le truc marchait au son. Ce qui, naturellement, était logique puisque la machine était destinée à patrouiller la nuit dans les rues de l'Angleterre afin de faire respecter le couvre-feu cinglé de Llewellyn.

Aucun son ne descendait d'en haut pour énerver la chose. Trois minutes environ s'étaient écoulées depuis qu'elle avait surgi du tunnel de caoutchouc. Il m'a fallu encore une minute pour lever la main, sans le plus léger froissement de Terital, pour regarder ma montre. J'ai rendu grâces à Dieu, toujours en silence, pour le tic-tac parfaitement silencieux du symbole de richesse suisse que ma noble mère m'avait acheté pour mes vingt et un ans en grattant sur les comptes du ménage, il y avait de ça un bon millénaire.

J'ai chronométré les révolutions de la tourelle d'écoute. Un tour toutes les cinq secondes. J'ai guetté le moment où ça se braquait sur moi et là j'ai tapoté du bout de l'ongle mon verre de montre, au moment où l'oreille passait. La tourelle est revenue vivement en arrière, en plein sur moi, et dans le silence un mécanisme s'est mis à bourdonner dedans. J'ai bandé mes muscles, mais la chose n'a fait aucun mouvement vers moi. La tourelle a bougé, d'un côté et de l'autre, comme pour chercher la confirmation du bruit qu'elle croyait avoir entendu. Puis elle a repris ses révolutions et le bourdonnement s'est tu à l'intérieur. Je ne savais pas à quoi ça pouvait me servir, mais j'avais appris que j'étais libre d'émettre de légers sons, et par conséquent de bouger, pendant trois secondes pas davantage. Tant que je pouvais voir la chose bien sûr et choisir le bon moment.

Ball a émis alors un léger grognement d'impatience. La machine a pivoté vers le son, elle a rapidement avancé d'un mètre et puis elle s'est arrêtée. Elle avait localisé le son; trop haut pour elle. Ball grommela :

— Accélérons un peu.

Du mouvement au balcon et quelque chose est tombé bruyamment à mes pieds jeté de là-haut. Mais je ne quittais pas la machine des yeux. Elle a instantanément pivoté en direction du bruit. Ses entrailles ont bourdonné et elle s'est ruée sur moi aussi vite que le chien. Mais contrairement au chien, elle était prisonnière du sol et ne pouvait bondir. Alors, quand elle a été à un mètre, j'ai pris mon élan et j'ai sauté par-dessus, atterrissant lourdement sur les dalles derrière elle. Elle s'est retournée vers ce nouveau son et a repris sa charge, l'aiguille d'acier de plus en plus agitée. J'ai encore sauté. Et encore une fois.

Mais sa vitesse de réaction était plus rapide que la mienne et elle allait gagner. Au début, elle avait trois ou quatre mètres à faire pour m'atteindre. Maintenant, j'avais à peine décollé qu'elle pivotait et se ruait à nouveau dès que je retombais sur le sol.

Mais je me suis souvenu que je n'étais pas complètement seul dans l'arène. Il y avait le cadavre du chien au pied du grillage électrifié. Je commençais à être à bout de souffle, et j'avais du mal à continuer de sauter. Je me suis mis à manœuvrer pour me rapprocher du chien. Il m'a fallu encore trois bonds douloureux pour me dégager de ma veste et, enfin, un dernier bond désespéré pour retomber juste devant le grand corps carbonisé. La machine a bourdonné et j'ai glissé de côté.

Sa chenille a effleuré le bas de mon pantalon, mais son dard étincelant est allé s'enfouir non pas dans mes chairs mais dans la bête morte. J'ai jeté ma veste sur la tourelle d'écoute, dans l'espoir de la rendre sourde et de ralentir ses réactions. Le truc a marché. La chose a tiré son dard du chien et s'est mis à tournoyer sur place, complètement égarée.

Durant ma petite exhibition de gymnastique, j'avais gardé dans ma main moite une des épingles à cheveux d'Angie. J'ai sauté une dernière fois par-dessus la carapace frémissante. J'ai aussi pris un gros risque avec le voltage de la machine quand j'ai enfoncé carrément l'épingle dans le rectum double. Mais les semelles de crêpe de mes bottillons ont tenu le coup et je n'ai reçu qu'une faible décharge. Avec précaution, j'ai ôté ma veste de la tourelle. Rien ne s'est passé. La sale bête avait été court-circuitée proprement.

Pendant quelques secondes, le silence n'a été rompu que par ma respiration haletante. Et puis des mouvements divers et des rires sont descendus de la galerie. Pendant que j'y étais, j'ai décoché un bon coup de pied en plein dans l'œil du machin. La mécanique n'a pas réagi. Son dard, à présent inerte laissait couler un épais cambouis noir sur les dalles. Là-haut, les rires discrets se sont faits moqueurs.

— Il l'a enculée, cria une voix.

— Il lui a fichu un bout de fil de fer dans le cul, s'extasia une catin cardiffienne.

— Le truc est mort de plaisir!

— Tel père tel fils, pas vrai, professeur?

— Et s'il vous en faisait autant, hein?

J'ai levé les yeux. Les rires montaient de plus belle et Ball était blême de rage et d'humiliation.

Je me suis rendu compte, une ou deux minutes plus tard, que j'aurais pu profiter de la confusion pour m'échapper. Ils m'avaient oublié et j'étais gonflé d'adrénaline, le poil hérissé, les yeux dilatés, prêt à tout. Mais mes sacrées glandes ne sont jamais à la hauteur. Je ne suis combatif qu'à l'instant du danger. Mon syndrome de la fuite est à retardement, ce qui est justement pourquoi je me suis laissé embobiner par le Gros.

D'ailleurs, je n'aurais jamais pu m'échapper. Ma démonstration de saut avait épuisé mon énergie, et pour le moment il me suffisait de sentir la terre ferme sous mon quarante-quatre fillette.

Là-haut au balcon, Fluck disait deux mots rageurs à Ball, et je l'ai vu hausser les épaules et lui tourner le dos. Ball s'est penché sur la balustrade pour me foudroyer du regard. Je me suis dit qu'il y avait quelqu'un là-haut qui n'avait aucune sympathie pour moi. Toute l'aisance distinguée du petit génie s'était évaporée. Ce n'était qu'un léger vernis. Et comme beaucoup de pédérastes, il n'avait là-dessous qu'une gigantesque méchanceté sadique et terrifiante.

— Salaud, sifflait-il. Espèce de salaud...

Il avait bien d'autres choses à dire mais sa bouche se tordait et aucun son n'en sortait. Jusqu'au moment où Fluck a reparu à côté de lui. Fluck a parlé calmement, mais Ball s'est retourné et l'a giflé à toute volée.

— Va-t'en! a-t-il glapi. Allez-vous-en tous! Dégagez le hall! Foutez le camp, tous!

Il a arraché un pistolet à Fluck et lui a tourné le dos.

Fluck a de nouveau haussé les épaules et il s'est mis

à repousser la foule silencieuse des invités. Il y en avait qui renâclaient, mais Fluck a fait appel à une escouade de malfrats et bientôt il n'est plus resté personne dans le hall et la galerie. Dans le silence rétabli, Ball me regardait fixement, le pistolet à la main, l'œil hagard et dément. Ça a duré un moment. De temps en temps, je l'entendais marmonner de vagues horreurs. Un peu d'écume luisait au coin de ses lèvres.

Je me suis dit que peut-être bien les génies et tous les magnats du monde oscillaient entre la raison et la folie. Et aussi tous les politiciens, et tous les milliardaires, les idoles de la télévision et les agents de publicité. Ainsi que ce gros salaud de je-sais-tout joueur de scrabble d'Addison Road. Humphrey Bogart n'est plus, me suis-je dit, et Richard Burton est marié. Peut-être ne reste-t-il au monde que le grand John Wayne et moi. Si jamais je me tire de cette histoire, me suis-je dit, je m'en vais m'acheter une caravane, une femme en caoutchouc, une pompe à vélo, quelques tablettes de chocolat, et je fuirai le monde. Je m'en irai m'enterrer au fin fond du désert de Gobi, peut-être. Ou à Cheltenham.

Soudain la boîte à commandes de Ball s'est remise à gémir et la machine suivante a surgi du gros tuyau. Et une autre et encore une autre. Je me suis figé sur place. Fluck devait les avoir alignées pour la démonstration, avant d'être renvoyé à ses billes. Elles étaient toutes différentes de la première. L'une avait d'énormes pinces en dents de scie, comme un homard sculpté par Giacommetti, une autre brandissait une espèce de hachoir grondant qui vous glaçait le sang, la dernière était équipée de grands couteaux comme Boadicée soi-même. Elles avaient toutes des radars différents, aussi, et je suis resté sur place, immobile, à retenir mon souffle, attendant qu'elles réagissent au relent même de ma peur. Elles ont reniflé, comme la première, le long du périmètre, et se sont postées à intervalles réguliers autour du grillage, attendant patiemment que je bouge, que je hurle ou que je tombe dans les pommes.

J'étais sur le point d'entonner mon chant du cygne quand une autre voix s'est élevée, divine et mélodieuse.

— Brock, disait la voix.

C'était Steve, qui luttait avec Ball contre la balustrade de la galerie. Elle a lancé quelque chose vers moi que j'ai attrapé au vol. C'était la petite boîte de Ball. J'ai appuyé sur le bouton avec l'énergie du désespoir et l'infernal sifflement s'est tu en immobilisant les machines. J'ai regardé celle qui s'était le plus approchée. C'était celle aux couteaux. J'ai calculé que j'avais été à trente secondes d'être transformé en tranches de saucisson.

J'ai regardé là-haut. Ball me tournait le dos et il frappait sauvagement Steve, sur la tête et les épaules. Mais tandis que je regardais, la tête de Steve a disparu et j'ai cru qu'elle avait été assommée, oubliant qu'elle avait certainement été entraînée par Provis. Elle se cramponnait aux jambes de Ball pour le faire basculer dans le vide. Il a poussé un hurlement avant de venir s'écraser sur les dalles du hall. Et puis il n'a plus bougé.

— Brave petite, ai-je crié. Descendez donc débrancher le grillage. Et puis on se tirera d'ici.

Elle était déjà en route et dix secondes plus tard j'étais libre. J'ai frémi et béni Steve en refermant la grille sur la ménagerie démente.

Ball commençait à s'agiter. Il a gémi. J'avais toujours la boîte à la main et, presque par réflexe, j'ai rebranché le grillage et j'ai appuyé sur le bouton. Les bêtes mécaniques se sont remises en marche. Ball les a vues, et il s'est relevé précipitamment, en poussant de petits cris d'horreur. Il aurait dû se taire et ne pas bouger, mais il a couru vers moi. Sa main tendue a touché le grillage électrifié juste avant que la première des machines ne l'atteigne.

40

— **V**ITE, courons! J'ai empoigné Steve et je l'ai entraînée dans la pénombre avant qu'elle ait le temps de trop voir le tas de viande fumante au pied du grillage. Elle m'a suivi, en criant :

— Il faut m'aider à sauver Provis!

— Oui, bien sûr. Mais ne vous en faites pas trop. Il est solide.

— Mais je les ai entendus parler. Ce grand Taffy. Il riait en pensant à ce qu'on lui faisait.

Elle a frémi. Je me suis rappelé la gueule des Allemands qui avaient entraîné le colosse la veille, et je me suis demandé si jamais je le reverrais vivant.

— Ne vous en faites pas, ai-je répété. Nous irons à son secours. Mais avant, nous devons créer un peu de perturbation ici.

— Que voulez-vous dire?

— Je n'en sais rien encore.

Tout ce que j'avais à faire, naturellement, c'était de trouver Angie. J'ai fouillé partout, dans l'espoir de trou-

ver une arme quelconque. Une bombe H, peut-être, ou
deux ou trois marmites d'huile bouillante. N'importe
quoi.

— J'ai un pistolet, m'a annoncé Steve en m'offrant un
de ces trucs à aiguilles. Ball l'a laissé tomber, là-haut.

Je l'ai pris, je me suis arrêté, et j'ai remarqué un
faisceau de drôles de perches, rangées à l'autre extrémité du tunnel de caoutchouc menant dans l'arène. J'en
ai ramassé une. C'était long comme un club de golf,
avec une poignée en caoutchouc, et le bout était fourchu,
en forme de prise de courant. J'ai réfléchi un instant. Il
devait bien exister un moyen de transporter les monstres
électroniques de Ball. C'était peut-être ça.

— Bougez pas.

Je suis retourné dans l'arène, j'ai d'abord débranché
le grillage et j'ai utilisé la boîte de commandes pour
arrêter les machines. J'ai choisi celle aux couteaux, je
l'ai traînée devant l'horrible hamburger obscène qui avait
été un petit génie, et j'ai rebranché le courant après avoir
soigneusement refermé la porte. J'ai inséré le bout fourchu de ma canne dans le rectum de la chose et j'ai
poussé. Elle n'a pas bougé. Timidement, j'ai appuyé
sur le bouton de ma boîte. La machine s'est mise à
bourdonner. J'ai poussé, et cette fois elle a obéi. La
prise, au bout de ma canne, devait court-circuiter le
mécanisme d'attaque féroce, laissant la chose mobile mais
inoffensive. Enfin, je l'espérais. Maintenant je pouvais
la pousser dans tous les sens comme une tondeuse à
gazon apprivoisée.

— Ecoutez, ai-je dit à Steve, je monte faire du ram-
dam là-haut. Il faut que je retrouve ma petite amie et
ça peut tourner à l'aigre. Alors vous allez rester ici et ne
pas vous montrer. A la première occasion, cependant,
tirez-vous en vitesse et retournez à Cardiff. J'irai chercher Provis, je vous le promets.

238

Je lui ai rendu le pistolet et je lui ai expliqué comment s'en servir.

— Tirez sur quiconque s'approche de vous. Sauf moi.

Je suis parti en poussant mon petit robot devant moi. Ses larges chenilles ont escaladé les marches souplement et en silence. Les couteaux laissaient goutter le sang de Ball sur les tapis de Llewellyn. En haut de l'escalier, je me suis arrêté. J'ai entendu le brouhaha de la réception qui se poursuivait derrière une porte fermée au fond de la galerie. La galerie elle-même était déserte et je me suis rendu compte, avec stupéfaction, qu'il ne s'était pas écoulé plus de six ou sept minutes depuis que Ball, dans une crise de rage et de vexation, avait fait vider les lieux.

J'ai poussé ma machine vers le bruit et je me suis arrêté devant la porte. Il y avait de la musique à plein volume et une femme essayait de la couvrir en chantant. Mais la cacophonie partait perdante contre les cris aigus des femmes et les grognements avinés des hommes en rut.

Soudain, la porte s'est ouverte. Un des colosses gallois est sorti en titubant, traînant une petite femme prise de fou rire. Une des épaulettes de sa robe était déchirée et elle ne portait pas de soutien-gorge. Ils sont passés devant moi. L'homme m'a regardé, l'œil vitreux et perplexe. Il s'est arrêté, en clignant des paupières. J'ai abandonné ma machine et je me suis rué sur lui. Il était trop ivre pour lever le petit doigt et il a sombré comme le *Titanic*. La femme s'est adossée au mur, sans cesser de pouffer.

— J'aime ça, moi. Faites-m'en autant, dites, vous voulez bien?

Mais c'était inutile. J'ai fouillé les poches du colosse et j'ai pris son pistolet. Puis j'ai récupéré mon robot, j'ai poussé la porte et j'ai braqué mon pistolet au-dessus des têtes, sur le mur. J'ai gardé mon doigt sur le bouton et j'ai constellé le mur de petits cratères. Le silence est tombé brusquement. Les cris, les rires et les tintements de verres et les grognements se sont tus, mais la musique a continué. *Desafinado,* c'était. La bossa nova. Stan Getz ne renonce jamais. J'ai regardé autour de moi.

A part Williams, Breumann, Llewellyn et, naturellement, Ball, tout le monde était là, figé sur place, abruti d'alcool, en groupes parfois intéressants parfois tout simplement répugnants. Schneider, un bon point pour lui, était tout seul dans un coin, bien sage, attendant sans doute le retour de Steve. La figure de lune moite de Silverstein me regardait fixement par-dessus l'épaule nue et grasse d'une fille, la bouche ouverte comme une hyène prise sur le fait. Fluck câlinait Sullivan, dans l'espoir de rendre Ball fou de jalousie, j'ai supposé. Il ne savait pas, le malheureux.

Un autre des colosses gallois se tenait près de moi, moins ivre ou plus consciencieux que les autres. Je lui ai fait signe d'approcher, avec mon pistolet, et après une légère hésitation il a obéi. J'ai appuyé le canon de mon pistolet sur son cou et je lui ai fait franchir le seuil. Puis j'ai arraché ma canne du rectum de mon robot et j'ai claqué la porte. Dans la pièce, il n'y a d'abord eu que le silence. Et puis une imbécile de femme a hurlé. D'autres glapissements lui ont répondu. Plus de rires, plus de ricanements, à présent. Le robot était à la fête avec ses couteaux.

J'ai poussé le Taffy contre le mur. La femme n'avait pas bougé et pouffait encore.

— Où est Breumann? ai-je demandé.

Le Taffy n'a pas répondu. Je n'avais pas de temps à perdre en badinage. Je l'ai frappé en pleine figure, de toutes mes forces. Son sang a jailli et il a parlé, d'une voix rauque et terrifiée :

— L'étage au-dessus. Première porte à gauche.

Et puis il s'est évanoui.

La bonne femme a éclaté de rire.

— Faites-m'en autant, je vous en supplie. Dites!

Mais je galopais déjà dans l'escalier et je me ruais par la première porte à gauche. Je l'ai refermée derrière moi. Breumann était là, et me tournait le dos. Il se penchait sur le lit. Angie y était étendue.

— Allez-vous-en, dit-il de sa voix pâteuse à l'accent tudesque.

Et puis il s'est retourné et il m'a vu. Sa grosse figure jaune et flasque est restée impassible, mais il s'est redressé, les yeux rivés sur mon pistolet.

Je lui ai fait signe de s'écarter et il est allé à reculons s'adosser au mur. J'ai traversé la chambre, en le tenant sous mon feu, pour m'approcher d'Angie. Elle était couchée les jambes et les bras en croix, attachée aux montants du lit par de fines courroies. Mais elle était encore tout habillée. Elle paraissait terrifiée mais intacte.

— Ça va? Pas de bobo?

Elle a hoché la tête, faiblement, et elle m'a expliqué dans un souffle :

— Vous lui avez fait mal quand vous lui avez sauté dessus en bas, et il a dû se reposer. C'est pour ça qu'il m'a attachée. Et puis un Allemand est venu le masser. (Elle n'a pu réprimer un frémissement de dégoût.) J'ai été obligée de regarder.

J'ai défait les courroies et elle s'est assise sur le lit avec une petite grimace de douleur tant elle était ankylosée. Puis elle a rabattu sa jupe et s'est lissé les cheveux.

J'ai examiné la chambre. Sur la table, une grande trousse était ouverte et à côté il y avait tout un assortiment d'instruments de cuir, de caoutchouc et de bois. J'avais vu ce genre d'outils à Scotland Yard et j'ai poussé un soupir de soulagement. Il y avait aussi un verre sale et un flacon, et un petit cylindre métallique à embout de caoutchouc.

— Qu'est-ce que c'est que ça? ai-je demandé.

Angie m'a répondu :

— Il a versé dans le verre un liquide qui ressemblait à du lait et puis il l'a fait mousser en y injectant je ne sais quoi, un gaz, avec ce cylindre.

J'ai pris le bidule et j'ai pressé l'embout. Ça a sifflé et j'ai senti une odeur de gaz carbonique. Je me suis tourné vers l'individu obscène.

— Je n'ai pas fait de mal à la jeune fille, a-t-il protesté. Je cherchais seulement à lui donner du plaisir.

Il devait bien voir mon profond dégoût, mais sa figure, sa voix, son regard restaient dépourvus d'expression.

J'ai regardé Angie.

— Nous fichons le camp d'ici. Vous vous en sentez la force?

— Oui. Mais je boirais bien quelque chose.

J'ai fouillé un peu partout et j'ai trouvé une autre bouteille. Elle était pleine. Je l'ai goûtée. C'était du bon vieux cognac des familles, alors j'en ai servi une bonne rasade à Angie et j'en ai pris une moi-même. Elle a essuyé ses larmes et je lui ai dit d'aller se poster à la porte.

— Vous allez le tuer? a-t-elle demandé.

— J'espère que non. Nous n'avons pas le temps de le faire comme je voudrais.

— Vous êtes formidable, a-t-elle soupiré.

Le cognac est champion pour franchir le mur de l'absorption et s'introduit dans le sang encore plus vite que l'Aspro. Et ça soulage, pas de doute.

— Ce n'est ni le moment ni le lieu, lui ai-je déclaré.

J'ai jeté Breumann par terre et je lui ai solidement ligoté les poignets en les reliant aux chevilles, avec ses propres petites courroies de dingues, et en serrant bien. Puis j'ai fourré dans sa bouche son gant de toilette, qui sentait affreusement la rose, et j'ai mis un bon bâil-

lon par-dessus. Je l'ai poussé sous le lit, et j'ai arrangé
le dessus de lit pour qu'il soit caché. Avec un peu de
chance, je le retrouverai là quand j'aurai plus de
temps à lui consacrer. Et puis je lui ai flanqué un bon
coup de pied dans la tête pour faire bon poids, et j'ai
traîné Angie dans la galerie. Un bruit affreux montait
d'en bas.

Je me suis penché prudemment sur la balustrade. Il
semblait que la majorité des invités avaient pu échapper à mon robot tranchant, mais aussi on ne pouvait
pas demander à une brave petite tortue électronique de
tenir tête toute seule à deux douzaines de clients endur-
cis. Elle avait quand même vaillamment combattu. Par
la porte ouverte, j'apercevais Silverstein sur le tapis,
presque entièrement coupé en morceaux, qui suait maintenant du sang. Il n'était pas le seul. Mais la majorité
se tassait dans la galerie, et les hommes s'efforçaient de
calmer les femmes. Et les femmes leur répondaient par
des injures d'enfer, qui, comme chacun sait, n'abrite pas
de furies plus redoutables qu'une catin de Cardiff partant à l'attaque. Stan Getz continuait de délayer la gui-
mauve de son imperturbable microsillon, et des malfrats montaient en formation du hall. L'un d'eux m'a
aperçu et a tiré. L'aiguille m'a sifflé sous le nez et elle
est allée s'enfoncer là-haut vers le plafond, avec une
sourde explosion.

J'ai repoussé Angie derrière moi. A mes pieds, deux
étages plus bas, les lumières éblouissantes éclairaient
toujours l'arène. Je supposais que le grillage était toujours branché. J'ai jeté un bref regard circulaire pour
bien m'orienter. Puis j'ai soigneusement visé la boîte à
fusibles du grillage et j'ai tiré.

Le tonnerre a éclaté, des éclairs ont fulguré, et tout
s'est éteint. Des cris de panique montaient d'en bas. Et
puis des flammes ont commencé à crépiter. Par bonheur, cette vaste blague gothique de hall était pleine de

boiseries sculptées, luisantes de vernis, en bois bien sec et tout prêt pour faire un bon brasier fumant.

L'escalier était maintenant encombré de malfrats et j'ai décoché quelques aiguilles dans le noir, en faisant mouche, à ma grande satisfaction auditive, au moins trois ou quatre fois. Mais il était temps de partir et j'ai tiré Angie dans la galerie, en m'éloignant de l'escalier. Il devait certainement y avoir une autre issue, ne serait-ce qu'un escalier de service à l'usage des larbins, et, avant que tout s'éteigne, j'avais repéré une petite porte battante dans un coin. Je ne m'étais pas trompé. La lumière vacillante du brasier du hall m'a montré un escalier de fer en colimaçon qui plongeait dans les ténèbres.

Avant de descendre, j'ai jeté un dernier coup d'œil par-dessus bord. Les flammes prenaient bien, illuminant ce grand imbécile d'orgue dans le fond du hall. « Ma foi, me suis-je dit, le sang coule, les feux sont allumés, John Carradine, si tu vois ça de là-haut tu dois être à la fête. »

41

SUR le petit palier, je me suis immobilisé et j'ai tendu l'oreille, mais rien ne bougeait, alors nous sommes descendus en tournant dans le noir. Toute la confusion et tout le fracas se cantonnaient sur le devant de la maison. La descente était longue, alors je me suis arrêté en chemin pour embrasser Angie, une mesure strictement thérapeutique. Elle a répondu à mon baiser et puis elle s'est raidie en murmurant :

— Pour l'amour du ciel.

Mais ça m'avait fait du bien, et bientôt nous avons débouché dans une vaste cuisine inondée de clair de lune. Elle était pleine des gadgets de Llewellyn, tout en émail blanc et avec assez de cadrans et de manettes pour conduire un Comet. Les trésors, sans doute, que les hommes de Llewellyn mettaient au point pour les petits enfants de Madame 1970. Et puis je me suis rappelé ce qu'ils préparaient pour leur grand-mère.

Llewellyn était peut-être en train de griller en haut. Mais ce n'était guère probable. A voir son dégoût chaque fois qu'il était forcé de reconnaître la folie de ses acolytes, il devait se faire rare, quand ils organisaient leurs petites soirées.

Et, naturellement, le temps passait à tire-d'aile. Il y avait deux portes, dans la cuisine. La première donnait sur le devant de la maison, aussi me suis-je gardé d'y toucher. L'autre ouvrait sur la cour. Je suis allé à une fenêtre. Le feu avait peut-être attiré tout le monde... Mais le clair de lune faisait scintiller le canon argenté d'un pistolet et je me suis rencogné dans les ténèbres avec Angie. J'ai pris sa main et l'ai serrée. Elle a massé mon pouce. Quelle fille admirable. J'entendais sonner des cloches.

Et puis les cloches se sont tues et presque aussitôt, la porte a été enfoncée d'un coup de pied. Deux masses sombres ont fait irruption, surmontées d'énormes têtes lisses et luisantes.

J'ai levé mon pistolet pour tirer mais un projecteur a balayé la cuisine et m'a aveuglé. Une des masses a dit d'une voix douce :

— Allez, ah. Bon sang de Dieu! vous savez pas que la foutue baraque est en feu?

— Dew, papa, a dit l'autre, c'est facile d'éteindre le foutu feu. C'est les foutues personnes qui mettent les foutus feux qui font les foutus ennuis.

— Allez, ah, faut pas être trop dur avec eux, Ianto. Commotionnés ils sont, peut-être bien.

Ils se sont approchés, ils nous ont empoignés avec beaucoup de douceur, mais je n'avais plus peur. J'avais vu que les grosses têtes terrifiantes n'étaient en fait que de braves et bons casques de cuivre de pompiers.

— Qu'est-ce que c'est, Rhys? a demandé le premier pompier. Les gifler, c'est? C'est pas ça qu'on nous dit dans le manuel?

— Non, lui ai-je répondu. Ça va bien, maintenant. Allez devant, on vous suit.

— Brave petit. Par ici, venez.

246

Il a traversé la cuisine et a enfoncé la porte extérieure avec sa hache. Je crois que la clef était dans la serrure, et on n'était pas particulièrement pressés. La cuisine était fraîche comme une laiterie et il n'y avait pas l'ombre d'une flamme en vue, si j'ose m'exprimer ainsi.

Ils nous ont conduit dans la cour, à l'abri.

— Ça c'est foutrement chouette, Rhys. Des foutues bonnes haches, on nous a données.

— Foutues bonnes, a dit Rhys.

Des ombres, là où j'avais vu scintiller le pistolet, s'est avancé un malfrat en uniforme noir. Il a levé son arme et a vomi un flot d'injures teutonnes. Ianto l'a assommé avec sa foutue bonne hache.

— Dieu tout-puissant! s'est exclamé Rhys. Voilà que tu l'as fait trépasser, collègue.

— Que non pas, a répliqué Ianto. Avec le plat de la lame j'ai frappé. Pour qui tu me prends, collègue?

Rhys s'est penché pour examiner le corps inerte. Il s'est redressé, soulagé.

— Une espèce d'étranger qu'est pas d'ici, à en croire sa façon de respirer. Il devait mijoter quelque chose de pas chrétien.

— Y a pas de doute, a renchéri Ianto. Tu te souviens ce Norvégien, aux docks, qu'avait mis une foutue allumette à Mme Gwellian Morgan Ellis?

— C'était pas un Norvégien. C'était un Scandinave.

— C'est juste, collègue. Je me souviens, maintenant. Un vrai foutu salaud de mes deux, c'était.

Il a jeté un coup d'œil à l'Allemand allongé pour le compte et a observé :

— Des foutues bonnes haches, celles-là.

Et puis ils se sont souvenus de nous.

— Allons, venez, maintenant, nous a dit gentiment Rhys. Y a pas à s'inquiéter. Nous avons déjà maîtrisé l'incendie et tout va bien.

— Vous avez rien à craindre. Si vous voyez tomber une poutre, vous n'avez qu'à foutre le camp vite fait.

Ils nous ont emmenés, gentiment, et j'ai eu beaucoup de mal à leur faire comprendre qu'Angie n'avait pas besoin de soupe bien chaude ni de couvertures de même. Ils ont quand même fini par nous laisser et ils ont disparu dans les ténèbres fraîches, le long de la bâtisse, pour chercher d'autres survivants à sauver et d'autres portes à enfoncer. Tous les Gallois ne sont pas des fumiers.

Nous nous sommes glissés vers le devant de la maison. La moitié des voitures de pompiers du Glamorganshire envahissaient joyeusement les pelouses et déversaient assez d'eau pour noyer tous les villages du pays de Galles. Des escouades de joyeux pompiers, transportés de joie, allaient et venaient, causant autant de dégâts que les flammes, poussant les forces récalcitrantes de Llewellyn en groupes impuissants sous les arbres, poussant les hommes et portant les femmes, en profitant de l'occasion pour se payer de bonnes grosses pincées galloises.

Ianto, à moins que ça ne soit Rhys, est passé devant moi pour se perdre dans les buissons, avec une brassée de grosse blonde consentante. Et au milieu de la pelouse Fluck, ses cheveux d'or renvoyant les reflets de l'incendie, discutait âprement avec le capitaine des pompiers qui hochait la tête et faisait signe à deux de ses hommes. Ils se sont précipités et ont gentiment reconduit Fluck parmi la foule.

Et puis une grosse voiture noire est arrivée en trombe. Elle a pris le dernier tournant de l'allée sur deux roues, et Llewellyn en est sorti, aussi furieux et congestionné qu'un coucher de soleil sur la Rhondda. Deux secondes plus tard, il avait le capitaine des pompiers à sa botte, mais déjà Angie et moi étions à mi-chemin du portail.

Nous avons suivi la route vers le pub qui servait la sinistre bière saumâtre. Sa porte était ouverte, projetant une lumière jaune sur la chaussée où deux voitures stationnaient. Le premier flic venu vous dira comment faire démarrer une voiture quand on n'a pas les clefs, mais à côté des autos, le patron et ses quelques clients étaient également sur la route, le verre à la main, contemplant en silence les flammes de Castell Coch.

— Allons, tant pis, ai-je dit. On va prendre un verre et téléphoner pour avoir un taxi.

Angie m'a regardé.

— Vous feriez bien de vous arranger un peu. Ils vont penser que vous vous êtes bagarré.

— Vous pouvez vous moquer, vous qui êtes restée couchée sur le dos toute la journée!

Mais j'ai fait ce que j'ai pu. J'ai resserré mon nœud de cravate et je me suis peigné. Mon bas de pantalon était déchiré et le revers était tout raide de sang séché, où la machine m'avait blessé avec ses couteaux. Mais quoi, c'était un pub de campagne, pas le Savoy.

Le patron nous a suivis dans la salle et nous a examinés à la lumière pauvre de son sinistre établissement. Il m'a reconnu.

— On vous fait drôlement travailler à la télévision, on dirait, hein?

— Vous pouvez le constater. Qu'est-ce qui se passe là-bas? Un incendie?

— Ouais. Ils disent qu'il y avait une soirée. Drôle de soirée, si vous voulez mon avis. C'est encore ces foutues sales bêtes de chiens, je parie.

— Ils ont mis sa Zizi grosse, ai-je expliqué à Angie et j'ai commandé deux grands cognacs et un jeton de téléphone.

Il m'a servi deux petits cognacs italiens en me déclarant :

— C'est tout ce que j'ai. Et y a pas de téléphone.

— Mais j'ai besoin d'un taxi.

— Où c'est que vous allez?

— A Barry.

— A pied.

— Je suis pressé.

— Vous autres, de la télévision, toujours à cavaler! Je sais pas pourquoi. Les programmes sont pas si chouettes.

— C'est ma femme, lui ai-je dit. Il faut qu'elle entre à l'hôpital.

— Qu'est-ce qu'elle a donc?

— Un garçon, j'espère. Mais elle veut une fille.

Angie s'est tortillée à côté de moi et elle a essayé de mettre son ventre en avant.

— Ah, tiens donc? Un polichinelle dans le tiroir, vous avez? Eh bien, voyons. John Evans vient d'arriver, alors je peux pas lui demander. Vous allez quand même pas me chiper ma clientèle. Mais Tommy Walters là-dehors il en est à sa cinquième pinte et il en prend jamais plus de cinq le vendredi. Probable qu'il peut vous emmener. Je m'en vais y demander.

Il est sorti de derrière son comptoir, et puis il s'est planté devant Angie.

— Hé là, une minute. Elle a pas l'air en cloque.

— Il est en avance, ai-je expliqué.

— Ah bon. Ben, ça va être dur, ma petite dame. C'est cette vie de fous. (Il a regardé nos verres.) Et puis l'alcool probable.

Il est sorti en traînant les pieds et nous avons goûté notre cognac. Je n'avais jamais rien bu d'aussi rêche. Ça s'est foré un chemin brûlant dans mon œsophage et ça a allumé un petit incendie dans mon estomac. Le patron est revenu.

— Il dit qu'il veut bien. Généreux, il est, quand il en a pris un coup... Encore une tournée pour vous? a-t-il demandé en voyant nos verres vides.

Angie n'avait pas encore repris son souffle. J'ai répondu pour elle.

— Non, merci. J'ai besoin de garder mon sang-froid.

Le patron s'est désintéressé de nous.

Là-dessus, Tommy Walters est entré, empestant les cinq pintes de brune. Il a souri à Angie, il a grogné quelque chose de joyeusement aimable, il nous a pris tous les deux par le bras et il nous a fait tituber dehors. Sa voiture était une antique Ford Pilot, de celles qu'on voit dans les courses de stock-cars. Elle était peinte en vert, par plaques. Il nous a rangés à l'arrière et il s'est glissé au volant. Le taxi a démarré avant qu'il ferme sa portière.

— Comme une fusée, elle démarre, a-t-il jeté par-dessus son épaule.

— Au bruit, on dirait que c'en est une, ai-je grommelé. Hé là, c'est le chemin de Cardiff, ça. Nous allons à Barry.

— Raccourci.

Mais c'était un mal pour un bien, car en regardant par la lunette arrière, j'ai vu que Llewellyn avait agi. Déjà, une des massives voitures noires des Bendricks roulait vers le pub, son projecteur pivotant pour illuminer les deux côtés de la route. Elle ne nous aurait peut-être pas arrêtés, mais Tommy Walters serait sûrement rentré dedans.

Nous avons zigzagué un moment sur la route de Cardiff et puis tout à coup nous nous sommes trouvés projetés l'un sur l'autre quand la voiture a cahoté dans un bois, sous un tunnel d'arbres. Angie s'est cramponnée à moi et j'ai fermé les yeux. Le carter en prenait un sacré coup et les pneus aussi. Mais au bout d'un temps miséricordieusement bref nous avons fait irruption sur la route nationale, roulant à présent dans la direction opposée, et dans les faubourgs de Barry.

— Vous me croirez pas, m'a dit Tommy Walters, mais ce raccourci, ça réduit de moitié la distance entre le Glebe Hotel et Barry.

— Où est le Glebe Hotel?

— Quoi? Mais c'est là où je vous ai chargés, quoi!
A quel hôpital?
Je venais de voir un panonceau « Silence hôpital »,
et je lui ai répondu :
— Celui-ci, justement.
Il a stoppé sur cinq mètres. La voiture en a fait quinze
de plus en dérapant. Il s'est retourné, avec un large sourire de fierté.
— Je viens de faire régler les freins. J'oublie tout le
temps. Mais dites, c'est pas cet hôpital-là que vous vou-
lez. C'est l'Isolation, qu'on l'appelle, pour les maladies
contagieuses, la scarlatine et tout.
Nous étions enfin sur la terre ferme, libérés de son cer-
cueil roulant.
— On ne prend jamais trop de précautions, lui ai-je
dit en le payant.
Nous nous sommes éloignés dans la nuit. Au bout d'un
moment, il a redémarré en emballant son moteur, et il
a dévalé la côte à tombeau ouvert.
— Vous ne l'avez pas remercié, m'a reproché Angie.
— De quoi donc?
Très loin, au bas de la colline, Tommy Walters a péta-
radé et lancé un gros pet gallois vexé.

42

NOUS avons suivi les rues silencieuses des hauts quartiers de Barry, celui des instituteurs, pensais-je, ou des employés de banque. Les maisons étaient individuelles, mais tout juste, entourées de haies et parfaitement obscures. Il devait y avoir des gens dedans, mais tous les volets étaient soigneusement fermés. Il faisait très noir; les ampoules des réverbères étaient si faibles que je pouvais nettement voir les filaments à l'intérieur.

— Où allons-nous? m'a demandé Angie.

— Je veux que vous alliez à Cardiff. Prenez ma petite médaille en fer-blanc et agitez-la sous le nez des gens jusqu'à ce qu'ils vous écoutent. Ensuite, allez vous installer à l'Ange, prenez un bain et attendez-moi.

— Qu'est-ce que vous allez faire?

Nous arrivions devant une cabine publique. Je suis entré, j'ai formé le numéro du manuel et j'ai demandé Addison Road en P. C. V. C'était au tour de Muir de répondre mais ça aurait aussi bien pu être Greene.

— Oui? a-t-il grogné.

— C'est moi.

— Vous êtes pas sur la ligne directe.

— Non, je suis dans une cabine publique.

— Raccrochez.

— Eh là, une minute. J'ai besoin d'argent et de quelques commandos.

— Brock, vous buvez trop. Raccrochez et allez cuver votre cuite.

— Passez-moi le Gros.

— Ça ne vous mènera nulle part. Il est en pleine partie de scrabble avec Greene.

Sur quoi il a raccroché. J'en ai fait autant, avec tant de violence que j'ai cassé le combiné. Angie a passé la tête dans la cabine.

— On va accuser les blousons noirs de ce truc-là. Qu'est-ce qui se passe ?

— Ah, les salauds !

— Vous m'avez encore, moi.

— Une bonne chose, au moins.

Un grand car vert approchait lentement et après avoir regardé de près la plaque jaune de son terminus j'ai vivement entraîné Angie à travers la chaussée jusqu'à l'arrêt du car. Je lui ai donné tout ce qui me restait de monnaie, environ dix shillings.

— Si ça ne vous suffit pas pour aller jusqu'à Cardiff, vous serez obligée de faire le reste du chemin à pied. Courage.

J'ai à peine eu le temps de l'embrasser. Elle est montée, le receveur a sonné et le car s'est ébranlé, me laissant seul et sans un sou.

Je me suis tourné vers la côte, j'ai respiré un bon coup et je me suis mis en marche vers les Bendricks. Sur la colline, entre les maisons, tout était calme, silencieux et obscur mais à mes pieds les vives lumières du parc d'attractions et des docks me rappelaient qu'il n'était pas encore 10 heures du soir. Les pubs étaient encore ouverts et j'avais besoin de boire un verre. Mais je n'avais pas d'argent. J'ai donné un coup de pied rageur dans une barrière, en m'imaginant que c'était Muir.

— Hé! a fait une jeune voix mâle dans l'ombre d'un perron.

— C'est un voyeur, a fait une jeune voix féminine. Il nous regarde. Fais-le partir, Jackie.

Du nylon a bruissé, mais Dieu merci, je ne voyais rien.

— Non, a répondu Jackie. Pas maintenant, Glenys. Viens donc par-derrière, tu veux?

— Navré, ai-je dit en reculant.

J'ai trébuché sur la bicyclette de Jackie. Je l'ai ramassée, je l'ai pointée vers le bas de la côte, je l'ai enfourchée et j'ai démarré.

— Navré, ai-je réitéré, mais je ne crois pas qu'il m'a entendu.

C'était une de ces horribles bicyclettes de course avec une selle trop haute et un guidon recourbé. Elle était bien trop légère pour moi, et trop rapide aussi, et j'ai dévalé la pente le derrière en l'air et le sang à la tête. La côte devenait plus abrupte et j'ai voulu freiner mais les foutus freins ne marchaient pas. J'ai regardé devant moi. La route aboutissait en plein dans la rue principale. Il m'était arrivé jadis d'arrêter un vélo en mettant le pied entre les rayons de la roue avant mais j'étais plus jeune alors, et plus téméraire. Cette fois, j'ai attendu, et le pire est presque arrivé. Mais un massif de géraniums rouges a amorti ma chute.

Je me suis relevé, je me suis un peu épousseté et me suis engagé d'un pas vacillant dans la grand-rue. Il y faisait plus clair que là-haut. Les vitrines des magasins étaient encore éclairées et il y avait encore suffisamment de circulation pour me faire espérer que je pourrais faire du stop jusqu'aux Bendricks. Je suis passé devant une succursale de Halford et j'ai frémi d'horreur en voyant les vélos de course dans la vitrine. Sur quoi j'ai vivement traversé la rue. Venant vers moi, d'un pas nonchalant, je venais d'apercevoir deux malfrats en uniforme noir.

Je me suis jeté dans une étroite ruelle et me suis planqué dans l'ombre pour attendre qu'ils aient passé. Et puis j'ai aperçu un agent qui marchait vers moi. J'allais aller à sa rencontre quand il s'est arrêté. Les malfrats lui ont parlé. Il a hoché la tête. Ils ont parlé encore et je l'ai vu approuver docilement. Ainsi, la police était aussi à mes trousses, apparemment. J'aurais dû m'en douter, bien sûr, mais j'avais oublié ce satané Reece de Cardiff. La vie ne sera jamais assez longue pour régler leur compte aux flics.

Enfin, quand les malfrats et l'agent sont repartis chacun de leur côté, je suis ressorti dans la rue et je suis passé devant les boutiques de province. Au coin, il y avait un marchand de tabac, et un distributeur de cigarettes devant sa vitrine obscure. J'avais terriblement envie de fumer et je me suis fouillé dans l'espoir de trouver une demi-couronne égarée.

De derrière le distributeur deux autres malfrats ont surgi, un de chaque côté. Ils m'ont traîné dans l'ombre de la rue transversale et j'en ai rectifié un d'un coup de coude à l'estomac mais l'autre avait son pistolet à la main. Je me suis cramponné désespérément à son poignet, des deux mains, et j'ai retourné son bras vers le ciel. Une volée d'aiguilles a sifflé au-dessus de ma tête pour se perdre dans la nuit.

Il me tapait sur la tête de son autre poing tandis qu'il s'efforçait de rabaisser son bras pour braquer son arme sur ma poitrine. Et ce bras descendait lentement, car il était plus fort que moi, je crois bien. Mais je n'avais pas du tout envie de mourir, et j'ai trouvé le poids supplémentaire je ne sais où. Son doigt était crispé sur le bouton de la détente et des aiguilles explosaient autour de nous comme le feu d'artifice des Vacances de Monsieur Hulot, la plupart dans le ciel mais beaucoup d'autres arrosaient les immeubles environnants. J'ai entendu un grand fracas et un déluge de verre brisé; les aiguilles balayaient, à la cadence de cent vingt par minute, si je me rappelais bien le panneau d'instructions aux Bendricks, les vitrines des boutiques d'en face.

Je lui ai flanqué un bon coup de genou dans l'entrejambe et pendant un instant il a cessé de lutter. Mon poids a suffi pour lui retourner le bras en l'air au-dessus de l'épaule. D'un coup sec, j'ai fait tomber son pistolet et du revers de la main je l'ai assommé au point sensible entre la mâchoire et le cou. J'ai pivoté aussitôt, ramassé sur moi-même et prêt à me défendre au cas où l'autre aurait été réveillé. Mais une des folles volées d'aiguilles n'avait pas été perdue pour tout le monde. Il était presque coupé en deux.

J'ai regardé de tous côtés. Le bruit du verre brisé avait attiré quelques passants qui se précipitaient. On ne m'avait pas encore repéré dans mon coin sombre, mais la première paire de malfrats cavalait vers moi ainsi que, de l'autre direction, le flic. Et puis une des voitures de grand tourisme blindées a tourné le coin et je me suis rencogné dans l'ombre.

J'avais de plus en plus envie de fumer, alors j'ai vivement fouillé l'Allemand non mutilé; j'ai trouvé des cigarettes allemandes, mais, hélas, pas d'argent. L'autre en avait peut-être, mais il saignait vraiment trop.

La rue transversale dans laquelle je me trouvais était assez large et s'éloignait des boutiques et des lumières pour se perdre dans les ténèbres. Je me rappelais être passé par là quand j'avais visité la ville deux jours plus tôt. Elle conduisait aux docks et elle était bordée de magasins de fournitures pour la marine et de boîtes à matelots. A la faible lueur des réverbères, j'ai distingué quelques silhouettes qui se hâtaient vers moi et vers le bruit. Je me suis dirigé vers les docks, en essayant de ne pas avoir l'air pressé.

Mais je n'avais pas fait la moitié du chemin qu'une autre voiture d'Allelec s'est engagée dans ma rue, venant des quais. Je me suis retourné. Les autres malfrats avaient maintenant découvert les corps de leurs petits copains, et aussi quelques renforts. Ils étaient sortis en force dans Barry, cette nuit, et tout ça pour moi tout seul. J'en ai vu quatre se diriger vers moi, deux de chaque côté de la rue, regardant dans chaque encoignure de porte au passage. Alors je suis entré dans le premier café venu et je suis allé me tasser à une table dans le coin le plus sombre.

La salle était pauvrement éclairée par la lueur vacillante d'un bec de gaz au manchon cassé et un épais store de poussière couvrait les fenêtres. Il y avait un comptoir, et dessus un grand percolateur en nickel, qui laissait suinter un liquide brun sur une toile cirée éculée. Par-derrière, sur des étagères, il y avait des casse-croûte de cauchemar, des saladiers pleins d'une mélasse brunâtre, des bocaux de bouts de machin roses nageant dans un sirop rose, des assiettes de crêpes moisies verdâtres. Il y avait aussi un petit tonnelet de vase noirâtre couverte d'écume dans laquelle flottaient des choses innommables. Le bistrot sentait le chutney et il était vide.

J'ai allumé une cigarette, j'ai aspiré une fumée d'âcre tabac allemand presque avec délices, et j'ai posé le paquet sur la table devant moi. Je me tassais dans mon coin sombre en espérant que j'avais l'air d'un marin en bordée. Derrière le comptoir, une porte s'est ouverte et une face pleine de dents étrangères m'a regardé. Elle a disparu et j'ai entendu des petits rires aigus. Et puis un homme basané est sorti et s'est accoudé sur le bar.

— Hallo, Charles, a-t-il dit. Tu veux bon manger, hein?

J'ai secoué la tête.

— Allez, Charlie. Toi t'as faim. Bon gros manger, ici. Rien que vraie viande.

Il a tendu la main vers un des saladiers de mélasse. Il l'a remué et des bouts de je ne sais quoi en sont tombés. J'ai secoué la tête derechef.

— Ah là là, Seigneur, Charlie, qu'est-ce que tu veux, alors?

Il a fait le tour du bar et il est venu dans mon coin. Il portait, sous le gilet et la veste bleus, en lieu et place de pantalon, un bout de drap de lit douteux drapé entre ses jambes de coq. Il a pris le paquet de cigarettes allemandes et m'a montré toutes ses dents dans un ricanement tout à fait oriental.

— Aaaah, Charlie, je vois, je vois. Toi Charlie allemand des docks, pas vrai? Laquelle tu préfères? Toi jamais venu ici avant, hein?

J'ai commencé à hocher la tête négativement, mais du coin de l'œil que je gardais rivé sur la vitrine, j'ai vu passer les ombres massives d'une paire de malfrats. Alors j'ai fait oui de la tête.

— Bon garçon, Charlie. Toi viens par ici.

Il m'a fait passer derrière le bar et hors de vue juste au moment où la sonnette de la porte d'entrée tintait.

— Attends ici, Charlie, m'a dit l'homme brun, et il est retourné dans la salle.

43

J'AVAIS toujours mon pistolet. Je l'ai tiré de ma poche pour le glisser dans ma ceinture, braqué vers mon bas-ventre. C'était froid sur la peau, et j'ai frissonné mais plutôt de peur car il n'y avait pas de cran de sûreté à ce bidule. J'ai tendu l'oreille mais le type basané avait fermé la porte et je n'entendais que les grognements des malfrats et les réponses aiguës de l'Indien. Et puis ils ont tous éclaté de rire, et la porte de la rue a de nouveau carillonné. Le type est revenu tout souriant.

— Brave garçon, Charlie. Tes copains ils ont dit amuse-toi bien.

Il m'a conduit dans un corridor étroit, m'a fait passer un rideau de perles sales et entrer dans une petite pièce. Il s'est incliné devant moi, m'a fait asseoir et j'ai obéi car j'étais indiscutablement coincé là jusqu'à ce que les colosses aient fini leur patrouille dans cette rue. Le type basané versait un breuvage rose dans deux bols minuscules.

— Bon à boire, Charlie. Bois, goût différent pour toi.

J'ai goûté. On aurait dit du chutney.

— Maintenant, Charlie, tu veux bien rigoler, hein? Faudra être bien fort aussi, Charlie. Ma sœur, elle est très belle comme la nouvelle lune, et très, très douce comme la fleur de moutarde. Tu aimes ça, hein?

J'ai encore une fois secoué la tête. L'Indien en est resté bouche bée.

— Oh, oh, oh, Charlie. Très bon, ça, très bon. Tu veux toutes mes sœurs, hein? Toi pas un petit garçon gallois, Charlie, ça non.

Il était secoué d'un gros rire oriental et agitait ses petites mains brunes pour exprimer sa joie.

Il s'est remué, il a voleté comme un oiseau-mouche légèrement fripé sur les bords vers une espèce de passe-plats qu'il a ouvert, par lequel il s'est penché en regardant en l'air et il a laissé filer un flot de baragouin. Et puis il a revirevolté vers moi et m'a pris la main.

— Viens, Charlie. Viens vite au petit jardin de délices de ma chambre du fond, hein?

Je n'avais ni le temps ni l'argent pour de telles délices. J'ai secoué encore la tête, j'ai tourné le dos à son expression chagrine et à son orgueil familial blessé et je suis retourné par le couloir malpropre et le rideau de perles dans la salle. J'ai passé le nez à la porte et je n'ai vu aucune trace de malfrats. Je suis sorti vivement et j'ai couru dans la rue pour tourner au coin noir suivant.

J'ai erré dans un labyrinthe de petites ruelles obscures entre les docks à ma gauche et la grand-rue illuminée au-dessus de moi. Plus j'allais, plus c'était sombre; des portes ouvertes laissaient filtrer de fortes odeurs de chou. Il y avait aussi du bruit. La plupart des enfants du quartier étaient couchés, et tous hurlaient, et des parents couvraient leurs cris des leurs. Au fond du tunnel noir d'un couloir j'ai distingué la lueur vacillante d'un bec de gaz. A moins que ce ne soit un feu de camp. Mais les hyènes ne ricanaient pas et on n'entendait pas les tam-tams de la jungle.

Je me suis finalement arrêté pour voir de quel côté je devais me diriger, et tout près de moi une voix tonnante comme les trompettes du jugement dernier m'a fait sursauter.

— Et autre chose, disait la voix.

— Plaît-il? lui ai-je répondu.

— Pas vous, papa, la salope de là-haut.

Le type a craché et je l'ai distingué, assis sur le seuil, en maillot de corps troué.

— Qu'est-ce que ça veut dire, autre chose? a glapi une aigre voix de femme à la fenêtre du premier. Y a rien d'autre en ce qui te concerne. Rien d'autre du tout.

— Alors, quoi? Hein? m'a dit l'homme. C'est-y que vous seriez d'un de ceux-là qu'écoutent aux portes?

— Qui ça, ceux-là?

— N'importe lesquels. Je sais pas.

— A moins que ça soit cette foutue Blodwen, a glapi la femme. Elle, c'est autre chose, alors ça oui. Là, t'as raison et tu peux le dire.

— Elle voulait juste apprendre à jouer au billard, je te répète, a hurlé le type. (Puis, baissant la voix de quelques décibels, il m'a demandé) : Alors quoi, qu'est-ce qui se passe?

— Je suis perdu. Je voudrais aller aux Bendricks.

— Ah bon. Je vois.

— Qu'est-ce que tu racontes là? a crié la femme de là-haut.

— Je te cause pas, espèce de pauvre conne.

— Répète ça un peu, voir!

— Espèce de pauvre conne.

— Non mais répète-le, répète voir?

— Espèce de pauvre conne.

Il a craché par terre, soupiré, rebaissé la voix et m'a dit :

— Ce que vous voulez c'est le car de Penarth. Vous pourrez le prendre au Square, pas vrai?

— Je pourrai?

— Et tu voudrais qu'on se marie? a hurlé la bonne femme. Espèce de grossier malhonnête!

— Gueule pas comme ça, nom de Dieu! a rugi le type. Tu veux réveiller les foutus mômes?

— Le car de Penarth, ai-je dit. Je vous remercie.

— Pas de quoi, à votre service. Belle nuit de printemps, pas vrai, papa?

— Avec qui t'es là-dehors? C'est encore cette salope de Blodwen, je parie!

J'ai continué mon chemin, j'ai traversé la route et j'ai remonté la côte jusqu'à la rue principale.

Ce que le type appelait le Square n'était que le toit goudronné d'une suite de w.-c. en sous-sol qui servaient de fondations à la mairie, mais en plein milieu de la place il y avait deux malfrats en uniformes noirs, dos à dos comme des serre-livres sans livres, l'un tourné vers le haut, l'autre vers le bas. J'ai sauté dans l'ombre et j'ai attendu, en espérant qu'ils s'en iraient. Mais ils étaient encore là quand le car de Penarth s'est amené et j'ai fini par sauter dedans en courant au milieu de la rue le long du mauvais côté de car, caché aux yeux des malfrats mais exposé aux voitures. J'ai pu enfin sauter sur la plate-forme où j'ai atterri, le souffle court, de tout mon poids, au risque de casser tous les ressorts. Si tant est qu'un car gallois ait des ressorts.

Quand j'ai eu retrouvé ma respiration, je suis monté à l'impériale et me suis assis tout devant, parce que je n'avais pas de quoi prendre un billet. Le car suivait sa route en cahotant, mais il n'allait pas assez vite car j'ai bientôt entendu le receveur grimper l'escalier et venir vers moi. Je me demandais pendant combien de temps j'allais avoir à fouiller mes poches quand, par bonheur, le car s'est arrêté devant un pub et une bande de joyeux ivrognes est montée en rigolant.

— Bougez pas, m'a dit le receveur. Faut que j'aille veiller au grain en bas. Tous les soirs c'est samedi soir au Palais. Y a pas, on arrête pas de rigoler par ici. Il a attendu que j'apprécie sa plaisanterie, et que je rigole, avant de descendre. Quand il est remonté, nous avions dépassé les dernières maisons et nous étions sur la route sombre, pas trop loin, je l'espérais, des Bendricks.

— Bon, à nous, m'a-t-il dit. Jusqu'où?

— Cowbridge. Un aller Cowbridge.

Là, au moins, j'étais sûr que le car n'y allait pas.

— Ce car, papa, va à Penarth.

— C'est marqué Cowbridge, devant.

— Non, c'est pas marqué Cowbridge.

Sur quoi nous nous sommes lancés dans une longue et fumeuse discussion où il a été question de voyageurs illettrés et de receveurs fils de putes. J'ai menacé de relever son numéro. Il m'a répliqué que ça ne me mènerait nulle part et il a menacé de me faire une grosse tête si je faisais ça. Et puis il a eu recours à la puissance de son uniforme. Il a sonné et a fait arrêter le car.

— Descendez de mon car!

— Où sommes-nous?

— Nulle part, et on va nulle part avec un type comme vous dans le car.

— J'ai pas payé mon billet.

— Je voudrais pas de votre fric, papa, j'y toucherais pas avec des foutues pincettes.

Je suis donc descendu et le car s'est éloigné dans la nuit. C'est dur de voyager à l'œil; ça vous épuise.

J'aurais pu attendre le car suivant et rejouer la même comédie, mais les mille feux d'Allelec brillaient au-devant de moi et je suis reparti à pied. Je marchais dans le fossé, parce qu'il y avait une circulation intense, un trafic Allelec. Je voyais passer non seulement une voiture de patrouille occasionnelle lancée à ma recherche, mais des files et des files de grands camions verts, des poids lourds énormes, transportant de lourds chargements, ou de lourds malfrats.

Bientôt, je longeais le périmètre de l'usine toute illuminée et pleine d'activité, en cherchant une issue quelconque pour y pénétrer. Le haut grillage était trop haut, trop coupant et, j'en étais certain, trop électrifié. Je suis arrivé ainsi, en marchant dans le fossé de l'autre côté de la route, à la porte principale, éclairée *a giorno* comme un music-hall, et fourmillante de gardes. Les services de sécurité avaient la grosse fièvre, à en juger par les événements, et au-delà des grilles, tout le vaste espace grouillait d'hommes et de véhicules.

Je suis parti à travers champ, en face, et je me suis demandé comment je pourrais entrer là-dedans; je devais espérer qu'un hélicoptère descendrait du ciel, peut-être, ou une fusée XL 5. Rien n'est descendu du ciel à mon secours, mais tout à fait à l'extrémité du périmètre d'Allelec, où la chaussée se rétrécissait et bifurquait vers Cardiff, je suis tombé sur un grouillement confus de projecteurs, de cris, de véhicules étincelants, de klaxons rageurs et d'hommes agités.

Un gigantesque camion-remorque barrait la route et empêchait les voitures de passer. Il essayait de négocier l'étroit virage, faisait marche arrière, avançait d'un mètre, reculait encore, avec deux malfrats en uniforme noir qui dirigeaient la manœuvre. Il était peint en vert Allelec. Au volant, un autre uniforme suait sang et eau et s'efforçait de braquer le lourd véhicule vers la porte principale.

Alors, dans le fracas et la confusion, je suis grimpé à l'arrière de la remorque, qui était vide, à part une espèce d'échafaudage articulé, une de ces tours autoélévatrices qui servent à réparer les câbles électriques des plus hauts pylônes. Je suis grimpé tranquillement jusqu'à la petite plate-forme du sommet, tout là-haut dans la nuit au-dessus du tumulte, je me suis assis dans un coin, en pensant fin et en essayant de ressembler à l'ombre d'une barre de fer.

Au bout d'un moment, le chauffeur a fini par réussir son virage. Les malfrats ont fait le signe de la victoire, et j'ai roulé lentement vers le portail principal, aussi haut dans le ciel qu'une reine de mi-carême, mais avec dix fois plus de trac.

44

QUAND nous sommes arrivés au pavillon de garde, la grille extérieure est montée en silence et nous avons roulé à l'intérieur. La grille est retombée avec un choc sourd; nous sommes restés prisonniers pendant que les gardes examinaient le camion. Quand ils l'ont eu passé au peigne fin, et tâté les bâches et lu et relu les papiers du conducteur et braqué leurs torches partout, dessus et dessous et dans tous les coins sauf là-haut sur ma tour, ils nous ont fait signe de passer. J'ai pu enfin me détendre, et écouter.

— Qu'est-ce qui se passe, alors hein? demandait le conducteur.

— T'occupe, papa, et magne-toi le train, je te conseille, lui a répondu le garde.

Je me suis penché prudemment. Vu de là-haut, le type n'était qu'un gros hanneton noir, mais il projetait une ombre interminable autant que maigre. Le conducteur était un petit curieux :

— Oui mais quoi, hein? Qu'est-ce qu'il y a donc? Enfin quoi, bon Dieu, on vient de Brum à vide, alors? C'est la panique ou quoi?

— Magne-toi, c'est tout. Sécurité maximum, voilà ce qui se passe. Et un autre boulot pour toi, tu trouveras là-bas, alors comme je t'ai dit, magne-toi.

— On vient de se taper vingt foutues sales heures sans une foutue seconde de sommeil et tu restes planté là comme un foutu con à me dire qu'y a encore un foutu boulot qui m'attend? Tu y es pas, papa. Ça sera non, Léon.

— Oui, eh bien, va-t'en raconter ça à M. Williams, pas à moi. Il est là-bas, au contrôle. Mais j'aime autant te prévenir, ce soir il se démène comme un cinglé et il est fou furieux.

— Il est toujours fou furieux, celui-là, il est.

— Pas comme ça, jamais. il est pas, papa. Bon Dieu! je te le dis, jamais comme ce soir.

La grille intérieure s'est soulevée et nous avons roulé dans l'enceinte. Il fallait que je commence à songer à descendre de ma situation élevée, un problème qu'ont dû affronter de plus grands esprits que le mien. Certains attendent que leur piédestal s'enfonce dans le sable sur lequel il a été érigé, d'autres se rabaissent eux-mêmes au niveau de la mer. D'autres se font abattre. Voyez Al Bowlly, le plus grand charmeur depuis le Cantique des Cantiques. On lui a fait sauter son piédestal avant même qu'il sache qu'il était dessus. Et où diable est passé Don Ameche?

Mais j'étais perché très au-dessus des lumières d'en bas et il se passait des choses. Alors je suis descendu des cieux comme un para du dimanche. J'ai fermé les yeux et j'ai sauté.

Pendant que je me livrais à mon petit essai de philosophie maison, le camion ralentissait; il a fini par presque s'arrêter pour contourner le gigantesque coupe-circuit qu'on nous avait montré, l'enfant chéri de Twynham, le gros mammouth d'acier noir dans son paddock d'acier rouge, dominant l'usine et tout prêt à faire boum.

Ma tourelle effleurait presque ses sombres superstructures tandis que le poids lourd le contournait. J'ai donc sauté.

Et je me suis retrouvé suspendu à la protubérance glissante d'un gros isolateur. Je suis arrivé à prendre appui avec les genoux et à me cramponner un peu mieux, serrant dans mes bras la porcelaine blanche aux rondeurs lisses, en me faisant l'effet de Pygmalion avant son coup de veine; la moitié de l'enceinte se déployait comme une carte à mes pieds, des routes brillamment illuminées et embouteillées de véhicules, avec des tas d'uniformes noirs en patrouille à tricycle électrique. Des camions chargés sortaient du bâtiment principal comme des abeilles courant butiner et au loin sur ma droite, dans une mare de lumière blanche, des bandes de malfrats marchaient au pas comme à la guerre, et gravissaient ainsi des rampes pour embarquer dans des camions. Les hordes sauvages de Llewellyn étaient sur le qui-vive.

Et puis je suis devenu conscient d'un sourd bourdonnement, d'une espèce de frémissement. Le sommet de l'énorme machin auquel je me cramponnais n'était qu'une masse enchevêtrée d'épais câbles noirs filant dans toutes les directions dans la nuit, et le bourdonnement était celui d'un bon million de volts. Je me suis dit qu'un sacré tas de courant sortait d'Allelec. Ou y arrivait. Tout autour de moi l'air semblait crépiter, et sentait l'ozone. Non pas les euphoriques effluves du Dr Brighton, mais la senteur rouge vif du danger à la haute tension.

J'ai entamé la descente. La voie la plus facile, bien sûr, comme tout amateur de cinéma le sait, c'est celle qui monte, mais là ça ne m'aurait mené nulle part. Dans le genre varappe, cette descente était brève, courte et bonne. Mais bonne à se casser la gueule. Cependant, j'ai suivi mes cours d'escalade de nuit dans la ville des clochers rêveurs, et si on a le vertige et un sens du danger, la varappe dans le noir est la seule possible. Néanmoins, la flèche de Christ's College n'était pas du tout comme ça. Beaucoup moins électrifiante, la brave flèche. Mais après dix ans de mort subite, j'ai fini par descendre sans griller. J'étais sur la terre ferme, dans le noir, prêt à foncer.

Et voilà encore un problème de notre temps. Ce n'est pas tant de savoir où aller, mais comment y aller. Je savais où je voulais aller. Je voulais Provis. Le sieur Williams me dirait où il était. Et le sieur Williams se trouvait au bâtiment des Contrôles, n'est-ce pas? Seulement chaque fois que je passais la tête hors de mes ténèbres, je devais la rentrer vite fait pour éviter un malfrat ou un camion. Le dos collé à l'énorme base de ciment sur laquelle était construit le coupe-circuit, j'ai fait lentement le tour du machin. Des phares éclairaient mon chemin par intermittence, et ils éclairaient aussi un enchevêtrement de câbles d'acier descendant des lignes à haute tension de là-haut et plongeant dans le sol. Je me suis alors souvenu de ce que Llewellyn avait dit, que sa salle de commandes était profondément enfouie sous les Bendricks. Je me baladais au-dessus.

Mais il me fallait avant tout retrouver Provis. Je me suis glissé jusqu'à l'autre côté du monstre et la fournée suivante de phares m'a montré un petit troupeau de tricycles, tout branchés et prêts à foncer. Comme moi. Alors j'ai attendu que l'obscurité retombe et j'ai sauté par-dessus la barrière et en selle. J'ai pris mon pistolet pour me rassurer et j'ai filé sur la route derrière un camion. Il était grand, aussi large que la chaussée, et me cachait bien. J'étais pratiquement invisible, collé à ses feux arrière et bien tranquille, jusqu'au moment où il a brusquement viré à gauche et a failli m'envoyer dans les airs avec son pare-chocs arrière. Aucun clignotant n'avait annoncé le changement de direction. Je me suis dit qu'aussi bien, c'était une dame malfrat qui conduisait.

Je me trouvais soudain exposé, au beau milieu d'une large route bien éclairée, filant droit sur un peloton de malfrats qui venaient vers moi au pas cadencé. Je voyais déjà le rouge de leurs yeux, et je me suis mis à faire marcher mon cerveau rapidement.

En fait, ma vie entière est passée devant mes yeux bientôt noyés. Mon premier aéroplane, la petite Deirdre, le jour où j'ai fait sauter la banque à Douglas, île de Man, le jour de la démobilisation et le costume de flanelle rayée qu'on m'a donné, la señorita Conchita Hawkins, le jour où mon oncle Edward a voulu m'apprendre à nager, et la semaine entière que j'ai passée à éviter toutes les corvées simplement en me promenant dans la caserne de Portsmouth un bout de papier à la main.

Et quand le moment est venu de passer dans les rangs malfratiers, j'avais réellement un bout de papier à la main. J'ai découvert par la suite que c'était une quittance de gaz impayée qui avait été oubliée dans ma poche, mais là, sur l'instant, ça paraissait aussi important et aussi urgent que la parole de Dieu. Et les malfrats l'ont pris encore plus au sérieux. Ils ont supposé que c'était la parole de Llewellyn, et ils se sont ouverts comme la mer Rouge. J'ai donc continué de brandir mon papier jusqu'au bâtiment des Contrôles.

Je l'ai encore brandi au-delà, car il y avait des malfrats sur les marches. Je leur suis passé devant hardiment, j'ai roulé jusqu'au bout du bâtiment, j'ai mis pied à terre, j'ai branché mon vélo dans une prise libre, et, d'un pas décidé et rapide, avec mon bout de papier, je suis parti dans les ténèbres pour contourner la bâtisse. Aucun cri ne retentissait derrière moi. Aucune aiguille ne venait s'enfoncer dans les muscles inquiets de mon dos.

Devant moi il y avait la mer, noire au-delà des faisceaux de projecteurs qui plongeaient des miradors et là où je marchais il faisait trop noir pour voir un pied devant l'autre. J'ai buté, j'ai manqué une marche et je suis tombé contre une porte. Aucune lumière ne filtrait en dessous, alors je suis entré en vitesse, après avoir brisé la serrure d'un coup de pied.

A l'intérieur, je me suis figé. Je n'entendais rien. Je me suis avancé à tâtons, j'ai senti un mur, puis une porte, pas fermée à clef, cette fois. Par-derrière, il y avait un couloir faiblement éclairé à l'endroit où il bifurquait, et là j'ai entendu des voix venant d'au-dessus. J'étais dans une espèce de demi-sous-sol et les voix étaient celles des gardes dans le grand hall, où l'on accédait par quelques marches. J'apercevais leurs silhouettes par le verre dépoli d'une porte au sommet de ces marches et j'en gravis quelques-unes pour mieux voir. A ce moment, ils se sont tous mis au garde-à-vous. Et puis une autre silhouette a recouvert les autres, une forme plus massive et plus familière, et j'ai entendu une voix plus mauvaise et plus familière aussi. C'était le sieur Williams se démenant comme un cinglé fou furieux. L'épaisseur de la porte étouffait ses paroles, mais j'en comprenais le sens général. Ils feraient bien d'être un peu foutrement plus alertes, *boyos,* et d'aller de par ici à par là-bas au doigt et à l'œil, mes gaillards, ou par le Bon Dieu soi-même, ils le regretteraient. Et d'ouvrir leurs sales yeux de fridolins et leurs sales portugaises de fridolins et de gueuler au charron s'ils avaient besoin de lui. Il serait là, attention, il serait par-là à tous moments.

Mes deux mains démangeaient de l'envie de s'enrouler autour de son gros cou cramoisi, mais j'ai redescendu les marches et j'ai fouillassé dans le coin. Au fond du sous-sol j'ai découvert un ascenseur, un monte-charge à civières à roulettes datant de quand la boîte était un sana. Je l'ai pris, et j'ai appuyé sur le bouton du premier étage. Je me suis dit que le bureau de Ball devait être vide, vu qu'il ne restait de lui qu'un tas de viande cuite là-haut sur la colline.

L'ascenseur s'est arrêté en grinçant et j'ai risqué un œil. Le couloir était désert mais j'ai perçu des bruits de bureau dans tous les coins. Je me suis dirigé vers l'antre de Ball. Comme j'ouvrais la porte, une fille est sortie d'un autre bureau, au fond du couloir, une liasse de papiers à la main.

Je me suis adressé à la pièce vide :

— Ah, vous êtes là, je vous cherchais. On m'a dit que vous vouliez me voir.

Et je suis entré carrément. Et j'ai refermé carrément la porte derrière moi.

« Qui vole un œuf vole un bœuf, me suis-je dit. Qui peut le plus peut le moins, me suis-je dit. L'oisiveté est mère de tous les vices. » Il y avait un interphone et j'ai enfoncé le bouton marqué « Réception ». Une voix allemande m'a répondu en grommelant. Je lui ai dit :

— Monsieur Williams?

L'Allemand a grogné négativement.

— Eh bien, trouvez-le. On le demande dans le bureau du professeur Ball. Immédiatement.

J'ai déconnecté le bidule. Mon accent gallois n'est pas formidable, mais j'ai eu une fois une petite amie à Trincomalee et je l'écoutais bavarder pendant des heures.

J'ai poussé les portes-fenêtres et je suis sorti sur la terrasse obscure, au cas où le sieur Williams amènerait du monde avec lui, mais il s'est présenté seul. Il est resté un instant sur le seuil du bureau vide, l'air ahuri.

— Entrez, entrez donc, lui ai-je lancé de mon recoin sombre. Et fermez la porte.

Il était bien dressé et il a obtempéré. Et puis je suis rentré dans la pièce et il a bondi sur moi. Il était presque aussi rapide que Provis. Je l'ai expédié la tête la première dans le mur et tandis que d'une main je lui serrais le larynx entre deux doigts, de l'autre je lui cassais le bras droit. Puis je l'ai frappé du tranchant de la main en plein dans les reins et, sans lâcher son kiki, je l'ai retourné et collé dans le coin pour me faire face.

— C'est ta minute de vérité, *boyo*, lui ai-je dit. Quand je relâcherai l'étreinte, tu me diras où est mon copain. Ni plus ni moins.

J'ai un peu détendu mes doigts, juste assez pour lui permettre de parler. Il m'a craché des vilains mots gallois et il a essayé de me cogner de la main gauche. Son bras droit inutile pendait à son côté. Je l'ai giflé d'un méchant revers et j'ai resserré les doigts.

— Une dernière chance, ai-je averti. C'est maintenant ou jamais plus.

Je parlais sérieusement et il l'a bien vu. J'ai de nouveau relâché l'étreinte.

— En bas, a-t-il soufflé. Salle d'opération.

Mes deux doigts étaient encore en fourchette sur sa gorge. J'ai brusquement raidi mon bras. Il s'est écroulé.

J'aurais dû le tuer. J'aurais aussi dû tuer Breumann. Le Gros nous dit, naturellement, que nous devons laisser les meurtres aux préposés à ça, mais il n'aurait pas posé de questions. Néanmoins, j'ai laissé Williams sur place pour être ramassé plus tard à la pelle, et j'ai refait mon petit numéro.

J'ai sonné pour demander les deux malfrats de réception et quand ils sont montés je les ai proprement assommés et je les ai étendus bien soigneusement à côté de Williams. Puis j'ai fermé la porte à clef derrière moi, en leur lançant un joyeux au revoir, au cas où la dactylo serait encore dans le couloir. Et je suis descendu à la salle d'opération, que j'ai trouvée au fond du rez-de-chaussée, face à la mer.

On entrait par une grande double porte battante et par ses hublots de verre dépoli filtrait une vive lumière.

Il ne semblait y avoir aucun mouvement là-dedans, mais j'entendais des gens parler tout bas. J'ai appuyé doucement ma main sur la porte, mais elle était verrouillée de l'intérieur. J'ai donc cherché un autre moyen d'entrer. Je l'ai trouvé au fond d'un couloir transversal, en passant par un lavabo. A pas de loup sur le carrelage, je suis allé pousser la porte d'une ligne et j'ai pu voir les deux gardes qui avaient emmené Provis, à Castell Coch. Ils étaient assis sur des tabourets d'acier chromé, nonchalamment balancés en arrière contre le mur. L'un d'eux se faisait les ongles avec un mince scalpel scintillant et l'autre jouait avec une solide matraque de caoutchouc. Le premier a dit quelque chose à l'autre, mais je ne pouvais pas bien entendre. L'autre a regardé de l'autre côté de la salle et il a haussé les épaules. J'ai poussé la porte un tout petit peu plus, pour suivre son regard, et j'ai vu Provis.

Alors, sans même savoir comment, je me suis trouvé dans la salle et sur eux. Cette fois j'ai tué. Je les ai tués tous les deux aussi vite et aussi salement que je pouvais. Et j'ai continué de les tuer après leur mort.

45

AU bout d'un moment, j'ai retrouvé mes esprits et j'ai couru délier Provis. Les cordes qui le ligotaient étaient trempées de sang. J'ai essayé de ne pas trop le secouer en poussant toute la table d'opération ruisselante hors de la lumière et de la chaleur du scialytique.

Il était complètement nu et tout son corps de géant n'était qu'une masse de sang séché. Sa figure se crispait en un masque d'infinie douleur; il était évanoui. Je l'ai examiné doucement, craignant presque de le toucher, mais ses membres semblaient droits et intacts, enfin pas cassés, quoi. J'ai vu alors que tout ce sang provenait d'un millier de petites coupures qui s'entrecroisaient sur son torse comme les craquelures de la vieille faïence. Sous le sang, on voyait au ventre et en haut des cuisses de grandes boursouflures violettes.

Dans un coin, il y avait un seau d'incendie rouge, presque vide. Les Allemands avaient dû employer l'eau pour le ranimer chaque fois qu'il tournait de l'œil. J'ai pris de l'eau fraîche dans le creux de mes deux mains et j'en ai laissé couler, goutte à goutte, sur son front. Il a ouvert les yeux et ses lèvres bleuies ont articulé un juron. Et puis, lentement, il m'a reconnu.

— Vous en avez mis du temps, m'a-t-il soufflé.

— Ne parlez pas.

Je suis allé reprendre de l'eau. Quand je me suis retourné vers lui, il remuait les bras et les jambes, péniblement, douloureusement. Je lui ai bassiné les tempes. Il a voulu se redresser mais il est retombé et certaines des coupures se sont rouvertes.

Il n'a plus bougé d'un moment. Il respirait faiblement. Je ne savais pas quoi faire. J'avais l'impression qu'il agonisait.

— Ma veste...

J'ai regardé de tous côtés, et j'ai vu ses vêtements jetés dans un coin. Je suis allé lui chercher la veste.

— Le bouton... poche intérieure. Donnez...

J'ai arraché le bouton et je l'ai mis dans sa main. Il l'a tenu un moment puis, avec peine, il a porté sa main à sa bouche. Il a avalé, ses yeux se sont fermés et j'ai vu le grand corps torturé se détendre.

« Bon Dieu, me suis-je dit, c'est une pilule de mort que je viens de lui donner là! » Mais au bout de quelques instants il a ouvert les yeux et cette fois ils étaient plus vifs. Et il a parlé plus clairement.

— Ça va mieux. Jetez-moi le restant de l'eau dessus, vous voulez?

Je lui ai versé l'eau doucement et il s'est assis, en grimaçant de douleur. Mais son masque tragique se dissolvait peu à peu. On avait l'impression de regarder Jekyle et Hyde, car il semblait émerger sous mes yeux de la masse sanglante et inerte que je venais à peine de libérer, et redevenir lui-même.

— Bon Dieu! J'ai bien cru que vous y passiez.

— C'est le doping. Je vais aller très bien pendant tout juste une heure. Vous n'en avez jamais sur vous?

— Non.

— Dans le temps, le Gros y tenait. Il doit se laisser aller.

Il a posé les pieds par terre et il a éprouvé ses forces. Puis il s'est levé. Il a aspiré profondément. Ce truc, c'était magique.

— C'est des bonnes pilules, m'a-t-il dit. Un jour j'en ai refilé une à un toquard à Mellon, et j'ai gagné cinquante livres. Mais au bout d'une heure, y a plus de bonhomme. Et on a besoin d'un toubib tout ce qu'il y a de rapide, sinon c'est adieu Berthe, bons baisers, rideau.

La douleur était toujours là, tout au fond de ses yeux, mais il se déplaçait à nouveau comme un grand chat. Il est allé au lavabo et il a passé de longues minutes douloureuses à nettoyer un peu le sang qui le recouvrait.

— Si je m'essuie, ça va recommencer à saigner.

— Qu'est-ce qu'ils vous ont fait?

— Je ne sais pas. Rien de capital, je crois. Je n'arrêtais pas de tourner de l'œil, un truc que j'ai appris aux Indes, alors ils étaient obligés de s'interrompre pour me ranimer. Ils m'ont assez sauvagement battu au début, c'était normal, et ensuite ils se sont amusés avec le scalpel, par intermittences. Il y a combien de temps que je suis là?

— Vingt-quatre heures.

— Ce temps m'a paru plus long. Maintenant, je veux les trouver. Donnez-moi votre pistolet.

— Regardez derrière vous.

Il s'est retourné sur les corps disloqués de ses bourreaux. Puis il m'a regardé.

— Merci. Maintenant racontez.

Je lui ai tout dit, mais dans un digest si serré que même à moi ça paraissait complètement surréaliste.

— Je sais de quoi ça a l'air, lui ai-je dit, mais c'est vrai d'un bout à l'autre. Llewellyn est dingue en plein, pas de doute, mais il a tout organisé et il est prêt à marcher.

Il m'a écouté aussi calmement que si je lui avais raconté un pique-nique à la plage. Le doping avait peut-être des effets annexes.

Tout en parlant j'avais dépouillé les deux malfrats décédés de leurs uniformes noirs.

— Nous ferions bien de les mettre. Ça nous ira, et ça peut nous servir.

Provis a soupiré, en jetant un regard navré vers sa chemise à rayures roses et son costume gris perle.

— J'aimais bien cet ensemble.

— Mettez-en un autre sur la note de frais.

— Ça ferait une sacrée note. J'ai acheté le costume à Prague et la chemise à Milan.

Il a quand même pris le plus vaste des deux pantalons noirs et l'a enfilé avec mille précautions.

— Et maintenant, qu'est-ce que vous allez faire? m'a-t-il demandé.

— Je m'en vais chercher sa foutue salle de commandes et tout bouziller. Ça me gagnera du temps. On a besoin de temps, dans ce métier, si on veut être secouru par le patron. Si le patron est un Gros confit dans le calva.

J'ai examiné Provis. Il avait l'air presque aussi en forme que lorsque j'avais fait sa connaissance. Mais ses yeux devenaient un peu trop brillants.

— C'est-à-dire, ai-je ajouté, si vous pensez pouvoir vous tirer d'ici tout seul?

— Ma foi. La pilule m'accorde une heure. Si nous ne pouvons pas réussir en une heure, nous n'y arriverons jamais. Je vais avec vous.

— Bon.

J'avais toujours mon pistolet, et Provis en a pris un sur un des cadavres. Il a joué un instant avec le scalpel, d'un air songeur, et puis il l'a jeté en haussant les épaules.

— Allez, venez, m'a-t-il dit. Allons nous payer quelques cartons.

— Du calme. Nous sortons d'ici comme deux foutus malfrats très pressés d'exécuter un ordre important du sieur Williams.

— Une perte de temps. Moi, je veux faire des cartons.

— Non.

Son doping dopait fort, mais il s'est suffisamment calmé pour marcher à mon pas, et nous avons traversé ainsi le grand hall désert. J'ai pris le temps d'accorder une pensée à l'épaisse brute galloise et aux deux malfrats allemands endormis dans le bureau de Ball.

— Je parle allemand, ai-je dit à Provis. Alors si un malfrat gallois nous interpelle, je lui répondrai en allemand.

— Au poil. Et si un salaud de Frisé nous dit quelque chose, je lui arrache sa sale gueule de Frisé.

— Non. Répondez-lui simplement en gallois.

— Au poil. *Dyma newyddion a tywyddion y dydd.*

— Qu'est-ce que c'est que ça?

— C'est le bulletin météo d'aujourd'hui. C'est tout ce que je sais dire en gallois.

— Bon, mais faites gaffe de pas dire ça à un Taffy.

— C'est tout ce que n'importe quel foutu Gallois sait dire en gallois, ça et peut-être le Notre Père.

— Peut-être.

Nous sommes sortis et nous avons suivi notre chemin librement. Un camion nous a cornés aux fesses pour demander le passage et un tricycle en patrouille a roulé près de nous sans nous accorder un regard.

— Ce ridicule pas de l'oie est tout à fait inutile, ai-je observé.

Mais la pilule faisait son petit effet. Brusquement j'ai vu Provis bifurquer au quart de tour réglementaire et se diriger vers le grand bâtiment principal au pas de jars. Je lui ai couru après, et lui ai sifflé :

— Qu'est-ce que vous foutez?

— Je vais pénétrer là-dedans et descendre tout le monde. Qu'est-ce que vous croyez?

— Pourquoi?

— Mais on est là pour ça. Non?

— Non. On est là pour découvrir le grand déclencheur de Llewellyn et pour le désenclencher.

— Parlez pour vous. Moi, je veux faire des cartons.

— Mais pas uniquement pour rigoler. Allons, suivez-moi.

— Ah merde! La vie est pas assez longue.

Mais il a fait demi-tour et m'a suivi vers l'énorme masse du coupe-circuit. Ou je ne sais quoi. Là-dessus, un tri en patrouille a roulé à côté de nous et a ralenti.

— *Gestunkellundfarbenbeinder?* a demandé, je crois, le malfrat tricycliste.

— *Dyma newyddion* monsieur Williams *a tywyddion y dydd*, a aussitôt rétorqué Provis, aussi sec.

L'Allemand a grogné, grimacé et il est reparti. Nous avons tourné au pas vers l'ombre du grand dôme d'acier et nous avons sauté la barrière.

— Pourquoi ici? a demandé Provis.

J'ai montré les ténèbres au-dessus de nos têtes, en répondant :

— Il y a un sacré fort courant qui passe là-haut et qui arrive de partout. Ça tournicote là-dedans et ça ressort par ici.

Je lui montrais les câbles épais enfoncés dans le béton.

— Très juste, a dit Provis. Descendons là-dessous.

Nous avons fouiné un peu. Ça devenait plus facile; la circulation était moins intense et moins lumineuse. En fait, quand j'ai pris le temps d'écouter, j'ai perçu une accalmie, et un silence allant croissant.

281

— A l'ouest rien de gallois. Hé! là... Qu'est-ce que c'est que ça? a grommelé Provis.

Il tripotait les boulons d'une espèce de grande plaque d'acier, de la taille d'une guérite, encastrée dans le socle de béton du bidule. Nous avons réussi à ouvrir cette porte. Il n'y avait rien à l'intérieur, que trois parois nues en acier. Provis allait ressortir.

— Allez, venez, on perd du temps. Je n'ai plus que cinquante minutes devant moi avant de m'écrouler.

Mais je l'ai tiré par le bras et j'ai refermé la porte. La guérite était un ascenseur que la fermeture de la porte mettait en marche. Un mécanisme a bourdonné et nous avons eu l'impression d'abandonner nos estomacs sur place. Ça semblait descendre à toute allure mais ça a mis très longtemps à s'arrêter. Nous devions être très, très profondément enfoncés dans les entrailles de la terre. J'ai poussé prudemment la porte avec le canon de mon pistolet et nous sommes sortis de là. Nous nous trouvions dans un couloir désert, tout en béton, avec une grande porte d'acier au fond. Dans la porte, il y avait un judas rond, fermé. J'y ai collé mon oreille et j'ai entendu des voix, alors j'ai fait signe à Provis de s'aplatir contre le mur et j'ai reculé pour faire sauter la serrure avec mon pistolet. Comme disait Provis, on n'avait pas de temps à perdre. Et maintenant, il allait pouvoir faire des cartons en veux-tu en voilà.

Mais il a levé un doigt, me demandant d'attendre. Il s'est approché du judas fermé, il a braqué son pistolet bien au milieu et il a frappé avec autorité. Quand le cercle d'acier a glissé et qu'une figure est apparue il a tiré. Au même instant, je faisais sauter la serrure et je poussais la porte retenue un instant par le corps d'un homme sans tête.

Provis a bondi avant moi, sautant par-dessus la mare de sang sur l'autre garde, qui restait pétrifié devant la porte. Il s'est écroulé et nous avons traversé une pièce tapissée, au sol recouvert d'une épaisse moquette. Au fond il y avait une porte. Une porte de cuir rouge, un des signes distinctifs de lord Llewellyn.

Nous formions une bonne équipe, Provis et moi. Sans nous être concertés, nous nous sommes arrêtés, Provis pour s'aplatir contre le mur à côté de la porte, couvrant mon dos et me laissant libre de faire irruption.

Et puis je me suis rappelé que nous portions les uniformes noirs, alors au lieu d'entrer en trombe, j'ai paisiblement poussé la porte et je suis entré.

— *Gestunkenblintz*, ai-je dit aux hommes en blanc qui veillaient là sur des ordinateurs.

— Simple ronde, n'est-ce pas? a ajouté Provis avec son plus bel accent gallois.

MAIS les hommes en blanc nous ont à peine accordé un regard lourd de mépris scientifique, comme n'importe quels savants du monde. Et ils se sont repenchés tendrement sur les boîtes frémissantes, crépitantes, clignotantes et bourdonnantes, les rangées d'armoires en acier gris, les tableaux de bord hérissés de manettes et de leviers de couleurs différentes, qui occupaient une bonne moitié de la salle. Un des murs était couvert de plus de cadrans que le rayon d'horlogerie d'un grand magasin suisse.

L'autre moitié de la salle était tout autre. Tout l'immense mur du fond était occupé par la version éléphantine de la carte de l'électricité de Llewellyn, tout illuminée et attendant la grande disjonction. Devant la carte lumineuse se dressait un trône lourdement sculpté, le frère jumeau de celui de Castell Coch, à côté d'un tableau de bord multicolore. C'était là que les choses allaient se passer.

Les types des ordinateurs continuaient de s'occuper de leurs joujoux électroniques. L'un d'eux était à côté de nous, devant le mur de cadrans, observant les aiguilles frémissantes et faisant des réglages minutieux en tripotant des boutons du bout des doigts. Un autre génie, savant distingué aux cheveux gris, s'est approché du tableau.

— Ça ne va plus être long, lui a dit le premier, sans quitter les cadrans des yeux. Ça boume au poil.

Un déclic bruyant a retenti et toutes les aiguilles ont tressauté en chœur. Le veilleur de cadrans a joué délicatement de ses boutons et elles se sont toutes calmées en s'arrêtant, ai-je remarqué, à un degré de plus sur leur cadran, plus près d'un grand zéro rouge.

— Ça doit être C 3 qui se branche, m'étonnerait pas.

Le savant distingué s'est penché et a tripatouillé une suite de petites manettes. Un voyant rouge a clignoté.

— C'est ça. Oui, vous avez raison.

Sa main a joué du piano sur tout un clavier de voyants rouges qui clignotaient.

— Il ne reste plus que D 5 à rentrer, et quelques sources hors du réseau. C'est quoi, D 5?

— Leeds, je crois, lui a répondu le type des cadrans. Un truc là-haut dans le Nord, de toute façon.

Le savant distingué a fait un pas sur la droite, et s'est mis à défaire les crochets d'un grand couvercle rouge. Puis il s'est interrompu et il a regardé l'autre.

— On peut sentir monter la tension. C'est assez effrayant.

L'amateur a haussé les épaules avec indifférence, en murmurant :

— Pas de doute, ça fait une sacrée tension, professeur.

— Oui...

Le type n'était manifestement pas intéressé; il continuait d'observer ses cadrans et de caresser ses boutons. Il était beaucoup plus jeune que le distingué. Je suppose que les vieux savants sont plus humains que les jeunes.

— J'ai bien envie de jeter un coup d'œil au grand, a murmuré le vieux en continuant d'ouvrir le couvercle écarlate.

Je me suis un peu avancé, pour voir ce qu'il y avait dedans. Le vieux s'est tourné vers nous.

— Que faites-vous là? Vous feriez mieux de poursuivre votre ronde, mes amis.

Provis a porté deux doigts à son front.

— Mande pardon, monsieur, professeur, on voudrait pas, n'est-ce pas, vous embêter. Mais tout ça, je trouve ça bien intéressant. Mon gosse est ici apprenti à l'usine, n'est-ce pas, et j'aime bien pouvoir parler à son niveau, avec lui, quoi. Alors, comme ça, vous allez tout éteindre partout, hein?

Le savant nous a examinés plus attentivement, puis il s'est approché de nous.

— J'aimerais voir vos laissez-passer.

— Mais certainement, tout de suite, monsieur, a dit poliment Provis, en mettant la main à la poche.

Il en a tiré son pistolet. Je l'ai imité et nous avons tous les deux arboré notre masque de danger. En trente secondes, nous avions douze hommes en blanc alignés dans l'antichambre. Le caquet de leurs protestations scientifiques couvrait le fracas de leurs machines, alors je suis passé scientifiquement devant toute la rangée en tapant leurs têtes d'œuf scientifiques, les mettant au dodo pour soixante-quinze minutes, l'un dans l'autre et sans garantie de précision.

Nous avons alors visité la salle plus à loisir. Tout au fond, derrière les rangées de bidules électroniques, le bout d'un gros tuyau d'acier sortait du plafond laissant passer les câbles et le courant d'en haut. Les câbles rampaient le long des murs, en se divisant en grosses tresses aux couleurs codifiées, qui se divisaient elles-mêmes pour aller alimenter les ordinateurs et tout. Nous avons suivi les câbles principaux jusqu'au mur des cadrans, où le grand couvercle rouge était à moitié soulevé.

J'ai achevé le travail. A l'intérieur il y avait un gros tambour à la surface graduée. Il était coupé en deux par une solide manette genre tranche-pain, la poignée tournée vers moi, et là, sous mes yeux, le déclic bruyant a retenti encore une fois. Le tambour a tourné sur son axe, amenant le segment supérieur rouge plus près du centre.

— D 5 qui se branche, m'étonnerait pas, a dit Provis.

— C'est ça. Vous avez raison. Et ça, c'est le truc. Le grand interrupteur pour le grand black-out.

— Qu'est-ce qu'on fait?

— J'en sais rien. Je ne m'y connais pas assez en électronique. On ferait peut-être bien de visiter un peu les lieux, avant. Dieu sait ce qui peut arriver si on touche à ce truc. Et puis j'ai vu une autre porte, là, dehors.

Nous avons enjambé les savants K. O. pour sortir. L'autre porte donnait simplement dans une espèce de couloir en béton comme celui par lequel nous étions arrivés. Mais là, au lieu d'un ascenseur, il y avait un grand trou rond d'environ un mètre cinquante, l'embouchure d'un tunnel métallique qui s'enfonçait dans les ténèbres. Une espèce de tringle géante en sortait, au plafond, et allait se ficher solidement dans le mur d'en face. Et, accroché à cette tringle, il y avait un cylindre de métal étincelant dont la paroi à glissière révélait d'un côté un double siège bien rembourré.

J'ai deviné que c'était encore un des gadgets de Ball. Et j'ai deviné aussi que ce tunnel aboutissait à Castell Coch. Si j'en avais connu l'existence, j'aurais pu venir aux Bendricks plus vite et avec moins d'ennuis. « Enfin, me suis-je dit, je le saurai pour la prochaine fois. »

J'ai tiré la cabine vide vers le tunnel, le long de son rail, et je l'y ai engagée à moitié. Si jamais quelqu'un fonçait sur nous par là, une bonne petite collision nous donnerait l'alarme. A ce moment, un autre fracas nous avertit ; le fracas synonyme de pépins proches. A l'autre extrémité, du côté de l'ascenseur, une escouade de malfrats se présentaient et se déployaient en éventail.

— Je m'en occupe, a crié Provis.

Et avant que je puisse donner mon avis il a foncé sur la moquette et en plein dans le tas. J'ai pris mon pistolet et je l'ai suivi, mais il n'avait pas besoin de secours. Cette pilule était une vraie pile atomique. Il était ivre de bagarre, maintenant qu'il y avait un peu d'action, et il rigolait comme un fou.

Il y avait tout un sacré lot de malfrats à affronter, mais il s'était débarrassé de son pistolet. Trois d'entre eux étaient déjà proprement entassés près de la porte ouverte et le temps que je traverse l'antichambre il en avait attrapé un quatrième par les pieds et s'en servait pour faucher les autres. Provis avait une taille de plus que Samson et le type qu'il tenait était plus grand qu'une mâchoire d'âne. Mais plus mou, aussi. Ses coups faisaient un sale bruit visqueux.

Pendant que le colosse s'amusait, je faisais le ménage en débarrassant le plancher des malfrats endormis et j'ai traîné hors du seuil l'horreur sans figure. Il s'était arrêté de saigner. J'ai coincé la porte de l'ascenseur avec un des malfrats évanouis, de façon à ne plus être dérangé, et je suis allé jeter encore un coup d'œil aux petites merveilles électroniques. Provis, enfin calmé, m'a rejoint en haletant.

— Je vous demande pardon, m'a-t-il dit. Je me suis laissé emporter. Il faut que je profite de mon heure, sans ça, ça ne vaudrait pas le coup.

— C'est compréhensible, allez. Allons, continuons le boulot.

— Tiens, je vais essayer, moi.

Il a traversé la salle, résolument, comme s'il savait de quoi il retournait. Je l'ai vu ouvrir une des armoires ordinatrices. A l'intérieur, c'était un délicat enchevêtrement de circuits imprimés et de filaments de couleur et de fiches et tout, du nougat pour un œil scientifique, sans aucun doute, mais un vrai cirage pour les profanes que nous étions. Provis s'est mis à arracher les fils à poignées, faisant pleuvoir un déluge de minuscules étincelles bleues. Et puis il a continué, choisissant ses machines au hasard.

Certaines contenaient de grandes bobines de mémoire qui tournaient lentement, prêtes à donner un million d'ordres à la seconde. Provis a cassé les bandes et les bobines ont continué de tourner, touillant toutes leurs connaissances pour en faire un horrible mélange de spaghetti marron luisants qui se tordaient sur les dalles de caoutchouc. Une autre des boîtes était un programmateur, tout en fiches et en trous comme un standard téléphonique; ce sont celles-là qui disent aux imbéciles cliquetantes ce qu'il faut faire. Il a arraché toutes les fiches à la fois et des petites lumières se sont mises à clignoter partout, de confusion. Ou de rage.

Voilà, je suppose, le seul espoir qui reste à l'humanité. Les ordinateurs ne sont pas des cerveaux électroniques. Ce sont des crétins électroniques. Ils ont la mémoire d'un troupeau d'éléphants et toute l'énergie du monde, mais ils ne peuvent rien faire tant que nous ne leur disons pas quoi et comment et quand. Enfin. Je l'espère.

Mais les câbles peuvent être ressoudés, me suis-je dit. Les bandes peuvent être réenroulées et les programmateurs refichés. Il devait y avoir autre chose à faire. Et tandis que je me le demandais, nous avons entendu encore une fois le déclic bruyant, saccadé. Les cadrans du mur ont tous réagi et les aiguilles se sont finalement arrêtées nerveusement un degré plus près des grands zéros rouges. Je suis allé regarder le grand tambour qui donnait le redoutable total. Le segment rouge avait encore avancé d'un cran et l'épaisse poignée de la manette semblait frémir d'impatience que Llewellyn vienne la manœuvrer et plonger tout le pays dans le noir.

J'ai contemplé le désordre électronique qui jonchait le sol et j'ai soupiré. Le grand interrupteur a sauté encore d'un cran. Toute l'opération se poursuivait, en dépit de tout. Peut-être était-ce inévitable, à présent, comme tant d'autres merveilles scientifiques de notre époque, les produits congelés, la pilule, les parkings automatiques à douze étages, la bombe, le cinérama et la Caravelle.

Un grand fracas de boîtes de conserves vides m'a tiré de ma sombre rêverie philosophique. Quelqu'un était arrivé par le tunnel et Provis était déjà aplati à côté de la porte. J'ai pris position de l'autre côté et nous avons attendu. Il y a eu encore quelques bruits métalliques, accompagnés de jurons étouffés, et puis la porte s'est ouverte rageusement.

C'était Llewellyn. Provis l'a pétrifié sur place avec son pistolet et j'ai attendu un instant mais il était seul. Alors j'ai collé le canon de mon pistolet sur son autre flanc et je lui ai dit poliment :

— Par ici, monsieur. Ravi que vous ayez pu venir.

47

NOUS l'avons escorté avec grand soin dans la vaste salle et nous l'avons assis sur son trône. En dépit des pistolets braqués sur lui, il s'y est carré comme un vieux pied dans un soulier bien usé, une jambe étendue comme un chêne au repos. Il a posé son regard de laser sur une arme, puis sur l'autre. Et puis il m'a regardé.

— Vous arrivez trop tard, Brock. Comme tous les fils bâtards de Hengest, vous êtes condamné à l'échec.

— Je ne puis vous croire. Vous savez que Ball est mort, naturellement?

— Il faut me croire, Brock. J'ai toujours raison. Aujourd'hui, après le conseil, j'ai donné mes ordres.

Son regard a fait le tour des machines, a balayé le mur aux cadrans, s'est posé sur le grand interrupteur.

— La tension monte, en ce moment même. Quand toutes ces aiguilles seront au point zéro, chaque kilowatt d'énergie du pays, sans exception, passera par ce tableau de bord. Ce tambour indiquera le total, et toute cette énergie, toute cette puissance sera là, sous mon pouce.

Il avait sans doute tourné une des sculptures compliquées de son trône, parce que le tableau de bord se leva devant lui comme un orgue de cinéma d'autrefois. Il a consulté la montre à son poignet de géant et a regardé de nouveau les cadrans.

— Plus que huit minutes, monsieur Brock. Vous êtes venu trop tard.

— Bon Dieu de bon Dieu! a crié Provis. Tuons-le tout de suite. Il a huit minutes, et moi il m'en reste trente. Il faut bien que je tire sur quelqu'un, quand même, que je fasse mon carton, non?

La main de Llewellyn a glissé sur le clavier devant lui, appuyant sur chaque bouton à tour de rôle. Il a poussé un soupir triomphant et m'a regardé.

— Maintenant vous pouvez me tuer, Brock! Et crever vous-même!

« Seigneur, ai-je pensé, il a l'air de savoir ce qu'il dit. Et s'il a raison, j'ai tout foutu en l'air. Et si j'ai tout foutu en l'air, le Gros va se fâcher. Et s'il se fâche, la vie ne vaudra plus la peine d'être vécue. Alors, me suis-je dit, c'est pas possible. Llewellyn ne peut pas avoir raison. »

— Non, vous devez vous tromper, lui ai-je dit.

— Voyez donc vous-même, m'a rétorqué Llewellyn en s'installant confortablement sur son trône. Regardez les manomètres, les cadrans. Plus que deux sources à venir se phaser. Et puis le tambour claquera et s'arrêtera en plein centre. Tous les contacts sont faits. Vous venez trop tard.

Je suis allé vers la grande manette du tambour. Provis gardait son pistolet braqué sur Llewellyn. Je lui ai crié :

— Je m'en vais débrancher tout ça. Voilà ce que je vais faire!

— Et comment vous y prendrez-vous?

Je n'en savais rien, bien entendu. En touchant la manette fatale, je risquais aussi bien de faire sauter tout le pays de Galles. « Et alors, me suis-je dit, on s'en fout bien, du pays de Galles Faut que ça saute. »

J'ai empoigné la manette et j'ai essayé de l'abaisser, de l'éloigner du segment rouge menaçant. J'espérais sans doute jouer les Josué et arrêter le soleil. Je ne sais pas, mais toujours est-il qu'il ne s'est rien passé. Llewellyn a poussé un grand cri mais la manette n'a pas bougé. J'ai redoublé d'efforts mais elle résistait. Et puis Llewellyn s'est rué sur moi, trop vite, même pour les réflexes aiguisés par le doping de Provis.

— Non! rugissait-il. Non! N'y touchez pas! Ne touchez pas à ça!

Un bras de géant, le bras de Dieu semblait-il, m'a repoussé de côté au moment où il bondissait vers la manette maîtresse. Je suis allé dinguer contre le mur et je suis resté un instant groggy. Emporté par son élan Llewellyn est allé se jeter sur la machine et sa main tendue devant lui pour m'empêcher de toucher à son jouet est tombée en plein sur la manette, avec tout le poids de ses cent vingt kilos. Il a hurlé et la salle est devenue folle.

Sur le mur, les aiguilles tournaient dans tous les sens et nous avons soudain entendu un long gémissement crescendo qui a commencé dans le grave pour monter vers les aigus et se perdre dans les ultra-sons. Des flammes crépitaient dans toutes les armoires grises de l'ordinateur. Les millions de lumières de la carte murale ont clignoté et se sont éteintes. Tout s'est éteint, naturellement, mais pendant plusieurs longues secondes la salle a été plus brillamment éclairée qu'aucune lampe au monde n'aurait pu le faire. Les armoires, les machines, les épais câbles blindés, les manettes, les cadrans et même le trône de Llewellyn, tout était bordé d'une espèce de frange bleu vif, aussi surnaturelle qu'éblouissante. Et aussi, horriblement, le corps massif de Llewellyn, toujours cramponné à sa manette et affalé comme un immense quartier de viande putride et fluorescente.

Et puis de petits éclairs se sont mis à jaillir entre les câbles. De grosses gouttes de métal fondu ruisselaient de leurs gaines tandis qu'ils se grillaient en un fatras de tricot fumant. Les grandes armoires grises crachaient des flammes et le cliquettement du crétin s'est tu à jamais. Une épaisse fumée âcre de caoutchouc brûlé a envahi la salle et enfin tout est devenu noir.

— Dieu de Dieu, a fait Provis dans les ténèbres. Dites, vous croyez que ça suffira?

— Espérons-le. Tirons-nous d'ici.

— Par où?

— Suivez-moi.

Il m'a pris l'épaule; nous avons gagné l'antichambre à tâtons, et enjambé les hommes en blanc endormis près de l'ascenseur. J'ai tiré le malfrat cale-porte et nous sommes montés dedans. J'ai fermé la porte. Nous n'avons pas bougé. Pas de courant. Evidemment.

Nous sommes repartis à tâtons dans la fumée et au fond du bunker, jusqu'au tuyau qui avait amené Llewellyn. C'était plus dégagé, et j'ai allumé mon briquet. Provis a tiré du trou les deux cabines embouties, et nous avons replié nos corps las pour pénétré dans le tuyau noir glissant. J'espérais bien que nous ne serions pas obligés d'aller ainsi jusqu'à Castell Coch, ou ailleurs, car Dieu seul savait où ça pouvait mener. Tout ce que je demandais, c'était de sortir de là et de filer. Il fallait penser à Provis. Il ne lui restait plus guère de temps et il était bien trop lourd pour que je le porte sur mon dos jusqu'à Cardiff. Et Angie, bien sûr. Avec un peu de chance, elle avait pris un bain, elle s'était brossé les cheveux et elle m'attendait, assise dans son lit.

— Allez, remuez-vous un peu le train, nom de Dieu!

Provis se traînait devant moi, plié en deux comme Groucho Marx et râlant comme Donald Duck.

Enfin, nous avons senti une bouffée d'air frais. J'ai

allumé mon briquet et j'ai vu un trou d'aération. Nous avons tâtonné autour et découvert des échelons de fer rivés dans le béton.

Bientôt, nous débouchions à l'air pur et, j'étais content de le constater, dans le noir. Toutes les illuminations de l'usine étaient éteintes. Mais il y avait pas mal d'activité. Des torches se braquaient dans tous les coins et les ordres s'entrecroisaient. Nous avions sans doute fichu en l'air l'énergie électrique de tout le complexe.

Soudain, tout s'est illuminé et une explosion m'a presque crevé le tympan. Quand je suis revenu de l'éblouissement, j'ai vu que le toit du bâtiment principal avait décollé comme une soucoupe volante, pour laisser monter un rideau de flammes compact comme un nuage de pluie. Des coups de tonnerre terribles continuaient de nous assourdir et chacun faisait rejaillir son petit incendie personnel.

— Dieu tout-puissant, a soufflé Provis. C'est ça que nous voulions?

— Pas forcément. Mais c'est aussi bien, allez.

— Dites donc, je suis impressionné. Vous qui disiez que vous connaissiez rien à l'électronique!

— Ma foi, pas grand-chose.

— Bon, c'est pas tout ça. Maintenant, à la voiture.

— Quelle voiture?

— Ben quoi? La vôtre. Là-bas.

Il pointait un doigt derrière moi. Je me suis retourné et j'ai vu le parking. Ma bonne vieille Volvo brillait à la lueur des flammes, là où je l'avais garée la veille. J'ai regardé Provis. Le masque de douleur se reformait rapidement sur sa figure.

— Allez, venez, le temps presse, lui ai-je dit. Il faut vous conduire chez un médecin en vitesse.

Nous avons gagné la voiture sans incident. Il y avait une circulation intense et des tas de gens, des camions de dépannage à phare tournant, surtout, mais tous nous dépassaient.

— C'est pas à la minute, m'a répondu Provis. J'en ai encore une vingtaine, un bon quart d'heure. Mais j'aimerais bien entrer et me trouver des vêtements convenables. A la place de ce foutu costume noir. Je me sens toujours idiot en vêtements ternes. Une fois, je suis allé à une soirée déguisé en perroquet.

— Ah?

Je pensais que la pilule agissait encore, et qu'il était ivre.

— Oui. C'était une fille riche, qui m'avait invité. J'ai dit comment je m'habille et elle m'a dit c'est costumé, alors viens costumé, chéri. Alors bon, j'ai dessiné et fabriqué ce perroquet. Avec un bec qui marchait vraiment.

— Epatant.

— Oui. Mais quand je suis arrivé là, tous les autres types étaient en habit, cravate blanche et queue-de-pie.

— Qu'est-ce que vous avez fait?

— J'ai ôté mon bec, et j'ai fait connaissance, quoi.

La voiture n'était pas fermée à clef, et nous nous sommes assis à l'avant tous les deux. J'ai tâtonné sous le tableau de bord pour chercher la clef en double, qui est toujours fixée là avec du sparadrap, dans un endroit où aucun voleur qui se respecte ne daignerait regarder.

Et puis quelque chose a bougé sur la banquette arrière.

En un éclair, Provis a pivoté, les mains avidement tendues pour saisir une gorge et serrer. Elles en ont trouvé une. Puis il s'est détendu et a poussé un grognement approbateur.

— Une souris, a-t-il annoncé.

— J'ai bien cru que vous n'arriveriez jamais, m'a dit Angie.

48

— QU'EST-CE que vous foutez là? lui ai-je demandé.
— Qui est-ce? a voulu savoir Provis.
— J'espérais que c'était votre voiture, a dit Angie.
Il y avait une boîte de Minou-Mets sur le siège.
J'ai répondu à Provis :
— C'est ma petite amie.
— J'espérais que vous diriez ça, a dit Angie.
— Qu'est-ce que vous foutez là?
Je me répétais. Elle a répondu par une question :
— Ça vous a plu?
— Quoi donc?
— Le feu de joie. J'ai pas bien réussi?
— C'est pas vous.
— C'est nous, a dit Provis.
— Non. C'est moi. Je croyais que vous seriez content.
— Oui, eh bien je ne le suis pas. Vous devriez être
à Cardiff.
— Vous ne m'avez pas mise dans le bon car. Celui-
là revenait de Cardiff, il n'y allait pas. Et c'était le der-
nier. Là où je suis descendue, j'ai rencontré un char-

mant jeune homme appelé Twynham qui vient parfois au siège d'Allelec. Je lui ai dit que j'avais rendez-vous avec Schneider à l'usine, et il m'a gentiment conduite dans sa voiture. Et vous ? Vous avez eu du mal à entrer?

— Oh non. Pas vraiment.

— Twynham m'a fait monter dans son bureau et il m'a offert un porto.

— Le petit cochon.

— Pas du tout. Et puis il a été appelé ailleurs et je me suis rappelé ce que vous m'aviez dit, au sujet du bâtiment principal, du centre. J'ai cru que ce serait là que vous seriez, alors j'ai ramassé sur son bureau un tas de dossiers et je me suis introduite au baratin.

— Dieu de Dieu! Facile, non?

— Ma foi... Vous savez, je connais des tas de noms et le jargon d'Allelec, ne l'oubliez pas.

— Et vous dites que c'est vous qui avez tout fait sauter? a demandé Provis.

— Oui. J'ai découvert une espèce de magasin bourré de percutants, le vieux modèle Parnelle cinquante kilos. Et des détonateurs hydro-C à retardement. Alors voilà.

— Comment diable pouvez-vous connaître les obus et les détonateurs?

— Ne criez pas. J'ai passé un an au déminage.

— Pas possible. Pas vrai. Vous êtes trop jeune.

— Je sais. Alors? J'ai mal fait?

— Vous auriez pu nous faire sauter.

— J'étais certaine que non. Présentez-moi votre ami.

J'ai mis le contact, je suis sorti du parking sur les chapeaux de roues, frustré jusqu'à la moelle. J'aurais aussi bien pu rester au jardin des délices. Aussi bien je serais déjà arrivé à *dok el arz*, pourquoi pas. La foutue garce de fille aurait pu faire tout ça toute seule. Mais elle m'aime, me suis-je rappelé.

— Quelle fille merveilleuse! s'est exclamé Provis.

— Tant que nous ne sommes pas sortis d'ici, lui a-t-elle dit, je vous conseille de me considérer comme un homme très sexy.

Mais il n'y a pas eu de pépins. Tout le monde s'efforçait d'éteindre le feu. J'ai colé le pied au plancher et j'ai foncé vers la porte principale. Elle était grande ouverte, pour laisser passer les voitures de pompiers. Une nuit mémorable pour Rhys et Ianto, pas de doute. Et aussi pour la morgue, probable.

— A l'intérieur du grand atelier, ai-je demandé à Angie, il y avait beaucoup de malfrats?

— Des milliers!... J'espère qu'ils s'en seront sortis.

J'ai appuyé sur le bouton au passage.

— Sans doute.

La route était sombre et sinueuse et après tous ces événements, j'étais presque trop las pour conduire. Mais nous nous sommes brusquement trouvés dans Cardiff sans que je m'en rende compte. Les réverbères étaient noirs, et il n'y avait pas une seule fenêtre éclairée. Il n'était pourtant pas si tard! Et puis j'ai haussé les épaules. Qu'est-ce qu'on peut savoir, avec ces Taffies?

Nous nous sommes arrêtés devant le poste de police. Toujours dans le noir absolu. Même la lanterne bleue était noire et, à l'intérieur, le flic de service écrivait péniblement son rapport à la lueur d'une faible bougie.

— Qu'est-ce qui se passe? lui ai-je demandé. Panne de secteur?

— On dirait, pas vrai?

Il a posé la plume et s'est essuyé ses doigts tachés d'encre.

— Qu'est-ce qu'il y aurait pour votre service, monsieur? Ah, vous êtes celui qui est venu voir le commissaire l'autre jour!

Il m'a gratifié d'un large sourire.

— Oui, c'est moi. Je voudrais le revoir. Lui et son patron, s'il est là.

L'agent s'est mis à rire joyeusement.

— Quest-ce qu'on n'a pas entendu, après que vous avez été parti, c'est rien de le dire! Bougez pas, je vais y dire que vous êtes là. Le nom, il est là dans ma tête. Le commissaire l'a mentionné deux, trois fois, faites-moi confiance... Dites, je pourrais vous donner une tasse de chocolat froid, à vous et à vos amis, vous voulez pas?

— Merci, non. Rien que le commissaire.

Il a jeté un rapide coup d'œil à Provis, s'est un peu attardé sur Angie et il est parti. Angie était toujours aussi élégante et pulpeuse qu'en prenant le départ, et le brave flic ne pouvait guère imaginer... Mais Provis commençait à s'effondrer. Enfin le flic est revenu avec le commissaire Reece bourdonnant en poupe.

— Qu'est-ce qu'il y a encore? Coopération raisonnable, ne l'oubliez pas, je vous prie. Raisonnable, voilà la coopération que vous pouvez attendre de moi, s'il vous plaît. Vous savez qu'il y a une panne générale d'électricité, j'espère?

Il bourdonnait, comme une mouche d'âne constipée, et se préparait, je le voyais bien, à une aigre discussion galloise. J'avais un œil sur Provis. Le masque de douleur était en place, maintenant, et il se tassait de plus en plus sur le banc de bois. Il fallait que je sois très dur avec cet imbécile de petit flicard, et très persuasif aussi. Il a fini par écumer et il est parti chercher son chef en se dandinant rageusement.

— Je peux faire quelque chose, monsieur? m'a demandé l'agent.

J'avais là un ami pour la vie, alors je lui ai demandé de ramener Provis en vitesse à Hirwain Street avec le médecin de la police. J'espérais que Steve aurait réussi à revenir de Castell Coch.

Et puis Reece est revenu avec un superintendant en chef et en smoking. Il s'appelait Hopkyn Hopkin, mais c'était un nouveau, de Birmingham, et pas si foutrement gallois qu'il en avait l'accent. Quand il a su que Reece avait déjà vérifié mes papiers et références, il a bien voulu m'écouter. Il a entendu mon histoire d'un air assez dubitatif, bien sûr, mais j'ai réussi à faire entrer quelque chose dans sa tête et il a expédié Reece avec une flottille de paniers à salade, pour ramener tout le monde de Castell Coch, mais poliment. Je lui ai alors demandé la ligne S. X. et Reece a lancé un dernier bourdonnement de mouche :

— Une panne de courant générale, il y a. Et ça veut dire pas d'électricité, il y a, pour la ligne de téléphone secrète et les cache-cache et gendarmes et aux voleurs et tout, n'est-ce pas? Il vous faut attendre, il faut.

Sur quoi il a ricané. Ou hoqueté.

— Ridicule. Le système S. X. est à l'abri de tout. Et d'abord il est alimenté par Londres, alors.

Dans la pièce du S. X. j'ai embrassé Angie à la chandelle, j'ai appuyé sur le bouton brouilleur et j'ai formé le numéro d'Addison Road. Et puis j'ai pris Angie sur mes genoux et je me suis bien installé pour jouir pleinement du rapport que j'allais faire. Depuis mon départ d'Addison Road, le long de l'A 40, j'avais découvert un complot pour plonger l'Angleterre dans le noir et la livrer aux mains des Taffies, j'étais tombé amoureux, j'avais consommé l'union, j'avais été copieusement fessé, j'étais allé à une soirée et j'avais enculé un berger allemand électronique, j'avais tiré sur des méchants et m'étais fait tirer dessus à chaque pas, j'avais pris un cours oriental d'Ars Amatoria et j'avais lamentablement échoué aux deux épreuves, homo et hétéro, j'avais sauvé ma bien-aimée d'un sort pire que la mort, je m'étais bien amusé et j'avais vu le plus grand magnat britannique se griller lui-même, après que j'ai eu rôti son génie en chef.

De fait, me disais-je, j'avais libéré le monde, et j'en

301

avais fait un lieu sûr et paisible où le Gros pouvait siroter son calva en paix, et j'avais hâte de tout lui raconter. Mais le téléphone restait muet. J'ai agité les broches. Rien.

— Ça ne marche pas!

— Vous auriez dû écouter ce gentil petit commissaire, voilà.

— Grrreuhhh!

Je suis parti à tâtons dans l'immeuble obscur, à la recherche de la salle des transmissions. Les flics étaient assis autour de leurs émetteurs morts, les pieds sur les tables, buvant du thé froid et jouant au piquet. Ils n'avaient aucune suggestion à me faire, mais finalement l'un d'eux s'est souvenu d'un vieil émetteur à manivelle dont ils se servaient pour l'instruction. Il est allé le chercher au fond d'un placard, il l'a épousseté, examiné en le constellant de taches de bougie, et m'a dit qu'aussi bien ça pourrait marcher. Il n'en avait pas l'air très convaincu. Je lui ai demandé s'il pouvait le brancher sur 333,33, la fréquence permanente d'urgence d'Addison Road. Il m'a dit qu'il y avait des chances que le message arrive à Londres à condition que la Couche d'Appleton soit près du sol cette nuit.

J'étais certain qu'il disait n'importe quoi.

Je me suis colltiné l'appareil jusqu'à la petite pièce et je l'ai installé. J'ai envoyé une antenne par la fenêtre dans un arbre et j'ai mis Angie à la manivelle. Et puis j'ai cherché le micro.

— Vous ne trouverez pas de micro, m'a dit Angie. C'est un manipulateur. Vous savez, pour le morse.

— Nom de Dieu de nom de Dieu! Tout le morse que je sais, c'est S. O. S. et la 5ᵉ Symphonie.

— Je peux envoyer. J'ai appris chez les Louveteaux.

— Vous êtes une fille !

— Je sais. Mais j'ai l'air d'un pou en marron.

Alors je lui ai donné mon chiffre d'appel et je me suis mis à tourner la manivelle. Elle a tapoté son bidule jusqu'à ce que ces salauds d'endormis lui répondent. Je lui ai alors donné l'impératif du Gros et nous avons attendu très longtemps qu'il nous renvoie son chiffre d'appel personnel.

— Il doit jouer au scrabble, ai-je grommelé.

— Un jeu amusant. Il me faut un crayon et du papier.

Je suis descendu tant bien que mal et je lui en ai rapporté. Puis elle a titillé pour qu'ils commencent. La petite machine bourdonnait comme un peloton de cigales au soleil, et elle écrivait son texte en capitales pendant que je tournais la manivelle.

SOYEZ BREF RESEAU OCCUPE

Je me suis impatienté :

— Pourquoi?

Elle a lancé un point d'interrogation, et puis elle a écrit, d'un air vaguement stupéfait :

PANNE DE COURANT NATIONALE

— Bon Dieu! ai-je soufflé. Je me demande...

— Ça m'en a tout l'air.

— Non. Ce n'est pas possible. Dites-leur ça :

LLEWELLYN OPERATION POUR DETRUIRE ENER-GIE ROYAUME-UNI DECOUVERTE ET NEUTRALISEE

Elle a titillé pendant des heures. Et puis elle a attendu, et elle a écouté une réponse extrêmement brève.

— Ils demandent comment, m'a-t-elle dit.

— COMPLEXE ELECTRIQUE ALLELEC DETRUIT DE FOND EN COMBLE, lui ai-je fièrement déclaré. Envoyez-leur ça.

Elle a penché sa jolie tête sur le manipulateur et je lui ai embrassé la nuque tout en tournant la mani-velle. Et puis le bidule a bourdonné une réponse. Elle a pris un crayon et m'a tendu le papier.

FOUTU CON, ai-je lu.

La machine bourdonnait encore. Angie a écouté et puis elle a donné le signal de fin d'émission.

— Vous pouvez arrêter la manivelle, maintenant. Ils ont dit d'attendre ici leur arrivée.

— Y a pas de danger, alors!

49

JE suis resté un moment, à caresser distraitement Angie, en me demandant ce que je devais faire. Le Gros allait sans doute envoyer Greene et Muir, avec mission de me ramener à Addison Road. Il risquait tout aussi bien de venir à Cardiff en personne. Il était temps de partir.

— Il est temps de partir, ai-je dit.

— J'ai faim, a répliqué Angie.

La cantine était tout aussi en panne que le reste de la nation, mais le sergent de semaine nous a arrangé une petite collation froide. Je l'ai emportée au bureau de Reece, avec deux bougies; il y avait une machine a écrire et tout en essayant de mâchonner du jambon gallois j'ai tenté de dicter un rapport complet à l'intention du Gros.

— Votre patron n'a pas besoin de savoir ça, a déclaré Angie, en tapant une rangée d'X sur un passage lyrique. Il travaille pour le gouvernement, pas pour la presse du dimanche.

— Je veux que le monde entier le sache.

— Vous êtes complètement fou.

Quand nous avons eu fini, j'ai revu tout le rapport avec le superintendant-chef Hopkyn Hopkin, et lorsqu'il l'a eu tout lu, il s'est demandé si sa décision avait été sage. Mais alors Reece est revenu avec la bande de Castell Coch et les femmes avaient énormément de choses à dire. Assez, en tout cas, pour convaincre le chef que je n'avais pas tout inventé.

J'ai avidement cherché Breumann dans la foule, mais j'avais dû le ligoter un peu trop serré, et il avait sans doute été déposé à l'hôpital avec quelques autres. Fluck était là. La pédale avait complètement perdu les pédales, et faisait le tour du violon au pas de l'oie, le bras tendu à la diagonale, en aboyant des ordres aux murs. J'ai vu Growland, qui donnait son autographe à un flic à travers les barreaux, et Sullivan qui menaçait l'ensemble des forces de la police de vingt coups de canne et de cent lignes chacun. Schneider se pelotonnait contre une sombre muraille humide, en tremblant comme un tremble. Je me suis approché des barreaux.

— Salut, Schneider. Charmante soirée, non?

Mais il ne m'a même pas reconnu. Il a continué de grelotter. Alors je suis remonté, laissant toute la triste cohorte gémir dans le noir en attendant le matin. Il y en avait assez, là en bas, pour occuper Greene et Muir pendant huit jours. Ce qui les a rappelés à mon bon souvenir. J'ai dit à Hopkyn Hopkin :

— Je ne serai peut-être plus là quand ils arriveront. Remettez-leur simplement mon rapport, et dites-leur que je les tiendrai au courant.

Le flic de service était allé chercher des bouteilles de stout à la cantine et nous avons tous bu un coup. Reece a même essayé de me faire des excuses et il a bourdonné je ne sais quoi au sujet de ses responsabilités. Mais j'ai entraîné Angie et nous avons planté là toute la clique assommante.

Nous sommes allés en voiture à Hirwain Street et nous avons trouvé Provis drogué jusqu'à l'os, et à peine conscient, devant un bon feu. Steve était revenue de Castell Coch à bon port, et elle s'occupait de lui, maternellement, en déshabillé vaporeux et très court. Elle trimbalait une petite lampe à pétrole en opaline décorée de roses, et ressemblait à Florence Nightingale aux verts pâturages.

Le médecin de la police n'était pas encore parti. Il hochait la tête en émettant de petits grognements désapprobateurs, et il donnait des prescriptions très strictes. Mais il a dit que Provis s'en tirerait à condition qu'il soit bien soigné pendant une huitaine de jours. Il a jeté un regard torve à Steve, au déshabillé diaphane mal fermé et aux longues jambes dorées.

— Cet homme ne doit surtout avoir aucune émotion, comprenez-vous? Pas d'énervement. Sa résistance va demeurer très faible pendant quelque temps encore.

Steve a approuvé avec une grande sincérité, sur quoi elle s'est empressée de se pencher sur le colosse pour lui tapoter ses oreillers. Les magnifiques seins dorés lui ont effleuré la joue.

— Par pitié, s'est écrié le toubib. Vous allez le tuer, femme!

Provis regardait par-dessus l'épaule de Steve. Il était peut-être trop faible pour cligner de l'œil.

J'ai ramené Angie à l'Ange. Je n'avais découché qu'une nuit, après tout, et ils avaient gardé ma chambre. Par bonheur, cependant, ils n'avaient pas de chambre libre pour Angie et le portier de nuit a fermé les yeux. Il n'y avait pas d'eau chaude, alors nous nous sommes bien serrés l'un contre l'autre pour nous réchauffer sous la douche, et puis nous sommes littéralement tombés dans le lit. Elle s'est faite toute petite entre mes bras et m'a demandé d'attendre le matin, alors j'ai fermé les yeux. Juste avant de m'endormir, j'ai entendu un fracas. J'ai ouvert un œil, et j'ai vu des lumières rouges et vertes passer en clignotant devant la fenêtre, au-dessus du terrain de rugby d'en face. « Foutus hélicoptères », ai-je pensé, et j'ai sombré dans le sommeil.

Des coups de poing dans la porte et des cris m'ont réveillé en sursaut.

— Brock, criaient les voix. Brock, vous êtes là? Il veut vous voir tout de suite. Ouvrez, Brock. Nous savons que vous êtes là.

Je me suis glissé sous les draps et j'ai serré Angie contre moi. Mes mains effrayées l'ont réveillée et elle m'a embrassé, en me soufflant à l'oreille :

— Tu n'es donc pas fatigué?

J'ai répondu de même :

— Non. C'est pas ça. C'est eux. Tais-toi, je t'en supplie.

— Allons, allons, mon bébé. Là, c'est fini.

Elle croyait que j'avais un cauchemar et m'a caressé la joue. Et les coups ont repris à la porte.

— Tu vois? C'est Greene et Muir. Ne fais pas de bruit. Ils vont peut-être s'en aller.

Mais ils criaient toujours. Ils avaient une torche électrique, aussi, dont la lumière filtrait sous la porte. Angie s'est levée.

— Non! l'ai-je suppliée. Je t'en supplie, ne leur ouvre pas. Ils ont peut-être ce sale Gros avec eux. Je t'en supplie.

— Chchchut!

Elle a tâtonné dans le noir. Puis elle a ouvert la porte et le faisceau de la torche l'a illuminée. Elle se drapait dans une toute petite serviette de toilette, et parlait avec la voix de la vertu offensée :

— Comment osez-vous? Que signifie ce vacarme? Je ne vous connais pas. Allez-vous-en.

J'ai entendu le toussotement de Greene. J'ai cru entendre Muir en baver, le porc.

— On s'excuse, mademoiselle, madame, mademoiselle, euh, ah... eh bien, a dit Greene. Nous cherchons un certain M. Brock.

— Je m'appelle Thomas, leur a répliqué Angie. Mademoiselle Thomas. Et je n'aime pas du tout ce que vous avez l'air d'insinuer. Allez-vous-en.

— Nous devons absolument trouver M. Brock, mademoiselle. Son oncle de Londres le réclame de toute urgence. C'est une question de vie ou de mort.

« Ha, ai-je ricané à part moi. Le Gros est toujours là-bas, à Addison Road. » J'ai respiré.

— Je ne sais pas du tout de quoi vous parlez, répondait Angie. Je vous prie de partir. Je tiens à vous dire que je suis une amie intime du superintendant-chef Hopkin.

— Hopkyn Hopkin? Nous le quittons à l'instant.

— C'est bien ce que je vous dis. Le superintendant-chef Hopkyn Hopkin Hopkin.

Sur quoi elle a tapé du pied et la serviette a glissé. Galamment, Greene a aussitôt éteint sa torche.

— Pourquoi t'as fait ça? a marmonné Muir tandis qu'Angie leur claquait la porte au nez.

Ils ont grommelé un moment, et puis je les ai enfin entendus partir. Angie est revenue à tâtons vers le lit.

— Où es-tu? a-t-elle demandé, inquiète.

Je me suis extirpé de dessous le lit et me suis glissé entre les draps à côté d'elle.

— Endors-moi, a-t-elle murmuré. Je suis tout énervée.

50

L E lendemain matin, Angie est descendue et elle a
rapporté un déjeuner de soleil boudeur, tout ce que
la cuisine pouvait offrir de froid. Les flocons de maïs
étaient pâteux, le lait à moitié tourné et il n'y avait que
du coca-cola à boire. Elle a également rapporté les nouvelles. Depuis l'aube, des voitures à haut-parleur sillon-
naient les rues en lançant des appels au calme et en
priant la population d'aller à ses affaires le plus nor-
malement possible, durant les trois ou quatre jours à
venir, jusqu'à ce que l'électricité soit rétablie dans le
pays tout entier.

Les heureux de ce monde, qui possédaient des appa-
reils à butane et propane, ou au gaz Aga, étaient priés
de faire preuve de bon voisinage. On demandait aux
automobilistes d'aller à pied, afin de réserver l'essence
aux médecins tant que les pompes ne marcheraient pas.
Et ainsi de suite.

— Dieu de Dieu! me suis-je exclamé. Il va dire que
tout est ma faute!

— N'y pense pas. Ce n'est qu'un mauvais moment

à passer. Et puis d'abord, qu'est-ce que tu aurais pu faire d'autre?

— J'aurais pu rester à mon bureau et continuer à imaginer des slogans, voilà ce que j'aurais pu faire!

— Ma foi... En tout cas, pendant quelques jours, il ne va plus y avoir de publicité.

— C'est bien ce qui m'inquiète. Tu imagines ce qui va se passer? Ils vont tout oublier!

— Chic.

— Non. Ils vont oublier quelle est l'essence qui met un kangourou dans le carter et quelle est la cigarette qu'il faut fumer pour être un homme. Ils ne vont plus savoir ce qu'il faut préciser au café ni ce qui est le velours de l'estomac. Ils vont oublier ce qu'il faut manger entre les repas.

« Jésus Dieu! ai-je pensé, le monde entier va s'arrêter de tourner. Ils vont même oublier ce qui lave plus blanc. » La panique me prenait. Heureusement, je me suis rappelé les affiches. Les affiches hurlaient toujours sur les murs et les palissades. Donc, tout allait bien de ce côté-là. J'avais cependant encore très peur du Gros, alors j'ai fait un mot pour la réception, leur demandant de faire parvenir ma note à Reece, et nous sommes partis discrètement par l'escalier de service. La voiture était là où je l'avais laissée. J'ai regardé mon niveau d'essence et j'ai vu qu'il nous restait de quoi faire cent cinquante kilomètres, grâce au réservoir supplémentaire de Bill. Nous sommes passés voir Provis, à qui j'ai emprunté de l'argent, et nous avons joyeusement quitté Cardiff par la route de Newport.

— Où allons-nous? m'a demandé Angie.

— Nous cacher.

Sur la route, nous avons croisé des files et des files de grands camions verts pleins d'équipes de dépannage et la moitié des pylônes grouillaient d'acrobates.

Nous sommes passés devant une sous-station du réseau national, qui n'était plus qu'un tas de fer et de câbles meurtris et encore fumants. Et avant Chepstow, nous avons aperçu une des autos blindées d'Allelec dans le fossé, les quatre fers en l'air, avec deux voitures de police par-dessus.

Il n'y avait rien de suspect dans mon rétroviseur et après Chepstow j'ai commencé à me sentir plus à l'aise. Le temps d'arriver à Lydney, j'étais suffisamment à l'aise pour lever le pied et nous arrêter à la Plume pour un verre. Mais je guettais aussi la route à l'avant, cherchant la Pontiac du Gros venant de Londres. On ne sait jamais. Je ne me suis senti complètement détendu qu'après avoir quitté la route de Londres à Gloucester, pour grimper vers Cranham. J'avais l'intention d'aller nous perdre pendant quelques jours dans les profonds vallonnements des Corswolds du côté de Stroud. Nous avons traversé Cranham en passant devant un petit pub appelé *Adam et Eve*.

— C'est le paradis, ici, ai-je dit à Angie.

J'ai bifurqué vers Painswick, et son cimetière aux quatre-vingt-dix-neuf ifs, dont personne n'a pu en compter plus de soixante-quinze, et je suis remonté par Pinmill Lane jusqu'à la haute crête de la vallée de la Slad.

Nous roulions paisiblement dans le moutonnement des bois, sous de frais tunnels de verdure, et je me suis presque perdu. Mais nous avons tout de même trouvé notre destination. Une poignée de maisons de pierre grise, au flanc de la vallée la plus verte du monde.

J'ai garé la voiture dans le trèfle et je suis allé chercher ma clef chez Mme Twissle, qui m'a accueilli comme l'enfant prodigue, accueil qui est tombé en panne quand elle a vu Angie. Mais je lui ai lancé un bon regard du Gloucestershire et elle m'a accordé la bénédiction du Gloucestershire, en y ajoutant pour faire bon poids un panier d'œufs encore chauds, du jambon de pays, du lait

mousseux et du beurre plus jaune que des boutons-d'or.
Elle a voulu aussi ajouter par-dessus le marché toutes les
petites nouvelles du Gloucestershire, mais ça pouvait
attendre.

J'ai pris Angie par la main et je l'ai entraînée dans le
sentier et, par-dessus le petit mur, à travers le bois et
jusqu'au jardin de mon cottage. Pas d'électricité, pas de
téléphone, pas de nom, pas d'adresse. Pas de télévision ni de radio, pas de journaux ni de voisins. Pas
de clients, pas de visiteurs, pas de señor Porto Cruz, pas
de Vache qui Rit, pas de Long John. C'était un très petit
cottage mais il était tout à moi. Je l'avais acheté pour
une bouchée de pain, et je n'en étais pas encore revenu.

Pendant qu'Angie faisait des œufs à la coque, j'ai
découpé le jambon. Et puis nous nous sommes assis
devant la fenêtre pour un second petit déjeuner.

Un renard est passé dans l'herbe et a filé sous bois ;
le soleil inondait la vallée. De mon cottage, on peut
croire qu'il n'existe que trois autres maisons au monde,
et elles sont toutes sur l'autre versant, presque hors de
portée. Dans l'une, la plus grande, Guy Fawkes a fo-
menté son complot. Dans une autre habite Dorcas et
son âne. Et la troisième est hantée. Angie voulait voir le
fantôme mais je l'ai emmenée chez Dorcas, en plongeant
dans les ombres bourdonnantes du fond de la vallée
pour remonter vers les prés verts, les vaches et le soleil.

Angie a plu à Dorcas. Elles sont allées dans la chambre
et Angie a donné une carotte à l'âne et puis nous sommes
revenus par le chemin le plus long, en suivant la crête et
en passant devant le cottage solitaire de Clutterbuck.
Quand nous sommes rentrés, les ombres s'allongeaient.
Le pub était ouvert et le patron m'a accueilli comme
s'il m'avait vu la veille. Nous nous sommes assis dans un
coin et nous avons bu paisiblement tandis que le soleil
plongeait derrière les arbres des collines. Le pub s'est
rempli de paysans paisibles qui buvaient de paisibles biè-

res dans le paisible bourdonnement de la lampe à acéty-
lène. Les fléchettes ont commencé à taper le liège.

Et puis toute cette paix a été anéantie. Deux Gallois
en goguette sont arrivés, bruyamment, en se racontant
des histoires galloisement salaces. Les paisibles buveurs
ont soupiré. Les Gallois ne sont pas les bienvenus dans
le Gloucestershire, depuis qu'une bande de Taffies ivres
a peint en vert bouteille la tombe du Croisé.

J'ai pris Angie par la main et nous sommes sortis
pour regagner notre cottage et nous coucher.

ACHEVÉ   D'IMPRIMER   LE
25 OCTOBRE 1966 SUR LES
PRESSES   DE   L'IMPRIMERIE
BUSSIÈRE, SAINT-AMAND (CHER)
POUR ROBERT LAFFONT
ÉDITEUR A PARIS

— No d'édit. 2429. — No d'imp. 1241. —
Dépôt légal : 4e trimestre 1966.